Une saison à Bratislava

Jo Langer

Une saison à Bratislava

présenté et traduit par
Simone Signoret

27 rue Jacob, Paris 6ᵉ **Seuil**

Titre original : *Convictions. Memories of a Life shared
with a Good Communist.*
André Deutsch Limited, London WC 1.
© 1979, Jo Langer.

ISBN original : 0-233-97136-X

ISBN 2-02-005899-5.
© 1981, Éditions du Seuil pour la traduction française.

Autour du livre
de ma cousine de Bratislava

JEAN-CLAUDE GUILLEBAUD : Vous avez voulu traduire vous-même le livre de Jo Langer, était-ce pour vous laver d'une mauvaise conscience à son égard ?

SIMONE SIGNORET : Oui, certainement. Cette femme qui est « ma cousine de Bratislava » est la pourvoyeuse de l'un des grands moments de ma mauvaise conscience. Je veux que ce livre soit connu, parce que c'est ma façon à moi de payer par mon travail la dette que j'ai à son égard.

J.-C.G. : En somme, vous vous êtes dit : « Je veux lui rendre en 1980 le service que je ne lui ai pas rendu à Prague en 1957. »

S.S. : C'est un peu ça. En 1957, dans ma chambre d'hôtel à Prague, j'ai péché par ignorance. Quand on m'a annoncé une cousine au téléphone, je me suis dit : « Oh, là là, quelle barbe ! La famille sur le dos en tournée, quelle barbe ! » Je ne savais pas que j'avais une cousine là-bas et je n'ai tenu aucun compte de cet appel téléphonique, qui, en fait, était un SOS... Nous en étions, Montand et moi, à la quatrième station de cette tournée de 1957. Nous avions vu, en URSS, en Pologne et en Allemagne de l'Est, pas mal de choses discutables, mais nous étions à cent lieues de nous douter que, trois ans et demi après la mort de Staline, il y avait encore en prison des gens qui ne seraient réhabilités qu'en 1964. Il est fou que nous ayons pu vivre huit jours dans cette ville de Prague en ignorant cela. J'ai été coupable une deuxième fois, à Londres en 1967. Elle voulait me parler, je ne l'ai pas laissée faire. J'avais d'autres soucis. Ça,

7

c'est pour la mauvaise conscience. Mais je ne suis quand même pas masochiste. J'ai traduit ce livre surtout parce que je l'ai trouvé passionnant et étonnant de bout en bout et même parfois franchement rigolo. Ça peut paraître surprenant et paradoxal après ce que je viens d'en dire il y a un instant, mais c'est pourtant comme ça. C'est tout, sauf un livre politique. Ça j'aurais été incapable de le traduire. Si vous voulez, c'est un livre qui pourrait s'appeler « La singulière aventure d'une jeune fille de bonne famille hongroise, devenue slovaque par amour, presque américaine le temps d'une guerre, de nouveau slovaque le temps de l'horreur et suédoise par nécessité ». Au XVIIIe siècle, ç'aurait été un bon titre, et, avec l'humour qui caractérise ma cousine, peut-être ne lui aurait-il pas déplu aujourd'hui.

J.-C.G. : Est-ce que ce n'est pas ambigu ? Est-ce que, maintenant, traduire ce livre, ce n'est pas vous l'approprier ?

S.S. : C'est une très bonne question, et je vous remercie de me la poser, comme ils disent... Je crois que ce serait ambigu si j'avais été la préfacière d'un livre traduit par quelqu'un d'autre. J'aurais pu me contenter de cela, encore que je trouve ça très difficile d'écrire une préface. Je lis rarement les préfaces, et généralement je les lis quand j'ai terminé le livre. J'ai été très sollicitée pour des préfaces depuis que j'ai été publiée, et d'une façon qui ne m'a pas trompée. Des éditeurs ont pu penser qu'une préface de moi, sans être une garantie de vente, pouvait peut-être donner un petit coup de main à quelqu'un de complètement inconnu. J'ai refusé toutes ces offres. Je ne suis pas vaniteuse au point de penser que je suis une préfacière indispensable, et j'avais bien compris que ce n'était pas à l'allégresse de ma plume que l'on faisait appel. Certains refus m'ont coûté, parce que les gens qui me sollicitaient étaient souvent très gentils ; il m'est aussi arrivé d'être très choquée que l'on puisse penser à moi pour préfacer certaines choses. Par exemple, il y a eu cette demoiselle américaine très distinguée qui avait l'air de sortir d'une université très chic du Massachusetts, avec ses longs cheveux bien lavés. Elle est arrivée chez moi avec un ouvrage d'entretiens. C'était le résultat de longues heures passées cachée dans un cabinet de toilette avec son magnéto-phone, pendant qu'une prostituée spécialisée dans le fouet et le cuir faisait la conversation à ses nombreux clients dont cer-tains, assez connus, étaient identifiables à leurs initiales. C'était sans aucun doute très intéressant sociologiquement, mais ce n'était pas pour moi. De toute façon, les préfaces, ce n'est pas pour moi. J'aurais pu changer d'idée et décider de préfacer le livre de ma cousine de Bratislava, mais je pense que ça aurait été ambigu. Ce qui l'est moins, c'est de se mettre au travail, à la tâche quotidienne, et de traduire.

J.-C.G. : C'est bien ce que je disais. Vous vous appropriez un peu plus son texte, vous êtes dedans complètement.

S.S. : Je suis dedans, parce que c'est moi qui trouve l'équivalent des mots qu'elle a elle-même trouvés en anglais. Il faut préciser que le livre a été écrit en anglais, et non pas en tchèque - je ne peux quand même pas traduire le tchèque. Jo Langer a vécu huit ans d'exil à Chigago et à New York, elle parle donc et écrit parfaitement l'anglais. Dans le livre, elle raconte d'ailleurs avec beaucoup d'humour ses années d'exil. C'est vrai qu'en la tradui-sant, j'ai vécu avec elle pendant des mois de travail. Par la force des choses, je suis entrée dans son histoire plus profondément encore que je l'aurais fait si je l'avais écoutée quand elle avait essayé de me la raconter. Et, en la traduisant, j'ai découvert aussi qu'elle s'exprimait à peu près de la même façon que moi dans la langue qu'elle a employée.

J.-C.G. : Mais c'est peut-être en la traduisant que vous la faites parler comme vous ?

S.S. : Peut-être bien parce que, placée dans sa situation, j'aurais parlé comme ça.

J.-C.G. : Est-ce que vous ne craignez pas que ce livre trouvé et traduit par vous devienne « le livre de Simone Signoret » ? Jo Langer est totalement inconnue en France...

S.S. : C'est exactement pour la raison inverse que je l'ai traduit. On aurait pu le dire si je m'étais contentée de quelques fioritures de préface, et c'est ce que j'ai voulu éviter. Traduire, ce n'est pas faire des fioritures, ce n'est pas si facile que ça. Prenez du papier, une machine à écrire, installez-vous et traduisez les trois cents pages ! Il faut dire que j'ai le goût de la version. Dans mon enfance, je me suis régalée avec les versions latines et anglaises. Il y a un côté un peu scolaire chez moi, c'est vrai, et je ne suis pas assez vaniteuse pour me passer du dictionnaire. Même quand je crois très bien savoir ce que veut dire un mot, je fouille toutes les définitions possibles, pour être bien sûre. Ce sont des relents de scolarité, il n'y a pas de doute. J'ai traduit très souvent, mais je n'en ai jamais fait autant état. J'ai traduit une pièce que j'ai jouée (à tort d'ailleurs), *les Petits Renards*, de Lillian Hellman. J'ai traduit ensuite une très longue nouvelle de Peter Fiebelman, qui est parue chez Gallimard, dans la collection très chic « Du monde entier » et qui a dû être lue par douze ou treize personnes au total, dont Emile Ajar, sans aucun doute... C'était une nouvelle très difficile à traduire. Là aussi, c'était un coup au cœur, mais sans toute la signification que prend ce livre-là. J'ai encore traduit une autre pièce américaine, qui est là, dans un tiroir. Donc, ce n'est pas la première fois. Il n'y a pas de doute que j'ai le goût de la traduction.

Oh, et puis, écoutez, je ne me suis pas analysée au moment où j'ai décidé de traduire : j'ai eu l'impression que ça tombait sous le sens. C'était à moi de traduire ce livre, parce qu'il m'était adressé. Que veut dire traduire ? Pour une actrice bilingue, ce n'est pas éloigné de jouer dans une langue étrangère, ou de jouer tout court, d'interpréter. Un bon interprète, c'est quelqu'un qui est parfaitement fidèle à la pensée de l'auteur. Il est curieux qu'on emploie le même mot pour un traducteur de textes. Je crois que traduire un texte, c'est mettre la même ferveur, la même passion à rendre exactement - au moindre mot près - la pensée d'un auteur. Traduire, ce n'est pas mon métier, mais quand je le fais ça me donne peut-être plus de mal qu'à ceux dont c'est le métier, et je sais que ça me passionne plus que les gens qui traduisent tout le long de l'année, parce que c'est un accident heureux dans ma vie. En plus - je vais tomber dans l'aspect commercial des choses -, une dame qui s'appelle Jo Langer aurait peu de chances d'être traduite en français s'il n'y avait cette étrange coïncidence qu'elle est de ma famille et qu'elle se retrouve justement dans le livre que j'ai fait. Que ce soit moi qui la traduise, plutôt que quelqu'un d'autre, m'a paru une évidence.

J.-C.G. : Traduire, comme interpréter, c'est prêter sa voix, ses mots, sa sensibilité au texte d'un autre. Dans le cas de votre cousine, c'est l'histoire vue complètement de l'autre côté ; une tranche de *la Nostalgie* vue de l'autre côté de la barricade... Ce travail de traduction vous a obligée à vous placer complètement de l'autre côté des choses. Quel effet cela vous a fait ?

S.S. : Dans le passage très précis qu'on pourrait appeler le passage Rashomon de son livre, c'est-à-dire là où elle raconte, mais vues par elle, les mêmes choses que celles que je racontais mais vues par moi, il faut bien dire que ça m'a fait un drôle d'effet. C'était étrange. Mais ça, c'est fugitif dans le livre. Pour le reste, il m'arrive un peu avec elle, qui n'est pas un personnage de fiction, ce qui m'arrive avec un personnage que je joue. Je devrais dire : un personnage que je vis, parce qu'on ne « joue » bien que les personnages qu'on vit, qui vous habitent, pour employer un mot pompier mais qui, comme tous les mots pompiers, exprime une vérité, qui vous habitent dans le sens où ils sont locataires de votre propre peau. Non pas vous dans la peau d'un autre personnage, mais un autre personnage dans la vôtre. Pendant que je traduisais le livre de cette femme, elle m'a « habitée », peut-être aussi parce qu'elle est une femme, j'aurais sans doute eu plus de mal si ça avait été le livre d'un homme, à la première personne, un homme qui aurait dit « je ».

J.-C.G. : En somme, vous avez eu l'impression d'être la cousine de Bratislava dans un film ?

S.S. : Curieusement, j'ai eu beaucoup plus l'impression d'être elle que l'autre, je veux dire Lise London de *l'Aveu*, et ma situation devient encore plus ambiguë parce que j'ai été Lise London, pendant le temps du film, et j'avais eu beaucoup de mal à la comprendre, Lise, beaucoup de mal à comprendre comment, dans une histoire similaire, elle avait pu avoir le comportement contraire - en tout cas dans un premier temps. Lise avait cru sincèrement à la trahison de son mari, si sincèrement qu'elle avait été du côté de ceux qui l'accusaient. Et ça m'avait créé des problèmes d'actrice quand je l'ai jouée. Il m'avait fallu, pour essayer de comprendre l'attitude de Lise, comprendre et admettre que, pour une militante communiste et militante depuis sa plus tendre jeunesse, le Parti ne pouvait pas avoir tort et que, s'il déclarait coupable l'homme avec lequel elle avait vécu depuis si longtemps, c'est qu'il était coupable. A plus forte raison, s'il s'avouait lui-même coupable. La cousine de Bratislava, c'est le contraire, elle n'a jamais été une militante mais elle est mariée à un militant et elle refuse instinctivement la culpabilité de l'homme dont elle connaît par ailleurs les défauts. Elle sait une chose : il ne peut pas être un traître.

J.-C.G. : C'est d'autant plus intéressant que Lise London était plus proche de son mari que Jo Langer du sien, sur le plan personnel.

S.S. : Non seulement par les liens d'amour, mais Lise London et son mari ont été très proches dans leur travail de clandestins, de résistants, de prisonniers politiques - il ne faut pas oublier que Lise London a accouché de son garçon à la Petite Roquette, en pleine Occupation, et qu'elle a fait deux ans de camp de concentration à Ravensbrück, tandis que lui faisait les siens à Mauthausen. Ils étaient tous deux communistes, résistants, faisant leur travail de résistants ensemble, ils ont été arrêtés ensemble, déportés ensemble et, dans ces années ignobles du stalinisme à son point culminant, ils se trouvent séparés par ce qui a fait qu'ils ont été ensemble, toujours. D'un autre côté, Jo Langer n'a pas avec son mari les mêmes liens, ni dans l'affection ni dans l'action. Ils forment un couple disparate, c'est même ce qu'on appellerait vulgairement un « mauvais ménage ». Mais on ne lui fera jamais croire que l'homme avec lequel elle a vécu plus ou moins bien, et plutôt mal que bien, depuis de si longues années, est devenu un traître. D'abord parce qu'elle le connaît trop et ensuite parce qu'elle trouve ça absurde. Elle est lucide.

J.-C.G. : Il a dû y avoir quand même des moments où vous n'étiez pas d'accord avec elle...

S.S. : Oui, il y a des choses sur lesquelles je ne suis pas d'accord. D'ailleurs, c'est très amusant, en traduisant, on a parfois des petites bagarres entre soi et soi-même, et on aurait alors tendance à arranger les choses. Il faut faire attention à ne pas tomber dans le piège. On voudrait retoucher la photo. Je crois être arrivée à ne pas le faire. Mais il m'en a coûté, parfois. A certains moments, je me suis carrément arrêtée. Je n'avais pas envie qu'elle dise ce qu'elle disait. Et puis, concernant la vie sexuelle, elle a parfois des opinions qui ne sont pas du tout les miennes. Mais, après tout, c'est son affaire. Elle y revient souvent. C'est peut-être dû au fait qu'elle vit aujourd'hui en Suède. Cela m'a parfois dérangée, mais je me suis censurée dans mes envies de censure.

J.-C.G. : Est-ce que vous ne faites pas aussi allusion à son penchant pour les incidentes ? Elle procède toujours par cercles concentriques : un événement lui en rappelle d'autres, les récits s'emboîtent les uns dans les autres comme des poupées russes.

S.S. : Si, bien sûr. Mais ça, c'est une chose qui nous est commune. Je me connais, j'ai des expériences tout à fait tangibles du fouillis de mon discours. Et quand j'ai écrit *la Nostalgie*, j'ai tenté de me corriger de ce défaut. Dans cette traduction, en revanche, je suis ses méandres à elle, je ne peux pas les canaliser. Mais je m'y retrouve très bien. C'est d'ailleurs curieux de se dire que deux femmes qui ne se connaissent pas du tout ont des ressemblances aussi étranges, et même inquiétantes, dans leur fonctionnement mental. Ce sont des choses qui m'ont troublée, je ne les ai pas inventées. Elles sont évidentes pour moi... C'est peut-être finalement parce qu'elle est de ma famille, de ce morceau de famille dont je n'ai jamais su grand-chose. Ce morceau

13

austro-hongrois. Dans mon enfance, le mot « austro-hongrois », ça voulait surtout dire Martha Eggerth dans *la Symphonie inachevée* fredonnant parmi les blés de la puszta avec ce pauvre Schubert très myope et incapable de terminer sa symphonie ; ça n'évoquait en rien des cousins, des cousines, des oncles ou des tantes. Chez nous, à Neuilly-sur-Seine, mis à part le couple prestigieux - Oncle Marcel-Tante Irène, qui habitaient un château de Versailles, square Lamartine - les oncles, les tantes et les cousins s'appelaient l'oncle Pierre, la tante Zabeth, l'oncle Florimond, le cousin Jacquot, la tante Eugénie, et quand ils habitaient loin c'était à Marseille, dans la presqu'île de Quibe-ron ou à Bécon-les-Bruyères. Ils étaient tous du côté de ma mère. De l'autre côté, du côté de mon père, je ne sais pas grand-chose, sauf qu'il était né en France, qu'il avait fait la guerre pour la France, qu'il tenait beaucoup à sa qualité de Français, ce qui le rendait peu bavard sur le fait que les siens venaient d'ailleurs ; je savais quand même que son père était polonais, mais je n'ai jamais su de quel ghetto il était sorti. D'ailleurs, je ne l'ai jamais connu, il était mort avant ma nais-sance ; de sa mère - ma grand-mère - je savais qu'elle était autrichienne, j'avais de bonnes raisons pour le savoir, ma grand-mère Signoret (née Dubois de Poncelet et fille d'un bou-cher de Valenciennes) le répétait assez souvent, assez mufle-ment d'ailleurs, elle n'omettait jamais de mentionner à table qu'un sien cousin engagé volontaire à dix-sept ans avait été le premier conscrit mort à la guerre de 70. Ma grand-mère pater-nelle était grande, imposante, elle avait un léger accent et s'ap-pelait Ernestine. Quand au détour d'une page du livre de Jo Langer, je découvre une grand-tante Tiny familière de son enfance à elle parce qu'elle est la sœur de sa grand-mère, et que je comprends que cette grand-tante Tiny c'est ma grand-mère Ernestine - et Tiny c'est quand même un beaucoup plus joli nom qu'Ernestine à l'oreille d'une petite fille -, ça me rappelle tout d'un coup que cette grand-mère venue d'ailleurs arrivait toujours à Neuilly avec des pâtisseries qui sentaient la cannelle, recouvertes de sucre farine, et chaque fois que je lis le mot « gâteau » dans le livre de ma cousine, je peux donner tout son sens à ce qu'on appelle la pâtisserie viennoise ; quand elle parle des lacs où elle passait ses vacances, je me rappelle tout d'un coup des noms de lacs dont il arrivait tout de même à mon père de parler quelquefois.

J.-C.G. : Ce livre évoque une histoire dont vous ne saviez pas grand-chose, mais dont vous saviez de source sûre qu'elle existait.

S.S. : Oui, et fait naître le regret de ne pas avoir connu tous ces gens-là. Et je ne les connaîtrai jamais. Lorsqu'elle parle de sa famille, qui a été complètement décimée par les nazis, je suis bien obligée de penser que c'est aussi ma famille. Grâce à Finkielkraut*, je ne vais pas m'appesantir là-dessus, mais, contrairement à lui, c'est une chose que j'aurais eu tendance à oublier - où à laquelle j'aurais eu tendance à ne pas penser.

J.-C.G. : Quand on vous entend parler de cette famille, on voit bien qu'il s'agit de bourgeois. Est-ce qu'il est question de conscience de classe et de mauvaise conscience dans ce livre ?

S.S. : On n'en sort pas ! Moi je traduis par mauvaise conscience et elle écrit par mauvaise conscience ? Non, je ne crois pas qu'elle écrive par mauvaise conscience. Je crois qu'elle a eu envie de raconter son histoire, parce que ces histoires-là se sont à juste titre beaucoup racontées, parce que c'est l'histoire d'une génération. Non, elle n'a pas mauvaise conscience ; elle a subi la mauvaise conscience de classe qu'on voulait lui inspirer. mais elle en est revenue. Et complètement.

J.-C.G. : En même temps, elle a des phrases terribles pour ce qu'elle appelle les « intellectuels occidentaux », et elle vous englobe dans cette catégorie.

S.S. : Oui, absolument. Elle fait d'ailleurs une petite erreur. Dans la partie de son livre consacrée à notre bref séjour en Tchécoslovaquie de 1957, elle dit que la presse, en annonçant

*Alain Finkielkraut, *le Juif imaginaire*, Paris, Le Seuil, 1980.

notre arrivée, avait indiqué que nous étions des membres influents du parti communiste français. La façon dont elle l'exprime n'est pas très claire, et je n'arrive pas à discerner si elle le reprend à son compte ou si elle rapporte simplement ce qu'elle a lu dans les journaux. Je suis tentée de croire qu'elle le reprend à son compte. C'est très intéressant pour moi, parce que cela prouverait à quel point, à ce moment-là, personne ne faisait rien pour détromper les gens qui pensaient que nous étions effectivement au parti communiste. Alors que, partout où nous passions, nous disions, Montand et moi, que nous n'étions pas communistes. Nous le disions d'ailleurs plus à l'Est - où la question était toujours posée sur un ton d'avenante complicité - qu'à l'Ouest - où la même question prenait une tournure accusatrice. Les dirigeants des pays de l'Est ont toujours su que nous n'étions pas communistes. De toute façon, elle en veut beaucoup à ce qu'elle appelle les « compagnons de route ». Comme tous ceux qui ont vécu dans les pays de l'Est et qui ont vu plus de gens se précipiter pour adhérer au Parti par opportunisme que par conviction, elle oublie un peu - et en cela elle est très sévère - que, dans la mesure où le choix était offert à l'Ouest de prendre ou de ne pas prendre sa carte, le fait que des gens ne la prenaient pas témoignait de leur réticence. Mais elle a tout à fait raison en ce qui concerne la grosse part de responsabilité des sympathisants communistes de l'Ouest qui ignoraient, qui refusaient de voir ou de savoir ce qui se passait à l'Est.

J.-C.G. : Mais, aujourd'hui, elle va très loin dans son refus du communisme. J'ai l'impression qu'elle va plus loin que vous.

S.S. : Oui, elle va plus loin. Encore qu'en ce qui concerne le socialisme, elle se reprenne vers la fin, lorsqu'elle parle de la Suède. Elle parle d'une possibilité de faire des réformes sans qu'il soit nécessaire pour cela d'envoyer des gens en prison.

J.-C.G. : Mais c'est un pays dont les communistes ont toujours parlé comme d'un symbole du capitalisme préservé, comme d'un épouvantail de la collaboration de classe.

16

S.S. : C'est leur affaire. Elle, elle y vit et elle en parle.

J.-C.G. : Avez-vous l'impression que, si vous aviez une longue conversation politique ensemble, vous seriez proches l'une de l'autre ?

S.S. : Je ne sais pas.

J.-C.G. : Quand vous avez parlé d'elle, c'est-à-dire en écrivant *la Nostalgie*, saviez-vous qu'elle-même préparait un livre ?

S.S. : Absolument pas ! D'ailleurs, j'en savais si peu sur elle que j'ai eu l'étourderie de l'appeler Sophie au lieu de Jo, j'avais mal lu le « Jo » que j'avais pris pour un « So » dans la première lettre écrite sur papier pelure rose que j'avais reçue d'elle. Son livre, elle me l'a envoyé un jour par la poste, tout broché, en anglais. Le hasard a voulu que ça coïncide très exactement avec le moment où nous revenions l'année dernière de Munich, Montand et moi. Et ça, c'était comme un signe. Nous revenions de Munich parce que c'est à Munich que nous avions participé à quelque chose que je me refuse à appeler un spectacle. C'était, en allemand, la traduction de ce qu'Ariane Mnouchkine avait monté au Théâtre du Soleil, c'est-à-dire la reconstitution mot pour mot des audiences du procès Vaclav Havel et ses « complices » du VONS, qui s'était déroulé quelques mois auparavant à Prague**. C'est Patrice Chéreau qui s'était chargé de la monter en allemand, et si c'était en allemand c'est parce que la télévision de Munich est captable sur une bonne partie du territoire tchèque et notamment en Slovaquie. La chose eut lieu dans un hangar de trams gigantesque et situé étrangement dans une rue qui s'appelle la Dachau Strasse... Dans ce hangar, théâtre-tri-

---

**Ecrivain et auteur de pièces de théâtre, Vaclav Havel, l'ingénieur Petr Uhl et quatre autres accusés, tous animateurs du VONS - comité de défense des personnes injustement poursuivies -, ont été condamnés en octobre 1979 à de lourdes peines, qu'ils purgent aujourd'hui encore (peines confirmées en décembre de la même année). Les observateurs et journalistes étrangers avaient été exclus de la salle du procès, dont les minutes passèrent néanmoins en Occident. Ce sont ces minutes qu'Ariane Mnouchkine a mises en scène. Le lecteur les trouvera dans l'ouvrage *Procès à Prague, 22-23 octobre 1979*, Paris, Maspero, 1980.

bunal pour un soir, il y avait une grande proportion d'exilés tchèques, venus exprès de Vienne ; j'avais la tête pleine des personnages de ce procès. Bref, je baignais dans une ambiance de cauchemar tchèque d'aujourd'hui. Et c'est à ce moment-là que le paquet est arrivé.

J.-C.G. : Pourquoi avez-vous trouvé indispensable de lui faire ce cadeau de plusieurs semaines de votre vie ? Pourquoi vous êtes-vous astreinte à ce travail de traduction ?

S.S. : Je ne considère pas que je lui ai fait un cadeau. Si je l'ai fait, c'est que, dans une certaine mesure, ça me faisait plaisir. Je ne considère pas que j'ai perdu mon temps. Je n'ai pas non plus voulu ajouter un petit wagon à *la Nostalgie*, même s'il existe d'ores et déjà un certain nombre de lecteurs potentiels de ce livre qui le liront pour connaître l'histoire de la cousine de Bratislava racontée par elle-même. Je ne voudrais pas non plus que cela passe pour une opération financière. L'argent que me rapportera ce livre sera versé à AIDA (Association internationale de défense des artistes), une association du type d'Amnesty International, plus particulièrement attachée à défendre les gens qui écrivent, composent, peignent et jouent la comédie - les « artistes », comme on dit. AIDA est justement l'organisation qui avait mis sur pied la reconstitution de Munich. Et, comme ça, j'ai l'impression d'avoir bouclé la boucle de ma bonne conscience.

J.-C.G. : Vous cosignez cette traduction. Pourquoi ?

S.S. : Je la signe avec un très jeune garçon qui s'appelle Eric Vigne et qui est historien de formation. Nous nous sommes partagé le travail. Au début, j'avais commencé toute seule, puis je suis tombée malade. J'ai eu peur que le temps passe et que le livre de Jo Langer en soit victime ; nous avons donc découpé le bouquin en portions. Dès que j'ai été mieux, j'ai repris mes portions, il a fait les siennes et nous avons fondu l'ensemble pour obtenir une unité de style. Curieusement, on en revient à ce que je disais sur l'interprétation. Ainsi, pour les lettres écrites de prison par le mari de Jo Langer, Eric Vigne a su immédiatement trouver le ton de l'homme et le style du militant politique. Ça m'aurait été plus difficile. De même qu'il m'a été facile de l'interpréter, elle, il a su puiser dans ses connaissances historiques et politiques les éléments qui lui ont permis d'interpréter le mari. Je ne sais pas si cela intéressera les lecteurs, mais cela a été très révélateur pour moi. D'ailleurs, je ne sais pas si tout ce que je viens de raconter intéressera les gens : j'ai l'impression d'avoir donné beaucoup d'explications subjectives.

J.-C.G. : Oui, mais ce sont peut-être les meilleures...

S.S. : Dans le fond, si quelqu'un d'autre avait traduit ce livre, j'aurais eu l'impression d'être dépossédée. J'aurais éprouvé la même chose que ce que j'ai éprouvé un jour à la cantine des studios de Saint-Maurice, alors que je tournais *les Diaboliques,* de Clouzot. Sur un plateau voisin, Renoir tournait *French Cancan.* Au moment de déjeuner, j'ai vu passer une de ses figurantes habillée d'une de mes robes de *Casque d'or*, et j'ai eu soudain l'impression qu'on me dépossédait. J'ai attrapé la fille par la jupe et je lui ai dit : « Mais où avez-vous trouvé ça ? » Elle m'a répondu : « C'est le costumier qui me l'a mise sur le dos... » Eh bien, si j'avais vu ce livre dans la vitrine d'un libraire avec la mention « traduit par M. ou Mme Dupont », je crois que j'aurais eu le même chagrin.

Autheuil, avril 1981.

Avertissement

J'ai écrit ce livre à partir de notes amassées pendant l'éphé-
mère printemps de Prague, de quelques documents rédigés pendant les années cinquante, d'extraits du journal intime que je
tenais, jeune fille, à Budapest, des feuilles, enfin, que j'ai
noircies depuis que je suis réfugiée en Suède.

J'ai fui la Tchécoslovaquie en août 1968, cinq jours après
l'invasion de mon pays par les chars soviétiques. De Bratislava,
où nous vivions, à la frontière autrichienne, il n'y a qu'une
demi-heure de route. Mais ce jour-là, la route nous a semblé
très longue, à Tania, ma fille, et à moi. Partout, sur les bords,
les chars avaient remplacé les arbres. Par bonheur, l'occupant
nous ignora, les gardes frontières tchèques fermèrent les yeux et
les douaniers autrichiens ne nous posèrent aucune question.

J'avais l'espoir que notre fuite serait masquée si nous n'empi-
lions aucun bagage dans notre voiture. En tout et pour tout,
nous ne prîmes que deux mallettes. J'avais bourré la mienne de
pages dactylographiées, de coupures de journaux, de notes et de
presque toutes les lettres que j'avais écrites et échangées avec
Oskar, mon mari, durant ses dix années de camp. Derrière
nous, nous laissions beaucoup de choses ; devant nous, nous
ignorions ce que l'avenir nous réservait dans notre exil. Mais
une fois la frontière franchie, je me sentis confiante et heureuse.
J'avais avec moi ma fille et de quoi écrire ce livre. Tout pouvait
arriver, maintenant ; l'essentiel était sauvé.

J.L.

A Elizabeth et Brian Henderson.

Les banquettes sont très dures. Nous sommes douze dans ce compartiment prévu pour dix personnes. Ça pue le sous-vêtement pas lavé et le mauvais alcool mal digéré. La lumière ne fonctionne pas, les ampoules sont peut-être grillées ? Ou peut-être quelqu'un, dans le compartiment, a-t-il décidé que cette longue nuit de voyage ne serait pas employée à perdre son temps à lire des livres ? Dans le deuxième cas, ce quelqu'un est quelqu'un de suffisamment important pour ne pas vous donner envie d'entamer la moindre controverse à propos de l'obscurité qui règne à bord du Prague-Bratislava Express, en cette nuit d'août 1951.

La puanteur et la chaleur sont insupportables, les vitres sont hermétiquement fermées. Je sens que je vais avoir envie de vomir, mais je n'ose pas demander qu'on aère. Je n'ose pas parce que je suis seule. Coincée parmi mes frères humains qui se taisent, grommellent, transpirent ou ronflent, je suis la plus seule des créatures parce que je suis, dans ce compartiment, la seule habitante d'une planète nouvelle dont ils ne savent rien. Un petit enfant pleurniche, bref signe de vie réelle, enfin je veux dire bref rappel de ce qu'est la vie sur mon ancienne planète, ou signe de vie de la planète des enfants ? Sur la planète des autres, tout peut arriver, le meilleur comme le pire, voire l'inattendu, mais toujours prévisible dans les limites de la logique et du possible. Sur la mienne de planète, celle sur laquelle on m'a déposée il y a quelques heures, j'ai découvert l'impossible, le total illogisme, l'inconcevable.

Il faut absolument que je boive de l'eau. Pour ça, il faudrait que je me lève et que je sorte du compartiment, et pour ça il faudrait que je parle à mes voisins de banquette, et alors, il se pourrait qu'en ouvrant la bouche ce ne soient pas des mots, mais des sanglots qui sortent, et avec les sanglots mon désarroi et mon secret. Dans le noir, je ne vois pas leurs visages. J'en crève de ne pas parler, de ne pas raconter, mais si je commence à parler, et qu'une voix me répond avec compassion, les autres voix s'en mêleront et tout sera perdu. Le seul auquel je pourrais faire confiance c'est le Bébé. Les bébés, sur leur planète, ne lisent pas les journaux.

Le type à côté de moi pose sa main sur mon genou. « Alors, ma petite dame, on est toute seule ? » Maintenant, vraiment, je vais vomir, il faut que je bouge. Dans le noir, sans dire un mot, me cognant dans les paniers, butant sur les pieds des uns, et me prenant les pieds dans les longues jupes paysannes des autres, j'arrive jusqu'au couloir. A la lueur jaunâtre d'une ampoule constellée de chiures de mouches, je découvre des gens installés sur leur paquetage, d'autres recroquevillés à même le sol. Ceux-là au moins on voit leurs têtes. Je colle mon front contre la vitre fraîche. Des étincelles dorées, échappées de la locomotive, passent en traînées régulières et puis elles perdent leur flamboiement magique, parce que, déjà, le petit matin est en train de tuer la nuit. Un homme, jeune, endormi à mes pieds, se réveille. Il a les yeux ensommeillés et une bonne tête. « Merde... Quel voyage ! Ça y est, on arrive ! Vous aussi, vous rentrez à la maison ? » Oui, je rentre à la maison. Je rentre à la maison après un séjour à Prague qui devait durer un mois, et qui s'est terminé quatre jours après mon arrivée. Ce quatrième jour-là, mon beau-frère m'appelait de Bratislava pour m'annoncer que son frère Oskar, mon mari Oskar, était arrêté. Je ne dis rien, et puis je dis « Je rentre », et puis ni moi ni lui nous ne dîmes quoi que ce soit pendant un très long moment. Il raccrocha, je raccrochai. Nous connaissions très bien, l'un et l'autre, l'incalculable puissance meurtrière de ce monstre qu'on appelle le téléphone.

Les membres de l'équipe qui m'entourait pour mon voyage d'affaires à Prague m'assurèrent qu'ils s'occuperaient de refaire mes bagages et de me les expédier à Bratislava. L'un d'entre eux se mit en quête d'un taxi qui me permettrait d'attraper l'ex-

press de nuit. Ils avaient tous l'air consterné, étonné, douloureux, désarmé ; ils m'embrassèrent, les larmes aux yeux bien
sûr. Ils ne parlaient guère. En fait, ils ne parlaient pas, surtout
pas. Ils mimaient. Nous étions six réunis dans cette chambre
d'hôtel, quand mon beau-frère appela de Bratislava. Nous
étions six, six bons copains. Mais dans ces temps-là, dans un
moment comme celui-là, est-il bien prudent, quand on est à six,
de faire confiance aux cinq autres ? Sans parler du septième, le
mur.

Il y avait quatre ans que nous avions quitté les USA pour
revenir à la maison, en Tchécoslovaquie. La Tchécoslovaquie,
nous l'avions quittée en 1938, juste après l'Anschluss, les Allemands étaient déjà installés sur l'autre rive du Danube, et nous
avions été quelques-uns, une poignée, à avoir eu la chance et la
possibilité de nous enfuir avant qu'il soit trop tard. Pour moi,
au tout début, l'Amérique avait été une terre d'asile à laquelle
j'étais reconnaissante d'abriter notre exil, en même temps
qu'elle était un pays déconcertant et dur à vivre. Au cours des
huit années suivantes, progressivement je m'intégrai et je me fis
à l'idée que mon enfant, cette petite fille qui n'avait que
quelques mois quand nous avions quitté l'Europe, était en train,
pour le meilleur et pour le pire, de devenir une jeune Américaine. Pour Oskar, communiste inconditionnel et passionnel
autant que patriote slovaque, l'Amérique ne fut jamais rien de
plus qu'un asile de transit, il fallait bien qu'exil se passe. Il le
subissait en maugréant et en traînant un incurable mal du pays,
attendant le jour où, enfin, il pourrait mettre sa foi et ses connaissances au service de sa propre patrie, où allait s'édifier le
meilleur socialisme de tous les temps.

Quand la guerre fut enfin finie, les réfugiés européens commencèrent à recevoir des nouvelles les concernant personnellement. Pas de lettres encore, mais de courts messages communiqués par la Croix-Rouge, publiés dans les journaux de leur
langue, et classés par ordre alphabétique aux noms des familles.
Tous les matins, j'épluchais un journal hongrois — je suis hon-

groise de naissance — avec un mélange de terreur d'y trouver mon nom et d'apprendre le pire, et d'espoir de l'y trouver et d'avoir des nouvelles rassurantes. Comme je ne le trouvais jamais, je passais continuellement de l'angoisse au soulagement. Le jour où je le trouvai enfin, j'étais comme mithridatisée, la lecture quotidienne des horreurs annoncées aux autres noms que le mien m'avait habituée, et ma réaction ne fut pas à la hauteur du contenu du message qui m'était adressé. Il me venait d'un oncle qui en avait réchappé.

« MAMAN SUICIDÉE PEU AVANT LIBÉRATION. KAROLY MORT EN CONVOI DE TRAVAIL SUR FRONT DE L'EST. SA FEMME RETOUR CAMP DE CONCENTRATION RECHERCHE SES ENFANTS. ONCLE EUGÈNE, SA FEMME, SA FILLE, SON PETIT-FILS ABATTUS DANS LEUR MAISON. COUSIN GEORGES TUÉ PENDANT POGROM SZÁLASI[1]. DÉSOLÉ. VOUS ESPÈRE BONNE SANTÉ. ÉCRIS. KORNEL. »

Et puis de vraies lettres commencèrent à arriver. Elles étaient écrites par des gens de la famille de mon mari, ou plutôt par ce qui restait de la famille de mon mari. Ses parents étaient morts au camp de Theresienstadt, sa sœur aînée, son beau-frère et leurs deux belles petites filles avaient été gazés à Auschwitz. Son neveu de dix-sept ans s'était fait descendre, avec d'autres partisans, pendant l'insurrection de la Slovaquie. Son frère cadet était vivant. Paradoxalement, il devait d'être vivant au fait qu'il était en prison pour activités communistes pendant les pires moments de la déportation. Il s'était finalement évadé et avait rejoint les maquis, il était maintenant devenu un officier de haut grade, et le rédacteur en chef du quotidien de l'armée. Son autre frère, une autre sœur et les enfants s'étaient cachés dans la montagne et avaient survécu grâce au ravitaillement que leur avaient fourni, tantôt de bon cœur, et souvent moyennant bonne finance, quelques villageois slovaques. Les lettres des frères étaient pleines d'enthousiasme et d'espoir pour l'avenir.

---

1. Ferenc Szálasi, ancien officier, créa en 1935 le « Parti de la volonté nationale », qui devint par la suite les « Croix-fléchées », mouvement fasciste qui prit le pouvoir le 15 octobre 1944 avec l'appui du commando SS d'Otto Skorzeny dépêché en Hongrie sur ordre d'Hitler. Szálasi fut proclamé « chef national » et établit une dictature fasciste et terroriste. (N.d.T.)

Et puis, un jour, arriva la lettre du Parti. Il fallait que mon mari rentre au pays, on avait besoin de lui. On avait besoin de lui parce qu'il était ce qu'il était : un brillant économiste et un fidèle vieux camarade. La lettre était signée Karol Bacilek[1]. Celui-là même qui, devenu quelques années plus tard le chef de la police d'État, eut le rare privilège de livrer aux bourreaux onze de ses plus proches fidèles vieux camarades, plus quelques centaines d'autres fidèles vieux camarades qu'il connaissait moins bien.

Quant à moi, une fois la guerre finie, il ne me restait personne au pays pour réclamer mon retour. Je venais de passer huit années en Amérique. Je n'en avais passé que trois en Slovaquie, les premières de mon mariage, celles de mes vingt ans. Ici, je ne me sentais plus une étrangère, c'est peut-être là-bas que ça m'arriverait. Je ne savais que quelques mots de slovaque, ici je commençais à vraiment posséder la langue. Et puis, je faisais un métier que j'aimais. Pendant les deux premières années de notre vie américaine, entre deux cours du soir, j'avais fait la course à l'emploi : tantôt serveuse de restaurant, tantôt démarcheuse pour de minables entreprises ; j'avais fini par trouver un véritable travail. J'étais devenue la secrétaire du propriétaire d'une grande librairie située sur la Michigan Avenue à Chicago. Il s'appelait Ben, était rouquin, juif et autodidacte ; et quand bien plus tard il décida de déménager et de s'installer à New York en 1944, nous le suivîmes.

Les clients de la librairie étaient pour la plupart des maniaques de l'édition numérotée et des collectionneurs de livres introuvables. La maison travaillait surtout par correspondance, mais pas n'importe quelle correspondance. Si les clients passaient tant de commandes, c'est qu'ils avaient été au préa-

---

1. Karol Bacilek (1896-1974), responsable du Parti communiste en Slovaquie à partir de 1934 ; de 1945 à 1950, il est secrétaire du Comité central du PC slovaque ; nommé en 1951 ministre du Contrôle populaire, il est, en 1952-1953, ministre de la Sécurité d'État ; puis, de 1954 à 1963, premier secrétaire du PC slovaque. Il sera révoqué en 1963 de toutes ses fonctions en raison de sa participation aux procès politiques des années cinquante et exclu du Parti en 1968. Honoré du titre de « communiste émérite », à titre posthume, par la Tchécoslovaquie normalisée (cf. Karel Kaplan, *Dans les archives du Comité central. Trente ans de secrets du bloc soviétique*, trad. française de Milena Braud, Paris, Albin Michel, 1978). (N.d.T.)

lable très astucieusement bombardés de nos lettres. Elles étaient très drôles, superbement rédigées, et elles leur donnaient à tous l'impression d'avoir été inspirées par leur étonnante personnalité. En fait, c'était toujours la même lettre (à quelques détails près, que nous prenions soin de corriger ou de rajouter avant l'envoi) qui se baladait à travers tout le pays. Voilà pour le recrutement de la clientèle. Bien sûr, c'était un peu du racket, mais un racket qui ne faisait de mal à personne : ses armes étaient l'intelligence et l'humour ; en tout cas, moi, ça m'amusait de les manier. Ben, mon patron, était arrivé petit garçon en Amérique (il venait de Lituanie) et comme il lui avait fallu se débrouiller tout seul pour survivre, au lieu d'aller à l'école il s'était embauché dans une librairie en qualité de grouillot-nettoyeur-de-rayonnages. Apparemment, il avait plus lu que dépoussiéré ce qui se trouvait sur les rayons. Quand je le rencontrai, il n'était pas loin de la cinquantaine, il connaissait à peu près tout Shakespeare, la littérature ancienne et la moderne par cœur. C'était plus sa fantastique mémoire des textes qu'une véritable intelligence créatrice qui l'inspirait pour écrire ses superbes lettres de recrutement. Toujours pour les mêmes raisons, les catalogues, que nous éditions pour annoncer les volumes que nous proposions à nos clients, vous prenaient des allures d'essais littéraires qui n'avaient plus rien à voir avec le ton généralement employé par une entreprise commerciale. Mais aux vrais collectionneurs nous envoyions de vrais livres rares ; aux autres, les snobs, riches-faux-intellectuels, nous expédiions des paquets de livres achetés au poids dans des ventes aux enchères. Nous publiions, à compte d'auteur — et à très cher compte d'auteur —, des petits poèmes commis par de riches vieilles veuves. Ces petits poèmes, devenus d'élégants objets reliés, nous les fourrions d'office dans les envois adressés — contre remboursement — à quelques clients fidèles, que les missives de Ben faisaient tellement rire qu'ils les acceptaient, les payaient, ne les retournaient jamais, et probablement ne les lisaient jamais non plus. En revanche, nous expédiions de nombreux colis de vraie bonne littérature à des soldats stationnés dans des endroits impossibles, genre Islande-Icebergs ; à ceux-là, ça ne coûtait pratiquement rien, et ils découvraient en prime de longues épîtres les encourageant à tenir le coup, épîtres truffées des derniers potins relevés dans la presse américaine et agrémentées de quelques quatrains un peu cochons. Ben était célèbre dans tout Chicago pour la couleur de ses chemises qu'il teignait lui-même dans toutes les nuances de l'arc-en-ciel, et pour quelques autres excentricités, dont la finalité était toujours la même : appâter le client. Une fois entré dans la boutique, l'affaire était dans le sac, le client ne partait pas sans acheter. Nous organisions aussi des séances de signatures. Les auteurs venaient signer leurs livres dans la librairie, et comme c'était à l'heure du thé, moi, je servais le thé. Christopher Morley vint signer, Richard Wright vint signer, et Henry Miller vint. Lui, il ne signait rien puisque ses livres étaient interdits. Henry Miller vint, et revint assez souvent. Je n'ai jamais su si ce goût que manifestait Miller pour la boutique était dû à la vieille amitié qui le liait à Ben, ou si Miller pensait que Ben était le seul à lui reconnaître du génie, mais ce que je sais, c'est que les quelques exemplaires que nous avions réussi à planquer du *Tropique du Cancer* furent adressés « en communication » à des clients dont les noms étaient répertoriés dans nos dossiers sous la rubrique « P » comme pornographes. Ben aimait à rappeler à la cantonade que c'était lui qui avait découvert John Steinbeck, et lui qui lui avait décroché son premier éditeur. Va-t'en savoir... Mais, de toutes les fables que racontait Ben, celle-là était peut-être la seule qui présentât une légère apparence de vérité. Ben, que Dieu ait son âme, était un escroc, je n'en disconviens pas, mais il était un escroc inoffensif, et il fut le meilleur des patrons pour qui j'aie jamais travaillé. Comme il était diabétique, il avait choisi de se suicider lentement mais sûrement en se soûlant régulièrement la gueule. En état de sobriété, il était incapable de dicter les lettres.

J'étais de congé le jeudi. Mais les mercredis, après la fermeture, dans la librairie désertée par les employés et les clients, nous nous mettions lui et moi au travail. Ben commençait par poser un magnum non entamé de gin sur son bureau (je ne vis jamais autre chose que du gin et je ne fus jamais invitée à en savourer la moindre goutte), il ouvrait la bouteille et commençait à dicter. Vers minuit, il se débarrassait de ses dents du haut ; vers deux heures du matin, la bouteille était vide, et il se débarrassait alors de ses dents du bas. A partir de ce moment-là, il devenait très difficile de saisir mot à mot les termes de son bafouillage. Au début de notre collaboration, ça m'avait quelque peu désarçonnée, et puis, par la suite, l'habitude aidant, j'étais devenue parfaitement capable de reconstituer le fil de son discours à condition de savoir auxquels de nos clients il s'adressait. Peu à peu, un accord tacite s'établit entre Ben et moi ; j'étais autorisée à improviser les passages additifs concernant l'estime et l'affection particulières qu'il adressait etc. à son correspondant, à la condition toutefois que mon improvisation respectât son style personnel. Le jeudi je me reposais, et pendant les jours ouvrables jusqu'au jeudi suivant, je triais et mettais en forme ce matériel brut. Des notes prises à la volée jaillissaient des lettres bien relues (toujours dans le souci de ne pas louper le détail personnalisant) ; ces lettres étaient distribuées à des gamines qui les tapaient à la machine, les timbraient et les confiaient à la poste qui les acheminait vers les contrées les plus reculées de ce continent. Ces lettres-là tombaient dans des boîtes aux lettres qui appartenaient à des gens dont nous gardions l'espoir qu'ils n'auraient jamais la mauvaise idée de se rencontrer pour comparer leur courrier personnalisé.

Quand le magnum de gin était vide, mon carnet de notes était plein. Je mettais soigneusement les deux portions du râtelier de Ben dans une enveloppe, je le mettais lui dans un taxi que nous partagions jusqu'à son domicile et je délivrais le tout à son épouse. Le taxi était alors autorisé à me reconduire chez moi, aux frais de Ben.

J'ai adoré cette pièce immense cloisonnée de rayonnages qui supportaient plus de quarante-cinq mille livres, dont chacun racontait quelque chose de différent ou de contradictoire. Ils étaient comme les pierres d'un rempart protecteur entre moi et cette ville étrangère, sauvage et dure, qu'on appelle Chicago.

Au moment de notre arrivée, il y avait huit millions de

chômeurs aux USA. Je n'avais aucune qualification professionnelle et mon mari ne parlait ni ne comprenait l'anglais. Nous
avions emporté quelques meubles dans notre fuite, mais le seul
argent liquide dont nous disposions provenait de la vente DU
diamant. C'était un diamant acheté exprès pour être vendu,
passé en fraude aux frontières et finalement négocié à très bas
prix pendant notre transit à Paris où les acheteurs de pierres
précieuses avaient toutes les bonnes excuses, à cette époque-là,
pour profiter de la situation. Il était donc urgent, dès l'arrivée,
de trouver du travail. Les cousins d'Amérique grâce auxquels
nous avions obtenu les laissez-passer d'immigrants étaient
« aisés », comme on dit, mais n'étaient pas riches. L'eussent-ils
été, nous étions bien décidés à n'accepter que leurs conseils, pas
leur argent. Leurs conseils se résumaient à ceci : Oskar n'avait
qu'à trouver un travail manuel. Pourquoi pas ? Quant à moi,
compte tenu des rudiments d'anglais que je connaissais, je
n'avais qu'à me lancer dans le commerce. C'est ainsi que mon
mari s'essaya à différents artisanats, desquels il démissionnait
tous les quinze jours, tandis que je m'essayais au porte à porte.
Une petite valise à la main remplie d'échantillons de crèmes
rajeunissantes et de lotions miracle, je courais d'un institut de
beauté à un autre, d'un salon de coiffure à un autre, et d'une
officine à une autre, sans jamais réussir à caser le moindre flacon. Quand nous nous retrouvions le soir, nous faisions le bilan
de nos échecs respectifs. Nous le faisions les larmes aux yeux,
mais aujourd'hui je ne saurais plus dire si nos larmes étaient
celles de la tristesse ou celles du fou rire. C'était probablement
un mélange des deux.

Les raisons qui faisaient de moi la pire démarcheuse du
monde peuvent se résumer ainsi : ou bien les gens auxquels j'essayais de caser les compacts-fonds-de-teint et les brosses-pour--
brushing les utilisaient déjà, et à ceux-là je faisais perdre leur
temps, ou bien ils ne les utilisaient pas, et s'ils ne les utilisaient
pas c'est parce qu'ils n'en voulaient à aucun prix. Comme je
répugnais à leur servir le boniment qui les aurait séduits ou
dévoyés de leurs habitudes, je me retirais poliment sans leur
laisser le temps de formuler la décision de me foutre à la porte
que je voyais poindre dans leurs regards. Ma carrière de démar-

cheuse prit fin le jour où, étant passée des produits de beauté à l'équipement électrique fonctionnel, je véhiculais dans une autre petite valise les horribles modèles d'horribles petites lampes de chevet destinées à l'industrie hôtelière. C'était mon premier jour dans cette discipline nouvelle, ce fut aussi mon dernier jour dans le marketing. J'avais repéré un bon hôtel moyen, genre convenable, et je fis mon entrée par la porte tambour. Comme j'avais l'air convenable, moi aussi, ma valise à la main et l'allure dégagée (alors que je crevais de mépris pour moi-même d'être ce que j'étais), le petit groom se précipita sur mon bagage à main, c'est-à-dire sur les horribles petits modèles des horribles petites lampes de chevet, et m'accompagna directement à la réception, où je fus réceptionnée par le sourire chaleureusement obséquieux du concierge. Comme je ne voulais pas lui faire perdre son temps, j'annonçai la couleur... la couleur des petites lampes de chevet. Son sourire de commande se figea, et c'est à cet instant précis que je décidai : ça va comme ça, basta, assez, schluss, enough... Je ne suis pas faite pour ce genre de démarches. Je m'en allai pleurer à chaudes larmes dans les toilettes du premier bistrot voisin de l'hôtel, et, ce faisant, je réalisai que c'était bien embêtant de n'avoir pas l'âme commerçante dans un monde où tout s'achète et tout se vend, et plus particulièrement les choses dont personne n'a besoin.

Je devins donc serveuse, et les choses commencèrent à s'arranger. C'était plus fatigant pour les jambes que pour la tête ; je servais de la nourriture à des gens qui avaient envie de manger, un point c'est tout. Mon mari, pendant ce temps-là, s'occupait à diverses petites tâches dans les bureaux de ses cousins, tout en grappillant de-ci de-là quelques mots d'anglais. Je travaillais de nuit, et dans la journée je m'occupais de la petite Susie. J'étais complètement épuisée. Mais, au bout de très peu de temps, j'en savais assez long sur mon nouveau métier et sur ses ficelles pour pouvoir nous offrir l'inscription de la petite au jardin d'enfants. Cependant, je ne cessai pas mon travail de nuit pour autant. J'avais déjà compris que les buveurs nocturnes et les routiers du petit matin ont le pourboire plus généreux que les habitués des déjeuners d'affaires. Je ne sais pas ce qu'il en est aujourd'hui aux USA, mais, à cette époque, le salaire de base d'une serveuse de restaurant était si modeste qu'il ne représentait qu'une infime portion de son gain réel qui était, lui, très convenable. Le truc, le coup à prendre, c'était celui du pourboire. Au tout début, maladroite, intimidée, remplie de zèle et par conséquent proie désignée pour l'exploitation, je vivais dans la terreur que m'inspiraient la grossièreté de certains employeurs et la vulgarité des avances que me faisaient certains clients. Il me restait beaucoup à apprendre sur un sujet qu'on avait omis de traiter dans les écoles que j'avais fréquentées. Par exemple : vous graissez la patte du chef de cuisine, le chef de cuisine vous fournit rapidement la commande que vous lui avez passée, ce qui vous permet, à vous, de servir en un temps record le client, et comme il est content, le client, parce qu'il est pressé, il vous laisse un gros pourboire, lequel pourboire vous permet de graisser la patte, etc. Cercle vicieux dans tous les sens du terme, mais lucratif, et dans lequel je me mis à tournoyer comme les autres à partir du moment où je compris qu'il était impossible de faire autrement. Il m'arrive encore aujourd'hui de rencontrer au cours d'un cauchemar le visage de l'un ou l'autre de ces chefs de cuisine mentionnés plus haut, qui pourtant se ressemblaient tous. Ils étaient grands et gras, ils avaient la cinquantaine, l'accent italien, grec ou espagnol, et ils régnaient comme des rois fous sur des cuisines enfumées et surchauffées. Leurs figures congestionnées ruisselaient de transpiration, ils maniaient dans l'air de longs couteaux scintillants qui s'abattaient sur des morceaux de viande rouge, tout en proférant dans des jargons incompréhensibles des insultes et des jurons qui s'adressaient tout à la fois aux serveuses, aux marmitons, à la clientèle dans son ensemble et à la vie en général. L'enfer, quoi ! A la réflexion, je dis l'enfer parce que, probablement, j'ai gardé de ce temps-là le souvenir très physiquement précis de la sensation de froid glacial et de chaleur infernale que je subissais chaque fois que je passais la porte qui séparait la salle du restaurant à air conditionné, où dans un calme paradisiaque je venais d'enregistrer la commande, pour aller la hurler dans la cuisine torride.

Et puis il y avait les préparateurs de sandwiches. Ceux-là se recrutaient généralement parmi les immigrants d'Amérique latine, très jeunes, très souriants, très beaux, et je les aimais bien. Je ne suis cependant pas près d'oublier le jour où, dans le recoin d'une de ces cuisines-là, l'un d'entre eux devint fou sous mes yeux. A travers une petite fenêtre-guillotine, derrière laquelle il était à son poste, un essaim de serveuses énervées lui assenait des commandes qu'elles hurlaient toutes en même temps. Ça donnait à peu près ceci : « Jambon-pain-de-seigle-laitue, non sans laitue, deux salamis-coupés-fin-pain-de-mie-sans-cornichons et vite, j'étais avant toi ! Saumon trois, sur pain-de-seigle-sans-beurre ! Pousse-toi, toi. Tu m'entends Pépito ? Trois œufs frits bien saisis et retournés avant qu'ils soient trop cuits, oh Pépito ! Tu m'écoutes ? Bon, alors ne me regarde pas comme un con, deux toasts crevettes... Oh Pépito ! » Pépito enregistrait, et puis Pépito se mit à trembler et Pépito se mit à hurler. C'était un bruit terrible, peut-être un rire, peut-être un gémissement. Et puis Pépito prit dans ses mains une assiette de sandwiches prêts pour la consommation, il les envoya en l'air et quand ils retombèrent sur le carrelage il les piétina sauvagement. Je le comprenais très bien et je l'enviais. Je l'enviais d'être capable de faire ce que les entraves de mon éducation première m'empêchaient de faire. Ce jour-là, j'aurais donné des millions pour ne l'avoir jamais reçue, cette éducation première. Si j'avais été un peu moins bien élevée, moi aussi, j'aurais pu me payer un coup de folie comme Pépito, et ça m'aurait drôlement soulagée.

Mon intéressante carrière de serveuse de bistrot allait en s'améliorant tandis que ma condition d'épouse se détériorait à vue d'œil. En Slovaquie, mon mari avait été habitué très jeune, étant donné qu'il avait accédé très jeune à des responsabilités très importantes, à ce qu'on s'occupe de lui, je veux dire à ce qu'on le décharge des tracas matériels de la vie quotidienne. On s'occupait de lui à son bureau, on s'occupait de lui à sa cellule, je m'occupais de lui à la maison. Ici, devenu travailleur manuel intermittent, itinérant et sous-payé, il commença très rapidement à perdre la confiance qu'il avait toujours eue en sa propre personne. Comme il était sensible, il était aussi orgueilleux, et répugnait à se ridiculiser en baragouinant une langue étrangère. Il choisit donc de se taire dans les circonstances où la langue anglaise est inévitable, c'est-à-dire la plupart du temps quand on vit aux USA. En même temps, il décida qu'il ne voulait plus fréquenter les cercles de réfugiés tchèques et slovaques chez lesquels il avait immédiatement décelé les plus méprisables des aspirations : le besoin d'assimilation et la course aux dollars. Alors, forcément, il devint maladivement susceptible et irascible. La petite fille ne l'intéressait pas beaucoup, quant à moi, j'étais coupable en permanence, preuves à l'appui. Ça allait des moutons de poussière découverts sous le lit aux yeux que j'avais négligé d'extraire des pommes de terre que je venais de faire sauter. Il savait très bien que j'étais morte de fatigue et il savait très bien aussi qu'il n'avait pas épousé la meilleure femme-d'intérieur-sachant-cuisiner, le jour où il m'avait épousée.

En fait, les vraies raisons de cette tension se trouvaient ailleurs. Pour la première fois depuis notre union, il y avait des choses sur lesquelles nous étions en désaccord. Par exemple, on avait de vieux copains, communistes allemands, des prolos, que nous avions hébergés et nourris chez nous en Tchécoslovaquie où ils étaient entrés clandestinement, parce qu'ils étaient condamnés à mort par les nazis, et qui finalement se débrouillèrent pour émigrer en Angleterre. Je ne cessai jamais de correspondre avec eux. Et puis un jour, parce que Ribbentrop et Molotov s'étaient serré la main pour sceller un pacte, parce que la croix gammée flottait allégrement sur l'aéroport de Moscou, dans le même temps que les meilleurs des communistes allemands étaient livrés à la Gestapo[1], nos copains — les prolos communistes allemands exilés en Angleterre — écrivirent une lettre dans laquelle ils racontaient comment et pourquoi, la mort au cœur, ils avaient décidé de quitter le Parti. Mon mari me

---

1. Le 23 août 1939, les ministres des Affaires étrangères allemand (von Ribbentrop) et soviétique (Molotov) signaient un pacte de non-agression, accompagné d'un protocole secret annexe définissant les zones d'influence des deux pays, notamment en Pologne. « Je sais combien la nation allemande aime son Führer, j'aime donc boire à sa santé », déclara Staline, qui décida de livrer aux nazis, dans les mois qui suivirent, les communistes allemands réfugiés en URSS et déportés au Goulag (cf. notamment le témoignage de Margarete Buber-Neumann, *La Révolution mondiale,* Paris, Casterman, 1971). (N.d.T.)

demanda de ne pas leur répondre et de cesser à tout jamais de leur écrire. J'étais tombée par hasard sur des ouvrages qui relataient les procès de Moscou dans les années trente, et dont la lecture m'avait glacée d'horreur et incitée à des réflexions. A la seule vue du titre qui s'étalait sur leurs couvertures, mon mari les rejetait sans même daigner les ouvrir en grommelant quelque chose comme « provocation capitaliste, anticommunisme primaire ». Je commençais donc à me poser des questions sur cette Russie des Soviets qui nous avait tant fait rêver tous les deux, tandis que, de son côté, il s'accrochait avec une loyauté totale et inconditionnelle à sa foi en la Russie patrie du socialisme.

Cependant, il était plus intimement ébranlé qu'il ne voulait le laisser paraître par les nouveaux et surprenants tournants que prenait la ligne du Parti. Alors, pour se prouver qu'il pouvait les justifier, il passait de longues heures à rédiger des papiers destinés à la feuille confidentielle éditée par la communauté communiste slovaque émigrée, qui était bien contente de les publier, d'autant plus contente qu'elle ne les payait pas. Pour les mêmes raisons, il s'était remis à fréquenter des meetings politiques dans lesquels il apportait le soir la bonne parole aux camarades slovaques. Et moi, je prenais ça de moins en moins bien.

Ce qui ne veut pas dire que j'avais viré à droite, ni que j'essayais par la parole de détourner mon mari de ses convictions profondes. Au contraire, c'était la parole qui me manquait le plus. Si nous avions pu parler ensemble, peut-être qu'il m'aurait convaincue, peut-être qu'il aurait su dissiper mes doutes. Je l'aimais, mon mari, je le respectais et je respectais son incorruptible ténacité. Mais, habituée à être culpabilisée par mes origines bourgeoises, j'avais pris l'habitude de censurer mon mauvais esprit, et d'éviter au maximum de poser à Oskar des questions embarrassantes. En cela, je fus grandement aidée par le fait que, soudainement, du jour au lendemain, « la sale guerre impérialiste » se métamorphosa en « admirables combats pour la survie de la Russie, notre seconde mère patrie »[1]. Je n'avais

1. Jo Langer fait allusion au revirement du PC d'Union soviétique, du Komintern et de l'ensemble des PC en Europe et dans le monde. Après la signature du pacte germano-so-

plus le choix. Il était évident qu'entre la barbarie nazie et le socialisme russe, j'avais choisi mon camp. Ce qui ne veut pas dire pour autant que toutes les questions rentrées, que je n'avais pas posées à mon mari, avaient fait de moi une aimable compagne.

J'étais épuisée physiquement par un travail stupide, et frustrée de ne jamais trouver un moment de liberté pour lire vraiment ou parler avec de vrais amis. C'était bien vrai que j'étais le soutien de la famille, mais je ne manquais jamais une occasion de le lui faire remarquer. J'avais une série de griefs que je ne pouvais pas m'empêcher de remettre sur le tapis. Par exemple, pourquoi utilisait-il ses moments de liberté à écrire des articles qu'on ne lui payait pas, au lieu d'employer ce même temps libre à essayer d'améliorer l'ordinaire de sa femme et de son enfant ? Les autres réfugiés le faisaient bien! Ils ne pensaient qu'à ça : rendre les leurs plus heureux, d'abord. Et je l'accusais ouvertement de les mépriser et de les éviter justement parce qu'ils étaient, eux, capables de ce dont il était incapable, lui. Et puis j'enchaînais avec « l'anglais »... S'il s'obstinait à ne pas l'apprendre vraiment, il ne décrocherait jamais un travail digne de lui dans ce pays dont l'anglais était la langue ! Bref, je ne faisais rien pour le tirer d'affaire. Il s'enlisait dans la condition du raté qu'il croyait être devenu, et moi, je l'enfonçais. Alors, bien sûr, la maison n'était pas très bien tenue, et les repas que je préparais n'étaient pas succulents. Il constatait, et son attitude ne changeait pas, et moi, je n'avais plus envie de faire d'efforts. Vint le moment où nous ne pouvions plus nous supporter.

J'avais installé un divan dans la chambre de la petite, et quand je rentrais du travail c'est là que je me couchais. Et j'attendais, j'attendais qu'il vienne me chercher, ou qu'il m'envoie

---

viétique, tous déclarèrent que la guerre n'était qu'un conflit entre pays impérialistes (France, Angleterre, Allemagne), étranger à la classe ouvrière. Dès les premières heures de l'invasion de la Russie par Hitler, le 22 juin 1941, Moscou et les PC opérèrent une volte-face : ils proclamèrent que la guerre était un combat antifasciste contre le nazisme et appelèrent alors leurs peuples à s'engager dans la résistance. (N.d.T.)

un signal pour le rejoindre. J'attendais. Il attendait aussi, de l'autre côté de la cloison, allongé sur notre lit, pensant à nous, et aussi à ses grandes espérances, mais cela il ne me le raconta que le jour de l'attaque sur Pearl Harbor, le jour où l'Amérique entra dans la guerre.

La veille de ce jour-là, nous avions, au cours d'une conversation très calme et très raisonnable, décidé de ne plus vivre ensemble, en tout cas pour quelque temps. Je partirais pour la Californie, où mes indiscutables qualifications de bonne serveuse me permettraient de vivre très bien et de faire vivre très bien mon enfant. Il n'aurait plus à compter avec mes récriminations, ni avec mon manque total de talent pour la bonne gérance du foyer familial, et moi, de mon côté, j'apprendrais à respirer un autre air que celui qu'on respirait à Chicago et qui me rendait littéralement malade. Il était d'accord, et comme tout cela était dit avec calme et intelligemment, nous nous fîmes le serment de revivre ensemble dès que nous en ressentirions le besoin, si toutefois nous le ressentions. Le jour de Pearl Harbor, nous nous sommes tombés dans les bras, lui et moi, à côté du lit où dormait notre enfant, en nous jurant dans les larmes d'essayer, encore une fois, ensemble, de vivre ensemble. Ce que nous fîmes pour le meilleur et pour le pire.

Je m'étais mieux faite à l'Amérique qu'Oskar, ce qui ne veut pas dire pour autant que j'avais trouvé ça facile. Sortir d'une petite capitale d'Europe centrale et se retrouver dans Chicago, en exil, le choc était dur. Avec le temps, j'avais tendance à me rappeler les bons souvenirs de cette époque et à gommer les mauvais, surtout en comparaison de ceux qui allaient s'accumuler plus tard pendant nos années tchèques, mais, aujourd'hui, en relisant les feuillets des carnets que je tenais sporadiquement à l'époque, je m'aperçois que si je prenais bien note de nos difficultés matérielles et personnelles, la liste de ce qui me choquait et m'agressait quotidiennement est bien longue.

Nous étions des émigrants anachroniques. Nous étions des retardataires. Il y avait bien longtemps que, sur ce continent américain, les grands espaces avaient été défrichés. Il y avait bien longtemps que les usines, qui avaient poussé comme des champigons, broyaient poumons et cerveaux au nom du rendement, il y avait bien longtemps que s'étaient creusés les gisements, ajustés les rails des lignes de chemin de fer, élevés les gratte-ciel. Il y avait bien longtemps qu'ils étaient arrivés, ces dépenaillés de l'Europe entière, et qu'ils avaient offert leurs mains et leurs têtes aux occupants de ce continent, qui en retour leur offraient l'accueil parce qu'ils avaient besoin d'eux. Leur vie, dans les débuts, était toujours difficile, dans le tas il y eut ceux qui la réussirent et puis ceux qui la ratèrent, mais à tous la chance était donnée à la condition qu'ils aient l'envie et la volonté de travailler. Il arrivait parfois, souvent probablement, que le voisinage leur soit hostile et fasse des quolibets sur leurs accents, mais ils laissaient faire et laissaient dire, personne n'était assez puissant pour les renvoyer chez eux. Eux, ils étaient des immigrés ; nous, nous étions des réfugiés et nous étions le symbole de tout ce qu'ils détestaient. Eux, ils étaient venus parce qu'ils avaient choisi de tenter l'aventure ; nous, nous arrivions parce que nous ne pouvions pas faire autrement, et si nous étions là, c'est parce qu'on avait bien voulu nous recueillir. C'est un vieil habitué du bistrot qui me fit comprendre tout cela un soir tandis que je venais de lui servir un plat de spaghettis. « Vous, "les Réfugiés" (et il martelait emphatiquement les syllabes dans son anglais yiddishisant), vous les Réfugiés, vous commencez à nous emmerder avec ces étiquettes très distinguées que vous vous collez sur le dos ; nous, de notre temps, on se faisait traiter d'immigrants, de fraîchement débarqués, de rastas, de youpins, de ritals, et on encaissait, et on n'est pas morts pour ça ! »

L'Amérique, leur Amérique, avait ses millions de chômeurs et elle avait à faire face aux mêmes problèmes que ceux qui venaient de faire éclater la guerre en Europe. L'apparente prospérité qui régnait alentour avait déjà des allures de préambule à quelque chose d'autre, quelque chose qu'ils ne voulaient pas, parce que ça sentait le sang, ça sentait la guerre. Ça sentait l'Europe. La jeune lady statufiée, flambeau à la main sur l'île de Bedloe, était devenue une vieille mère de famille. Elle se faisait engrosser sans plaisir, les enfants qui lui venaient tardivement n'avaient pas été désirés, ni par elle, ni par les fils aînés qui jetaient le mauvais œil sur ces nouveaux bâtards abusifs. Avec certains Américains, le dialogue était franchement saugrenu. C'étaient les mêmes qui vous lançaient le « retournez donc chez vous, si ça ne vous plaît pas ici » à la moindre occasion, et la seconde d'après prenaient un air ulcéré et soupçonneux quand vous leur répondiez, en essayant de sourire, que de toute façon vous n'aviez pas l'intention de passer toute votre vie chez eux, merci encore de nous accueillir, mais, vous savez c'est temporaire.

Notre première vision de Chicago peut se résumer en quelques images. Fumées d'usines flottant au-dessous d'un ciel bas, saleté dans les rues, rues remplies de gens furieusement pressés qui se bousculent, qui se bousculent sans se regarder, ils n'ont pas le temps, le temps de voir qui est triste, qui est en colère, qui est ivre. Pour nous, c'était comme une autre planète, ce qui explique pourquoi, dans les débuts (qui durèrent pas mal de temps), nous avions perpétuellement l'impression d'avoir choisi le mauvais moment pour dire ce que nous avions à dire à la personne que, justement, nous n'aurions pas dû choisir pour écouter ce que nous n'aurions pas dû choisir de dire... Alors, forcément, les rapports quotidiens avec les indigènes s'en ressentaient. Dans nos moments de mégalomanie, nous décidions qu'ils étaient tous une bande de cons ; dans nos moments de « complexe d'infériorité », nous décidions que les cons c'était nous. C'est à la relecture de ces vieilles notes, prises dans notre jeunesse, que je réalise à quel point notre désespérance de l'époque me faisait écrire des choses dont je mesure le ridicule aujourd'hui. Elles parlent, ces notes, de muflerie généralisée, de maisons grises qui se ressemblent toutes, de réclames assourdissantes à la radio, d'affichages racoleurs défigurant les murs et, déjà, les routes de campagne, d'enfants mal élevés, de nourritures sans saveur, mises en conserves et ingurgitées debout par des gens qui n'ont plus le temps de s'asseoir, de la bêtise et de la vulgarité de certains journaux offerts dans les kiosques, de femmes jeunes, ivres mortes en public, d'écoliers passant leurs samedis et leurs dimanches dans des salles de cinéma, alors qu'il y a de si bons livres à lire, de haines raciales ponctuées d'insultes racistes... Tout ce que je notais à l'époque, c'est l'Europe d'aujourd'hui ! Tandis qu'on me dit que là-bas, maintenant, les Américains se mettent à la recherche de ce mode de vie à l'européenne qui nous manquait si désespérément en ce temps-là.

Si je m'en tirais mieux que mon mari, c'est pour deux raisons : j'avais enfin trouvé un travail que j'aimais, et il me permettait de suivre avec enchantement les progrès de ma superbe enfant. Mais cela n'eut qu'un temps ; dès que les horribles précisions sur les atrocités nazies commencèrent à être diffusées dans le pays, une autre désespérance commença de me ronger. Nous étions déjà à New York, c'était un considérable changement après Chicago, Oskar avait enfin un travail dans une agence de comptabilité, nous gagnions notre vie convenablement, et le mot « paix » commençait à être sur toutes les lèvres, et tout d'un coup je me trouvai au bord de la folie. L'obsession commençait le matin en allant au travail. Il allait falloir payer, maintenant, payer pour avoir échappé à tout ça, payer pour avoir vécu, plutôt mal que bien, mais vécu, pendant que les autres mouraient. Au nom des torturés de là-bas, je me torturais moi-même. En rentrant du travail, tous les jours, avant d'ouvrir la porte de la maison, je me préparais à trouver mon enfant moribonde, ou déjà morte. La nuit, les obsessions continuaient, ou plutôt elles s'amplifiaient dans des cauchemars qui finissaient par me réveiller. Trempée de sueur et claquant des dents, je ne pouvais même pas me dire « c'est rien, tu as fait un mauvais rêve... », puisque j'avais rêvé la cauchemardesque réalité. Dans la journée, à mon bureau, de grosses taches noires mouvantes m'obscurcissaient la vue, et la nuit, dans mon lit, réveillée par les cauchemars, je n'osais pas allumer la lampe de chevet de peur de constater que j'étais bel et bien aveugle comme je le pressentais. Mon front, mon cœur et ma gorge étaient pris dans des cercles de fer qui se resserraient tous les jours un peu plus. Je me décidai à consulter. Espérant et redoutant tout à la fois le diagnostic qui décèlerait une bonne cause physiologique de mes troubles, j'allai chez un premier médecin. Il ne me trouva rien, comme on dit. J'en consultai d'autres. Ils ne trouvaient rien. Mais tous, au bout du compte, et chacun dans son vocabulaire personnel, me laissaient partir en me conseillant un peu de repos, et peut-être, si toutefois je n'y voyais pas d'inconvénient, une petite visite chez un psychiatre.

J'allai donc chez un psychiatre. Après une heure de bavardage, je lui abandonnai sur la table le salaire de ma semaine. Ce fut d'abord un monologue de ma part. « Quand j'entends le bruit d'un avion au-dessus de la ville, dans une certaine mesure j'ai l'espoir que ce ronronnement m'annonce le passage d'un bombardier qui va essayer de nous tuer. Pourquoi ? Pourquoi, pendant que les nôtres étaient massacrés de sang-froid, survivions-nous ici ? Uniquement grâce à ce petit bout de papier, non ? Ce petit bout de papier qu'on appelle un "laissez-passer". Et ce "laissez-passer", c'était celui que nous avait envoyé le cousin de mon mari, nous ne lui avions pas demandé ce laissez-passer, c'était une idée à lui de nous l'envoyer, comme ça, après son retour d'un voyage fait en Europe, une visite chez nous, un peu avant l'Anschluss. Est-ce qu'il ne nous aurait pas envoyé ce papier, cette bouée de sauvetage anticipée, à cause de ce qui s'était passé entre nous ? Entre nous, le cousin de mon mari et moi ? Enfin voilà. Alors ? » Mon monologue interrogatif avait duré une demi-heure. Alors, le psychiatre à son tour me posa des questions. Avais-je eu des désirs et des expériences sexuelles avant mon mariage, et extra-conjugales après mon mariage ? « Oui, j'en avais eues, mais depuis que la guerre avait éclaté, je m'étais déprise de tous désirs sexuels, qu'ils soient conjugaux ou extra-conjugaux. Pour moi, l'acte d'amour était indissociable de l'espoir du plaisir, et je ne pouvais être en attente du plaisir, je m'interdisais le plaisir, tant que des villes seraient bombardées, tant que des gens seraient déportés. Voilà ! » Alors il me posa quelques questions très précises sur ce qu'il appelait les pratiques sexuelles de mon mari. Je récusai le mot « pratiques » ; mon mari me faisait l'amour sans pratiques, sans complications, sans fantasmes apparents, très normalement, si normalement que, peut-être, pourrions-nous trouver là les raisons des débordements extra-conjugaux de ma très jeune jeunesse. Après quelques séances fort onéreuses, son diagnostic tomba enfin : « Prenez un amant », me conseilla-t-il.

Je décidai de ne plus dépenser ma paye aussi inconsidérément et je m'en retournai dans ma petite prison personnelle, avec mes maux de tête, ma gorge serrée et mon cœur sanguinolent.

Aux alentours de Noël, les communiqués de guerre devinrent de plus en plus victorieux. Les bulletins annonçaient la mort de 20 000 Allemands dans la journée, et tout le monde était bien content. Les bulletins dénombraient précisément les milliers de bombes qui étaient déversées dans la journée sur Berlin, Dresde et d'autres villes, et tout le monde était enchanté. Nos valeurs humanistes avaient-elles besoin de tenir cette morbide comptabilité pour qu'à nouveau règne « la paix sur la terre et aux hommes de bonne volonté » ?

Quant à moi, au prix d'un effort constant, je faisais semblant de réagir et de vivre comme tout le monde. Le message de la Croix-Rouge signé de mon oncle Kornel aurait dû normalement me surprendre et m'anéantir de chagrin, normalement, mais voilà : je n'étais plus normale. Et derrière les murs de ma petite prison personnelle, je reçus cette longue énumération d'horreurs comme quelques pièces additives au dossier que je ne cessais de consulter dans ma tête. Ce dossier était celui de la culpabilité. J'étais coupable, l'humanité tout entière était coupable des deux côtés du champ de bataille. Dieu n'existait pas, ou bien, s'il existait, c'était bien lui le plus coupable de tous. C'était à mourir !... Je ne mourus pas, et à force de ne pas me décider à mourir, je finis par aller mieux. Les murs de la petite prison personnelle commencèrent à se lézarder. Des rayons de lumière filtraient çà et là, et c'est comme ça que je rentrai un soir à la maison avec un bébé cocker dans les bras. Cet achat enchanta ma petite fille et consterna mon mari. Je n'avais payé Blackie que cinq dollars, en raison d'une malformation de sa queue qui le mettait au banc de la société cockerine, vu qu'elle ne se dressait pas en trompette comme l'exigent les canons esthétiques de sa race. Il avait un regard tendre, reconnaissant et désarmé, et c'est ce regard-là qui réveilla chez moi les émotions simples que je croyais mortes et qui n'étaient qu'endormies, et aussi la faculté de rire. Le premier pipi de Blackie était un pointillé humide qui reproduisait exactement, sur la moquette, le motif à pois de ma robe de chambre qu'il avait à moitié boulottée dans l'après-midi. Comme il devenait impérieusement obligatoire de promener Blackie tous les jours, ces petites sorties dans le quartier nous amenèrent, ma petite fille et moi, à faire des découvertes. Washington Park, Inwood Park, les Cloisters, les couchers de soleil de l'autre côté du fleuve, à l'extrême pointe du nord de cette île qu'on appelle Manhattan. Sans Blackie et son regard bouleversant d'animal, je n'aurais peut-être pas non plus eu l'idée d'emmener Susie régulièrement au petit zoo de Central Park où nous passions des heures. Avec d'autres petits Américains, elle roulait sur ses patins, jouait à la balle, sautait à la corde, et moi, assise sur un banc, seule, je contemplais les animaux, et, grâce à eux, j'essayais de renouer avec l'humanité et avec Dieu. Je ne le trouvais pas vraiment, mais je commençais à moins le détester.

Dans la mémoire de Susie, aujourd'hui, restent des années d'enfance américaine ; Blackie, la licorne de l'admirable tapisserie accrochée sur les murs des Cloisters, et les animaux du zoo de Central Park. Je viens de dire les années, j'aurais dû dire la période. Cette période où, consciente de constater avec soulagement que sa mère sortait peu à peu de la cellule dans laquelle elle s'était enfermée, l'enfant abordait les rivages de la nouvelle période, celle dans laquelle on peut enfin commencer d'avoir avec les adultes des vraies conversations, une vraie amitié.

Susie était une petite citoyenne américaine, et moi, protégée par des remparts de livres, je m'amusais beaucoup avec mes amis, les croisés de la littérature qui fréquentaient la librairie de Ben, et je commençais à me sentir tout à fait bien chez moi... C'est alors que la lettre du Parti tomba dans notre boîte aux lettres et que sur-le-champ Oskar mit en place le dispositif qui allait nous faire rentrer en Tchécoslovaquie. Quand je dis que je me sentais bien chez moi, et plus du tout comme une étrangère, c'est parce que même mon accent sonnait parfois aux oreilles de certains — dont les grands-parents n'étaient sûrement pas arrivés sur le *Mayflower* —, comme un accent écossais. Et puis, à New York, l'Europe avait fait des petits, des petits théâtres d'avant-garde, des nouvelles revues littéraires, et on ne les remerciera jamais assez, des Viennois délicieux qui confectionnaient des pâtisseries délicieuses, servies sur les quelques tables de leurs petits salons de thé qui nous donnaient, à eux et à nous, l'impression délectable de pouvoir discuter du monde, en toute liberté, comme nous le faisions autrefois dans les « cafés » de notre Europe. En revanche, aux petits déjeuners, nous, famille américanisée, nous nous gorgions de jus d'orange... jusqu'à plus soif — et voilà le genre de choses qui, racontées plus tard en Slovaquie, allaient participer de la vision mythique de notre séjour aux USA.

Nous abordâmes l'année 1946 dans une atmosphère de partance. Tout à nos projets d'avenir, nous laissions les serrures se coincer, et l'évier se boucher, sans nous soucier de réparer quoi que ce soit dans cette maison que nous allions quitter de toute façon. Il n'était pas question de jeter l'argent par les fenêtres, et si l'évier empestait, plutôt que de faire venir le plombier, nous préférions dépenser notre argent à l'achat des billets de retour et des denrées introuvables au pays, que nous serions si heureux de distribuer à la famille et aux amis en arrivant. Nous vendions même, morceau par morceau, tout ce qui était vendable dans la maison, alors que nous ne savions pas encore quand nous pourrions partir. Nous partirions, c'était sûr, et c'est au milieu de ces préparatifs que d'étranges nouvelles parvinrent de chez nous. Des messages dignes de foi signalaient qu'ici et là, à travers le pays, des juifs rescapés des camps de la mort, ou redescendus des montagnes dans lesquelles ils s'étaient cachés, avaient le plus grand mal à se faire restituer les maisons dont ils avaient été chassés, ou les valeurs que d'aimables et gentils voisins s'étaient offerts à cacher. Tout ça vous avait une allure de petits pogroms qui stoppa pour un temps notre frénésie de départ. Nous accusâmes le coup chacun à sa façon. Pour moi, ça se confirmait, cette guerre même gagnée n'avait rien changé ; pour Oskar, travaillé par les lettres dont son frère le bombardait, ça se confirmait aussi : il fallait rentrer au plus vite. Sur place, nous saurions bien contribuer à l'édification de ce socialisme qui remettrait dans la juste voie le peuple fourvoyé.

Ce dialogue de sourds dura quelque temps. A la fin, je capitulai. J'en savais assez long sur la Russie pour ne plus croire à l'avenir radieux du socialisme, mais j'en savais aussi trop long sur l'Amérique pour ne pas voir les gouffres qui séparaient ce qu'elle était devenue de ce qu'avaient rêvé pour elle ses Pères Fondateurs. A mes yeux, le monde était un monde à l'envers, où les mots n'avaient plus le même sens. Mais après tout, j'avais été malade, et je finissais par me demander si ce n'était pas cela qui me faisait voir tout en noir. Peut-être n'étais-je pas tout à fait guérie. Et la foi lumineuse d'Oskar était-elle mon seul remède. Après tout, ce n'était pas en Russie que nous rentrions pour vivre, mais dans une Tchécoslovaquie qui avait été, pour l'Europe de l'entre-deux-guerres, un modèle de démocratie et de justice sociale. Après tout, c'était vrai qu'elle pouvait le redevenir, ce modèle, en mieux même, quand seraient cicatrisées les blessures qu'elle pansait encore.

Il m'avait convaincue, et maintenant c'était moi qui étais pressée de rentrer. D'abord, parce que je savais que c'était là-bas seulement qu'il retrouverait la joie de travailler pour son idéal, et qu'il redeviendrait l'homme qu'il était quand je l'avais rencontré, respecté et aimé. Là-bas, une seule paire de chaussures me suffirait puisqu'il n'y aurait plus un seul va-nu-pieds. Là-bas, je saurais oublier les délices du chauffage central et du réfrigérateur encastré dans ma cuisine de Manhattan, quand je remonterais mes seaux de charbon dans un appartement comme en occuperaient tous ceux qu'on aurait sortis de taudis qui n'existeraient plus. Puisque c'était ça le socialisme, alors j'étais pour. Et puis, ça peut sembler bizarre, mais je ressentais de plus en plus le besoin de me retrouver là même où on avait massacré les miens ; bien sûr, cela ne les ressusciterait ni ne les vengerait, mais les crimes étaient encore trop récents, et encore si présents à l'esprit de chacun que là-bas, au moins, il n'y aurait personne pour refuser d'y croire ni d'en entendre parler.

Oskar partit le premier. Il rentra en avion. Susie et moi, nous partîmes deux mois plus tard, en bateau. Les adieux à Blackie furent déchirants, mais nous savions que nous le laissions en bonnes mains - celles du vieux magasinier noir de la librairie. Je dis au revoir à tout le monde et nous embarquâmes à destination du Havre sur un petit cargo battant pavillon français. A part nous deux, les quelques autres passagers étaient français et rentraient tous à la maison. Les ports de la Manche étant encore minés, le cargo fut dérouté sur Bordeaux. Le voyage avait duré quinze jours — ce qui donna à tous, enfants et adultes, largement le temps de faire connaissance. Un soir qu'au dîner la conversation avait été animée, spirituelle et même franchement drôle, je me pris en flagrant délit de fou rire, un de ces bons gros fous rires contagieux, imbéciles, qui vous font pleurer à vous rendre malade, auxquels seuls les Européens savent s'abandonner quand ils se retrouvent autour de bouteilles de bon vin. Et je m'aperçus que c'était mon premier fou rire en huit ans de vie américaine. Si j'avais pu rire comme cela, c'était bien la preuve que nous étions sur le chemin du retour.

Un matin, à l'horizon, les premières côtes du vieux continent se dessinèrent et, comme tout le monde, avec tout le monde, je me mis à pleurer.

Cet après-midi de l'été 1951 où mon voyage à Prague fut interrompu par ce coup de téléphone qui m'annonçait l'arrestation de mon mari, nous étions, mes collègues et moi, chargés d'une mission qui ne nous amusait guère : nous n'étions à Prague que pour former nos futurs successeurs.

Depuis le coup de février 1948 — qui devait par la suite être commémoré chaque année par des défilés obligatoires aux gloires conjointes des « grands-événements-de-février » et de « notre-Premier-Président-Ouvrier-le-Grand-Klement-Gottwald[1] »–, notre économie nationale slovaque avait été l'objet de soins tels que nous allions d'organisation en ré-organisation et de ré-organisation en ré-ré-organisation. Mais aucune de ces ré-ré-organisations ne semblait jamais donner satisfaction et — à la légitime consternation des Slovaques — il s'avérait que le pouvoir de décision se concentrait de plus en plus à Prague. Je travaillais pour la branche slovaque d'une entreprise nationale d'exportation. Comme toutes les autres entreprises, elle était en train de se faire avaler par la maison mère, et notre service était le premier visé.

Pourtant, dans notre filiale de Bratislava, tout le monde avait le cœur à l'ouvrage. Nous exportions du bois et des produits dérivés. Chez nous, dans notre petit service, nous nous occupions exclusivement d'exporter des brosses aux usages variés et

1. Klement Gottwald (1894-1953), secrétaire général du PCT en 1929 ; membre du Comité exécutif du Komintern de 1928 à 1943 ; président du PCT de 1945 à 1953 ; président du Conseil de 1946 à 1948, il devint président de la République après que, par le coup de Prague, le PC eut fait main basse sur l'Etat et le gouvernement en février 1948. (N.d.T.)

des balais de fabrication locale dont la réputation n'était plus à faire à travers l'Europe et plus particulièrement en Suisse, pays de la propreté domestique et de la forte devise. Quant aux brosses à dents dont je m'occupais personnellement, elles étaient célèbres depuis bien avant la guerre : le monde entier s'était lavé les dents avec la brosse « Koh-i-noor », enfant chéri d'une vieille usine de Bratislava. Il semblait donc tout à fait raisonnable de maintenir la marque de fabrique. Les trois syllabes « Koh-i-noor », il est vrai, évoquaient des légendes de reines exotiques et des relents de colonialisme. Elles devinrent donc l'objet de discussions passionnées, à l'issue desquelles les membres les plus révolutionnaires de la direction durent rendre les armes devant les intérêts économiques. Avec les brosses à dents, on avait affaire, de l'aveu général, à des objets ordinaires, dont l'exportation était néanmoins une contribution méritoire à la chasse aux livres sterling et aux francs dont la construction du socialisme avait grandement besoin. En outre, décorer la carte avec des épingles de couleur fichées dans les territoires nouvellement conquis par la « Koh-i-noor » pouvait aisément nourrir un sentiment d'aventure et de romanesque.

Très vite, j'épinglai des pays aussi lointains que Malte, Madagascar et Ceylan. Mes services étaient très appréciés. Et moi je me sentais bien parmi mes copains de travail qui étaient tous des marrants.

Je fus un peu surprise le jour où le chef du bureau du plan me demanda de dresser un tableau exact du nombre de brosses à dents (précisant le type de poils, la couleur, etc.) que j'escomptais placer en Suisse, en Angleterre, à Malte, à Madagascar, et ailleurs, au cours des premiers mois de l'année qui s'annonçait. Je lui répondis qu'il m'était impossible de dresser ce tableau dans la mesure où nos représentants dans ces divers pays étaient tous des mortels comme vous et moi et que nos ventes dépendaient directement de leur état de santé. Elles dépendaient aussi — mais cela je m'abstins de le lui dire — de leur sens de l'abnégation, dont ils avaient bien besoin pour refuser les dîners bien arrosés que ne cessaient de leur offrir nos concurrents allemands et japonais dans l'espoir de les débaucher. Nous, nous ne pouvions pas voyager, et pour discuter avec nos correspondants hongrois, nous leur donnions rendez-vous dans une cabane abandonnée sur le *no man's land* qui s'étendait entre les frontières de nos deux pays frères. Ces rencontres étaient rares, mais toujours en présence de vigilants officiers de police en civil.

Mon objection fut balayée d'un geste et il m'ordonna de dresser ma liste de prévisions sur-le-champ. Le lendemain, j'étais convoquée par téléphone au bureau du plan. Quand j'admis n'avoir rien à montrer, le chef reformula sa demande à mi-voix, me mettant en garde sur un ton qui révélait qu'il me soupçonnait de sabotage délibéré. Devant les autres, il me jeta un regard qui me fit sentir combien mes origines bourgeoises étaient flagrantes. Par chance, le même jour, il me rattrapa dans l'escalier et me fit comprendre à demi-mots qu'il voulait simplement une série de chiffres, n'importe lesquels, dussé-je recopier ceux des numéros de ma rue.

Il m'apparut alors que, dans cette première phase d'essai de planification économique, l'important était surtout de produire des papiers sur lesquels s'alignaient des chiffres, preuve qu'on avait travaillé. Le tout était de le savoir. Il aurait dû m'en informer, et si possible avec une pointe d'humour. Mais l'humour est une vertu incompatible avec la pensée et le régime socialistes. De Marx à Staline, en passant par Lénine, ils en furent tous dépourvus. (Khrouchtchev fut peut-être la seule exception à la règle. Ses bons mots, souvent vulgaires et fracassants, enchantèrent en Occident des sympathisants fraîchement déstalinisés, en tout cas ceux qui considéraient Budapest comme un incident de parcours.)

L'humour est si intimement lié à la tolérance humaine que l'absence de l'un tue l'autre ; et le totalitarisme est incompatible avec l'humour comme avec la tolérance. La haine ou la peur de l'humour, cette caractéristique universelle des régimes totalitaires, a certainement un rapport étroit avec leur inhumanité criante et leurs crimes. Pourquoi, sinon, les meilleures plaisanteries de l'histoire, racontées de bouche à oreille, prolifèrent-elles comme des moyens de défense et de survie morale là où l'esprit humain souffre la pire oppression, que ce soit sous Hitler ou sous Staline ?

Bref, bien qu'il fût minime, cet accrochage avec l'austère responsable du plan me laissa rêveuse quant à la validité du nouveau système économique. Je n'étais pas une experte en planification, mais je pensais sincèrement qu'étant le produit d'une société plus juste, elle devait être plus parfaite, par conséquent plus efficace et, avant tout, plus honnête que les petits rackets dans lesquels j'avais trempé et grâce auxquels j'avais vécu en Amérique.

Quoi qu'il en soit, je finis par présenter, avec certes mauvaise conscience, un rapport bidon au responsable du plan qui parut satisfait. Mon rapport vint rejoindre les autres rapports du même acabit fournis par les autres services, et il donna l'ordre à son équipe de lui fignoler à partir de tout cela un beau graphique aux courbes élancées. A son arrivée à Prague, ce graphique fut incorporé à un tableau dessiné avec encore plus de soin, et qui était destiné à l'attention des instances supérieures. Chemin faisant, il fut joint à des créations semblables confectionnées par les autres branches de l'économie, et le tout donna finalement naissance au Plan avec un grand P, fondement de notre économie.

Je nourrissais alors le secret espoir que de telles pratiques ne concernaient que des biens aussi mineurs que les balais-brosses et les brosses à dents. Les plans concernant les canalisations, la sidérurgie, le bâtiment, la nourriture, l'habillement et l'éducation de la jeunesse étaient certainement établis avec plus de conscience et de fiabilité.

Pourtant, je découvris qu'il n'en était rien. Quelques années plus tard, je me retrouvai dans une entreprise dite de distribution régionale alors qu'elle dépendait directement de Prague. Un jour d'automne, on nous demanda d'établir un plan semestriel pour la distribution de produits dont les plus remarquables étaient du fil à coudre, des cuvettes de WC sans leur lunette et des cercueils avec leurs accessoires. Rien, ni personne, ne nous indiquait sur quelle base devaient être calculés les chiffres qui s'aligneraient sur les circulaires officielles. Pour le fil à coudre, par exemple, s'agissait-il de longueur, du nombre de bobines ou du poids ? Pour les cuvettes de WC, en revanche, il était spécifiquement indiqué que nos estimations du nombre d'unités distribuables dépendaient directement de leur poids. Nous étions très peu nombreux à connaître le poids exact d'une cuvette de WC. Le responsable au plan de l'entreprise ne possédait pas les réponses à nos questions. C'était quelqu'un de terriblement sérieux, qui ne devait sa position qu'à son passé politique et nullement à sa compétence. Mais à nous, les tâcherons de la base, il nous restait le rire. Heureusement ! Comment peut-on, sans rire, essayer d'évaluer à vue de nez le poids d'une cuvette de WC ? Comment peut-on, sans rire, essayer de deviner combien de citoyens de la région auront l'usage impérieux d'un cercueil dans les six mois à venir ?

Mais revenons-en à 1951.

Je n'ai jamais su comment les choses se passèrent à Prague après mon départ précipité par l'arrestation d'Oskar, mais je sais que, durant mon court séjour, nous ne fîmes — mes collègues et moi — pratiquement rien. Tout le personnel de la maison semblait en proie à une peur panique : dirigés par des chefs récemment promus et sans expérience, la plupart des vieux employés menacés par la réorganisation se savaient en instance de rétrogradation ou de renvoi. Personne ne semblait avoir de temps à nous consacrer.

Le premier jour, on nous ignora tout simplement. Nous revînmes le lendemain. L'agencement immobilier des services administratifs était visiblement lui aussi en pleine réorganisation. S'apercevant de notre présence, la direction nous pria de nous joindre au personnel qui était occupé à déménager des tonnes de papiers, des classeurs et le petit matériel de bureau du premier au deuxième étage. Le travail se faisait à la chaîne dans l'escalier, et comme les autres, nous passâmes les paquets de main en main. Pour des instructeurs chargés d'une mission importante, nous trouvâmes ce travail humiliant et fastidieux, ce qui n'arrangea pas notre humeur déjà assombrie par le non-accueil de la veille. Mais il n'y avait aucun moyen d'y couper, personne ne dit rien, tout en n'en pensant pas moins. Après une heure de ce travail imbécile, un homme en bout de chaîne

eut une excellente idée : au lieu de tendre un paquet d'enve-
loppes à son voisin, il lui tendit une boîte de préservatifs. La
petite boîte oblongue faisait son escalade de main en main, et,
avec un temps de retard, c'était toujours après l'avoir passée à
son voisin que le travailleur à la chaîne s'apercevait de ce
qu'elle était en réalité. Et avec elle grimpa l'hilarité générale.
Les femmes riaient nerveusement, en prenant bien soin de montrer qu'elles étaient choquées, les hommes, eux, hurlaient de
rire. A partir de ce moment, le passage de chaque paquet était
ponctué de commentaires salaces. Ça tournait un peu au cha-
hut de collégiens, mais l'atmosphère n'était plus à la peur
panique, et c'était bien soulageant. C'était vivant. Et, après
tout, les plaisanteries de goût douteux qui s'échangeaient
n'étaient ni plus folles ni plus obscènes que ce qui se tramait
en coulisse contre la plupart d'entre nous. Et elles n'étaient
sûrement pas plus immorales que le discours que nous
avait tenu, quelques jours auparavant, notre responsable aux
cadres.

Je crois qu'il est temps que j'explique ici, pour des étrangers
qui l'ignoreraient et pour des Tchécoslovaques qui n'auront
jamais à l'affronter, ce qu'est un responsable aux cadres. Sur le
papier, le responsable aux cadres est simplement le chef du personnel. En réalité, il est beaucoup d'autres choses encore. C'est
une combinaison de recruteur, de directeur de conscience et de
père-confesseur hebdomadaire des informateurs qui l'approvi-
sionnent en ragots (qu'en bon sténographe professionnel il
couche sur papier d'une encre indélébile). C'est un provocateur
et un espion. Face à ses supérieurs dans la hiérarchie du Parti,
avec lesquels il est en relation directe, il devient le même insecte
craintif et vulnérable que nous, ses subalternes, quand nous
sommes devant lui. Il a un bureau à lui où il siège dans une
atmosphère de secret professionnel, protégé par des armoires
fermées à double tour où sont rangés les classeurs renfermant
nos « dossiers personnels ».
Dossiers personnels : voilà encore un mot qui, pour le non-

initié, ne signifie rien d'autre qu'un bout de papier avec des renseignements vous concernant. En réalité, cela aussi a un sens autre et bien plus terrible : c'est la consignation sur papier de votre itinéraire individuel, depuis l'école, si ce n'est depuis le jardin d'enfants. Votre dossier personnel vous suivra tout au long de votre scolarité, puis dans chacun de vos emplois, nourri à chaque étape de nouvelles informations qui déteignent sur le dossier personnel de vos enfants, et par là même sur leur avenir.

Votre dossier personnel décide de toute votre vie, qu'il s'agisse de votre travail, de l'obtention d'un appartement, de votre rang dans la société, voire de votre droit à la vie. Mais comme jamais vous ne serez autorisé à jeter un coup d'œil sur votre dossier, vous ne pourrez jamais non plus contrôler les renseignements qui y figurent, ni les contester ni les rectifier. S'il vous arrive d'être appelé à comparaître devant Sa Majesté le Responsable aux cadres — ce qui ne présage rien de bon une fois sur dix —, il ne vous invitera pas à vous asseoir ; vous resterez debout, à une distance soigneusement calculée pour qu'il vous soit impossible, même avec un œil de lynx, de déchiffrer la moindre ligne des papiers qu'il tient à la main, et vous attendrez. Pendant qu'il tourne les pages de votre dossier, vous pourrez lire sur son visage des changements d'expression, annonciateurs de surprises douloureuses savamment dosées. Et puis viendront ses questions. Elles ne seront jamais directes. Ce seront des remarques, des remontrances, des conseils et l'opinion qu'il a de vous d'un point de vue politique. Il brandira une ou deux menaces indirectes et, pour conclure, il est plus que probable qu'il laissera tomber un verdict décisif pour votre avenir tant personnel que professionnel. Le tout étayé de pièces à conviction dont vous ignorez tout et qui sont dans ce dossier que vous ne serez jamais autorisé à consulter. Et ce dossier, il peut contenir des preuves accablantes. Souvenez-vous : à un week-end d'éducation politique, organisé par l'entreprise dans une station thermale, vous avez jugé bon de vous retirer dans la soirée avec un livre, au lieu de vous joindre à vos camarades pour entonner avec eux, joyeusement, des chants révolutionnaires. Vous l'avez peut-être oublié, mais il y a aussi cette liste d'anecdotes qu'on vous a entendu raconter et celles dont vous avez peut-être ri. Immanquablement, vous vous serez aussi signalé par le fait que vous échangez de la correspondance avec vos amis ou vos parents vivant en Occident ; à cela s'ajoutent les noms des gens qui vous rendent visite, avec de brefs commentaires les concernant, fournis par votre concierge, des remarques sur votre vie privée, vos goûts musicaux et vestimentaires, les livres que vous aimez lire et, au cas où vous seriez croyant, le nom de l'église où l'on vous aura vu entrer.

Le responsable aux cadres peut vous faire et vous défaire. Pour vous faire, il lui suffira d'obéir aux instructions données par ses supérieurs qui, eux, dépendent du Comité central. Pour vous défaire, il n'aura de compte à rendre à personne. Corrompu comme il l'est par le pouvoir absolu, il tire plus de satisfaction personnelle à faire peur et à nuire à ses collègues qu'à favoriser leur promotion.

Tout dans notre vie publique se dégradant, les choses comme les hommes, la fonction de responsable aux cadres ne faisait pas exception à la règle. Au début, dans la précipitation de tout nationaliser, du jour au lendemain, on avait attribué ces postes à de vieux militants. C'était une façon de rendre hommage à leur dévouement passé, c'était en quelque sorte des sinécures offertes à des gens que le manque de qualification professionnelle empêchait souvent de gagner convenablement leur vie dans un emploi défini. Ces vieux camarades de la vieille garde étaient des idéalistes, honnêtes et parfaitement inoffensifs. Malheureusement, leur origine de classe était parfois sujette à caution, et la vieille garde ne fit pas long feu. C'est alors qu'on vit apparaître une nouvelle génération, garantie prolétarienne d'origine et scolarisée à l'accéléré, qui exigeait de bons emplois. Ces nouveaux venus étaient trop jeunes pour avoir fait leurs preuves à l'époque où militer au Parti n'était certes pas le choix le plus habile pour entreprendre une carrière, si on la voulait brillante. Ils avaient la tête farcie de dogmes marxistes appris par cœur, et ils débordaient de méfiance et de haine à l'encontre d'une classe dont on leur avait enseigné qu'elle était leur ennemie. Ils se prenaient pour les vengeurs de souffrances qu'ils n'avaient jamais endurées personnellement, et, se voyant conférer un pouvoir absolu sur des gens plus vieux et meilleurs qu'eux, ils perdirent la tête. Le responsable aux cadres devint un fléau.

Il faut dire à leur décharge que la plupart des sottises qu'ils débitaient et des méfaits qu'ils commettaient leur étaient soufflés. Matériellement privilégiés, ils demeuraient forcément des instruments dociles entre les mains du Parti. Tous n'étaient pas nécessairement des imbéciles ni des sadiques assoiffés de pouvoir, mais celui auquel je faisais allusion tout à l'heure entrait bien dans la première catégorie : celle des imbéciles. Alors que certains de ses collègues, plus malins et plus aguerris, se débrouillaient pour expliquer et justifier les brusques revirements acrobatiques de la ligne du Parti sans trop perdre la face, notre responsable aux cadres, lui, se laissait déborder par les événements. Son inculture, sa bêtise et son incapacité congénitale à agencer des mots pour en faire une phrase ne l'aidaient guère à prononcer le genre de discours dont on le chargeait. Il nous faisait beaucoup rire. Il en concevait du chagrin. Nous ne devions pas rire très longtemps.

Les mots d'ordre du Parti se succédaient à un train d'enfer. Nous en étions encore à essayer d'appliquer le dernier en date, qu'un nouveau faisait son apparition, contredisant le précédent. Il en résultait une grande confusion. Il fallait être très vigilant pour savoir avec certitude si on était dans la bonne ligne du moment et si le slogan du jour était bien le bon, celui de la veille venant de perdre toute orthodoxie.

Au début, les responsables aux cadres reçurent l'ordre de faire rejoindre à chacun dans son domaine propre les rangs de ce qui allait devenir un parti de masse : plus on serait, mieux on serait. Ce mot d'ordre-là avait été lancé par de vibrants discours où se mêlaient à la fois des exhortations et des menaces voilées. Les bureaux et les établis croulaient sous les bulletins d'adhésion, et les gens signaient sans faire beaucoup d'histoires. Il y avait ceux qui signaient parce que ça leur était plus facile que de fournir des explications de leur éventuel refus, les autres signaient parce qu'ils avaient toujours signé automatiquement ce que le patron leur demandait de signer, presque personne ne signait par conviction (les convaincus étaient de toute façon déjà au Parti) et la plupart signaient en se disant « on verra bien ». Et puis, un beau matin, ces bulletins d'adhésion disparurent. Il avait été décidé que le Parti serait désormais une avant-garde ouverte à la seule élite ouvrière. Et, du jour au lendemain, rejoindre les rangs du Parti devint un privilège réservé à quelques-uns, alors que la veille encore c'était un devoir que tous devaient accomplir. Pour expliquer tout cela, il suffisait de retourner et d'interchanger les termes des anciens discours. Les exhortations avaient disparu, et les menaces voilées ne concernaient plus les traînards, mais ceux qui pourraient montrer trop d'empressement à s'infiltrer dans les rangs du Parti à des fins maléfiques. Ceux-là seraient démasqués rapidement. Même pour un orateur professionnel, ce discours-là n'était pas facile à prononcer.

Une des brutales nouveautés dans la politique du Parti fut la remise en question de la notion de travail au coude à coude avec la classe ouvrière. Pendant quelques mois, on nous avait fait sentir, à nous, les travailleurs de la tête, combien nous étions peu de chose par rapport à ceux qui portaient le titre prestigieux de travailleurs manuels. Et puis, soudain, le travail manuel, tout en demeurant « prestigieux », devint une punition, ou plutôt, devrais-je dire, une menace. Tout citoyen dont le dossier signalait l'absence de zèle politique, tout citoyen dont l'emploi de bureau était convoité pour de nouveaux cadres, se voyait menacé de sanction, et cette sanction était baptisée pudiquement : « aller à la production ». En clair, cela voulait dire qu'on était viré et forcé d'aller travailler en usine comme O.S. Dans notre petit service des brosses en tous genres, personne ne pouvait se glorifier d'origines prolétariennes. Il y en avait bien quelques-uns qui s'étaient retrouvés des arrière-grands-parents paysans, mais, comme un fait exprès, entre ces aïeux et eux s'interposait toujours une génération de ronds-de-cuir, de professeurs ou de boutiquiers qui étaient venus tout gâcher. Quant à moi, je me croyais intouchable. J'étais la femme d'un vieux militant du Parti, il venait d'être appelé à une fonction de direction au ministère slovaque de la Production et de la Distribution alimentaires. Et c'est le cœur léger que j'avais quitté Bratislava pour cette mission à Prague. Ce n'était pas le cas de mes collègues qui sentaient planer au-dessus de leur tête la menace d'être « mis à la production » à leur retour en Slovaquie. L'idée d'avoir à travailler dans ce bureau sans mes collègues me rendait très triste, et m'aurait vraiment poussée à me chercher un autre emploi. En fait, j'aurais même été assez contente de quitter cet endroit. La direction était pleine de nouvelles têtes. Il y avait eu des arrestations, il y avait des procès dans l'air.

Le nouveau chef, un jeune ouvrier maçon diplômé de l'école du Parti, aimait à garder ses distances. C'était sa façon à lui de cacher sa timidité et son manque d'assurance. Son prédécesseur nous avait habitués à des réunions courtes et efficaces auxquelles il convoquait chaque service deux fois par semaine. Lui demeurait invisible, et, s'il prenait la parole — ce qui était rare —, il le faisait toujours flanqué de tout son état-major. Ses prises de parole ne concernaient jamais le travail. Il nous lisait un discours dactylographié dans lequel nous reconnaissions le style du responsable aux cadres. Après avoir passé en revue la situation mondiale, on abordait toujours la liste des péchés commis par son prédécesseur, sans toutefois trop les préciser, étant donné que la police elle-même ignorait encore de quoi il allait être accusé. La conclusion était toujours la même : aux vœux fervents appelant la paix dans le monde venaient s'ajouter des appels pressants à la vigilance révolutionnaire et aux efforts redoublés pour la réalisation du plan. C'était toujours les mêmes qui applaudissaient en premier. On finissait toujours par se joindre à eux. Et c'était toujours ceux qui avaient été les plus proches du prédécesseur récemment porté disparu qui applaudissaient le plus fort et le plus longtemps.

Dans les tout derniers temps, on nous avait confié des tâches tout à fait désagréables. Ordre nous avait été donné de rompre toute relation avec certains de nos vieux démarcheurs à l'étranger dont on avait décidé qu'ils n'étaient plus dignes de nous représenter. Il s'agissait généralement de citoyens tchèques qui avaient émigré avant la guerre. Ce travail, ils le faisaient bien, ils n'avaient pas envie de le perdre, à la fois parce qu'ils en vivaient, et aussi pour des raisons sentimentales. Ils avaient l'impression d'assurer la continuité en plaçant les brosses « Koh-i-noor » même s'ils passaient un temps fou à remplir des kilos de formulaires en double exemplaire, et surtout à attendre des réponses de la nouvelle administration fraîchement nationalisée.

Les lettres qu'on nous chargea d'écrire étaient conventionnelles dans leur forme, mais elles leur laissaient cependant clairement entendre que c'était bien les dernières qu'ils recevraient de nous. En gros, dans le fond, voilà ce qu'elles disaient : « Vous avez emmené votre famille en Turquie au lieu d'attendre ici que les Allemands vous déportent ? Oui. Après vous être enfin établis à l'étranger, où vous étiez arrivés sans amis et contre vents et marées, avez-vous tout abandonné pour rentrer au pays construire le socialisme ? Non. Alors fini pour vous les brosses "Koh-i-noor". »

L'une de ces lettres, envoyée à notre démarcheur en Belgique où il était installé depuis les années vingt, disait : « Etes-vous rentré au pays avec votre femme et vos enfants belges après un quart de siècle ? Non. En revanche, vous avez continué à travailler pour et avec les capitalistes. Dans votre dernière lettre, vous indiquez votre désir de continuer à nous représenter. Nous vous rappelons que nous ne pouvons vous fournir de brosses à dents à manches jaunes (comme vous le demandent vos clients pour des raisons inexpliquées) avant le troisième trimestre de l'année prochaine. Vous invoquez la concurrence japonaise qui, à vous entendre, se fait de plus en plus sévère. Alors, sachez que désormais nous traiterons nos affaires avec des représentants belges, turcs et même au besoin hottentots plutôt qu'avec un ennemi de classe. »

C'était difficile de recruter de nouveaux représentants, nous ne connaissions pas ceux qui étaient engagés et nous perdions des clients. Les nouvelles restrictions des voyages nous empêchaient d'aller sur place pour prendre avec eux des contacts personnels, qui auraient amélioré la situation. Cependant, dans le domaine des voyages, il y avait des exceptions. Il y avait ceux que l'on envoyait à l'étranger pour établir ou maintenir les relations commerciales internationales. Ce n'était jamais, bien entendu, ceux qui avaient l'expérience des affaires ou la parfaite connaissance de la marchandise qu'on choisissait. C'était toujours la même poignée de débrouillards qui partaient, uniquement parce qu'on les jugeait suffisamment sûrs pour leur accorder un passeport. Si bizarre que cela puisse paraître aujourd'hui, en 1949, je fus choisie. Il y avait plusieurs raisons à cela : d'abord, j'étais l'épouse de mon mari, ensuite je laissais deux enfants à la maison, et, enfin, je parlais quelques langues étrangères, et à l'époque c'était encore bien utile. En revanche, si j'en savais assez long sur les brosses, j'ignorais tout du bois d'œuvre, des maisons préfabriquées, des jouets en bois, des instruments de musique et des caisses d'emballage à claire-voie. Je me fis tout expliquer en un temps record avant de m'embarquer pour la Turquie où j'aurais, entre autres choses, à jouer les hôtesses d'accueil au pavillon de la Tchécoslovaquie à la Foire internationale d'Izmir.

En dépit de mes lacunes, je me débrouillai pour ne pas commettre d'erreur grave. Il faut dire que le fait de n'avoir jamais été en position de parler ni d'agir de ma seule initiative — ce qui était le sort de tous les chargés de mission d'entreprises nationalisées — m'évita bien des gaffes avec les éventuels acheteurs. J'étais toujours aimablement évasive à propos des prix, des délais de livraison et des questions de détail. Je ne m'engageais jamais sans en référer d'abord à Prague et sans avoir reçu une réponse à mon télégramme qui arrivait généralement trop tard ou qui n'arrivait pas du tout. Consciencieusement, je dressais la liste des éventuels clients et j'entamais avec eux des négociations sans accepter de commandes fermes et - par conséquent - sans faire aucune vente. Au début, j'étais navrée de voir se gaspiller des commandes dont nous avions le plus grand besoin. Et puis je m'y fis, comme mes collègues. Et comme eux, j'affichai un cynisme résigné. N'ayant pas reçu le minimum nécessaire de responsabilités, nous nous sentions autorisés à être irresponsables. Notre pavillon était peut-être celui qui attirait le plus de gens dans la Foire. Les hommes d'affaires l'avaient surnommé le « pavillon Potemkine[1] », car la rumeur s'était vite propagée qu'aucun de nos produits exposés n'existait dans la même qualité, ni ne pouvait être livré dans des délais raisonnables. Au stand, nous tenions table ouverte, et nous servions à nos invités des saucisses tchèques, une excellente bière et, bien entendu, du jambon de Prague, denrées magiques réservées à l'exportation et dont personne, au pays, ne se rappelait le goût depuis la guerre. Les autres pavillons nous rendaient la politesse ; les hommes d'affaires turcs aussi ; nous nous goinfrions de caviar et de cognac français. Nous nous nourrissions et nous abreuvions dans les réunions officielles ; le jour où il n'y en avait pas, nous nous contentions généralement de fromage et de quelques olives. Nous préférions investir l'argent de nos défraiements à l'achat de choses qu'on ne pouvait trouver en aucun cas au pays, telles que le café, le thé, le riz, les noix, les raisins secs, les bas nylon, les tricots, les pull-overs et les chaussures pour les épouses et les enfants de toutes tailles et de tous âges. Comme j'étais la seule femme du groupe, mon pouvoir d'achat était d'autant plus fort que mes besoins en nourriture étaient plus restreints que ceux des hommes et aussi que j'étais constamment invitée à dîner.

A mon retour, je m'attelai à la rédaction du rapport officiel de mon voyage. Comme il me fallait peser chaque mot, le résultat était incolore et sans saveur. Mon mari se chargea de relever un peu le tout en me soufflant quelques indispensables réflexions à propos de la misère dont j'avais été le témoin et sur l'esprit révolutionnaire des masses que j'avais senti gronder. Malgré tout, soucieuse de dire la vérité, je continuais à penser qu'il était certainement plus utile de la révéler que de l'étouffer, si l'on voulait rendre service à une cause que je croyais encore juste. J'envoyai un rapport personnel sur mon voyage à notre vieil ami d'avant-guerre Eugen Löbl[2], qui occupait alors à

1. « Pavillon Potemkine » : allusion au prince Grigori Potemkine (1739-1791), favori de Catherine II, qui prépara, pour le voyage de l'impératrice en Crimée (1787), un décor qui devait lui donner l'illusion que l'Ukraine était semée de villages peuplés de paysans prospères. (N.d.T.)

2. Eugen Löbl, né en 1907, membre du PCT depuis 1934 ; 1945-1948, haut fonctionnaire au ministère du Commerce extérieur ; 1948-1949, vice-ministre du Commerce exté-

Prague les fonctions de ministre délégué au Commerce extérieur. Ce rapport-là, je l'écrivis en hongrois, il était plus objectif sur l'ensemble du voyage et certainement plus critique. Il est vrai que j'y faisais allusion au comportement de nos nouveaux agents diplomatiques et commerciaux à table, envers l'alcool, et vis-à-vis des femmes. J'ajoutai un mot sur leur coefficient intellectuel. Je lui rapportais aussi le sobriquet dont nous avaient affublés les hommes d'affaires étrangers : on nous appelait « les boîtes aux lettres », ce qui voulait assez dire combien il était évident que nous ne dépendions que des caprices du courrier qui arrivait, n'arrivait pas ou arrivait trop tard de Prague.

Très peu de temps après, Löbl était arrêté, et bien évidemment tous ses papiers furent saisis par la police. Bien des années plus tard, la traductrice en tchèque des lettres écrites en allemand, anglais et hongrois trouvées chez les personnes arrêtées me révéla qu'elle était tombée sur mon rapport ; elle l'avait extrait du dossier, prétendant qu'il s'agissait d'une correspondance familiale sans intérêt. Elle avait connu mon mari avant la guerre, elle savait que ce rapport pouvait causer sa perte.

L'arrestation de Löbl sonna le début de la vague de terreur qui s'abattit sur notre entourage. Tous les jours on se passait, de bouche à oreille, les noms des nouveaux arrêtés. C'était tous de vieux membres du Parti ; nous connaissions la plupart d'entre eux depuis l'avant-guerre. Beaucoup avaient combattu en Espagne, et certains avaient été en prison ou dans les camps allemands pendant des années.

Il y avait eu, bien sûr, bon nombre d'arrestations et de procès

---

rieur. Arrêté en 1949, condamné dans le procès Slánsky à la réclusion à perpétuité, libéré en 1960 et réhabilité en 1963. 1964-1968, directeur de la Banque d'Etat à Bratislava. Emigre aux USA après l'intervention soviétique de 1968 (cf. Karel Kaplan, *op.cit.* et E. Löbl, *Proies à Prague*, Paris, Stock, 1969). Venu témoigner avec d'autres dissidents des pays de l'Est à la Conférence de Madrid (novembre 1980), Löbl dénoncera la présence à la tête de la délégation gouvernementale tchécoslovaque d'un des organisateurs de son procès en 1952. (N.d.T.)

avant cette vague de terreur. Comme partout ailleurs en Europe après la guerre, nous avions eu à juger des criminels de guerre, des collaborateurs et des fascistes notoires ; après la victoire de 1948, il semblait légitime que soient punis les grands propriétaires terriens et les gros capitalistes qui avaient tenté de faire obstruction à la marche de l'histoire. A tous ceux-là il fallait ajouter, évidemment, les trafiquants du marché noir et les trafiquants de religion qui s'employaient à saper les fondements de cet ordre nouveau dont l'objectif était de prouver à l'homme qu'il pouvait enfin réaliser sur terre ce que l'Eglise lui avait toujours hypocritement fait miroiter pour l'Au-delà (ça avait quand même été le meilleur système pour les exploiter). Je terminerai la liste avec les saboteurs et les espions au service de la réaction internationale.

Une fois accomplies ces tâches désagréables mais inéluctables, la révolution victorieuse serait débarrassée de ses ennemis et pourrait être enfin menée à son terme. Alors seulement, dans une atmosphère de créativité et de sécurité, la construction du socialisme pourrait commencer. Tel était le programme ; il était clair et facilement acceptable pour peu qu'on ne s'embarrassât pas de détails. Mais certains détails finirent par gêner et décourager des membres du Parti eux-mêmes ; comment expliquer qu'un Etat entièrement au service des paysans et des ouvriers, si injustement traités par le passé, débusque autant d'ennemis dans leurs rangs ? Au début, pour se rassurer, ils se disaient qu'après tout ils ne connaissaient pas personnellement les gens que l'on avait arrêtés, que les autorités savaient ce qu'elles faisaient, et que d'honnêtes procès en apporteraient la preuve. Les choses se compliquèrent quand on commença à s'occuper des vieux militants du Parti connus de tous. On évitait le sujet, tout en suggérant quand même qu'on n'était jamais sûr de personne. Après tout, qui pouvait venir prouver que Untel, pendant la guerre, à travers ses contacts avec l'étranger, et toutes les tentations qu'offre l'émigration, était toujours le même que celui qu'on avait connu avant ? Sous certaines influences, le meilleur des hommes n'est pas à l'abri...

La vague atteignit, finalement, notre cercle immédiat. Il n'était plus question de faire semblant de ne pas s'en apercevoir. Il fallait prendre position ne serait-ce qu'en privé. Chacun d'entre nous connaissait assez intimement une — quand ce n'était pas plusieurs — des victimes pour être garant de leur intégrité. Cela aurait dû logiquement nous amener à remettre en question la validité des autres arrestations, pour lesquelles on avait trouvé des justifications. Je dis bien cela aurait dû, selon les critères humains généralement admis ; mais, en ces temps-là, de tels critères n'avaient plus cours parmi les bons membres du Parti. Je les regardais lutter contre le sens moral, la logique, la loyauté qui avaient été les leurs et le bon sens tout court. Je les regardais, tous ces amis fidèles, tous ces compagnons d'armes de ceux qui venaient de se faire arrêter, tout en leur reservant (à contrecœur car il était rare et cher) du café bien fort et bien noir. Nuit après nuit, ils réapparaissaient pour se lancer dans d'interminables débats pleins de conjectures. Ils exposaient leurs théories prétendument pour dissiper nos doutes mais en réalité pour vaincre leur propre peur. Nombre de juifs étaient parmi les récentes victimes ; c'était alarmant. La question fut soulevée : était-ce le signe de tendances antisémites décelables chez nos organes de sécurité régionaux ? (Même les plus pessimistes n'osaient pas mentionner le mot de Parti dans cette affaire.) Mais non ! C'était simplement qu'il y avait beaucoup trop de juifs aux postes de direction. Tout le monde savait ça. Et puis, les juifs avaient toujours été plus exposés aux influences occidentales. Et il était de notoriété publique qu'ils étaient particulièrement ambitieux. Que quelqu'un ici — juif ou pas — essaie un peu de soutenir le contraire ! D'autre part, il y avait aussi des non-juifs en prison. La forte proportion de juifs emprisonnés ayant été ainsi expliquée, il s'ensuivait une analyse rétrospective des individus en question. Certains de leurs propos oubliés depuis longtemps, voire des expressions de leurs visages observées lors de conversations tenues des années auparavant, étaient exhumés du passé. Quand ils en avaient fini avec tel ou tel camarade arrêté, leur confiance dans le Parti était dûment renforcée.

En entendant tout cela, j'oscillais entre le dégoût et le désespoir, l'espoir et la peur, mais je ne pouvais pas m'empêcher de déceler une pointe de comique dans les efforts qu'ils s'imposaient.

« Maintenant, regardons les choses en face et pour une fois sans sentimentalisme. C'est vrai, nous l'aimions tous et — sans aucun doute — nous admirions son intelligence (involontairement, ils commençaient à parler au passé). D'un autre côté, qui d'entre nous soutiendra qu'il s'était débarrassé de ses allures et de ses goûts bourgeois ? Par exemple, cette manie qu'il avait des chemises blanches immaculées ! Ou, au retour de son premier voyage en URSS, ses remarques sur le travail des femmes soviétiques et sur leur habillement... », d'autres choses encore...

« C'est vrai, on a besoin de cerveaux. Mais dans cette phase décisive du développement révolutionnaire, c'est l'homme dans son intégralité qui importe. C'est le fait qu'on puisse compter entièrement sur lui qui importe. A présent, en toute conscience, pouvez-vous dire qu'il avait un réel respect pour la classe ouvrière ? Personnellement, je ne le crois pas. Il n'est probablement pas délibérément un traître — bien entendu —, mais le résultat final de son arrogance pourrait très bien être assimilé à des actes commis par un vrai saboteur. Alors vous voyez... »

« Le Parti n'a pas à perdre son temps en subtils distinguos entre les dommages causés volontairement et les dommages résultant des erreurs ou manquements personnels d'un homme. Il vaut mieux arrêter une dizaine de gens, les interroger et les relâcher s'ils sont innocents, plutôt que laisser un seul ennemi en liberté. »

« Oui, je sais. C'est terrible, bien sûr. Mais si vous vous souvenez bien, il a toujours eu un faible pour les femmes. Les femmes, ça coûte du fric. Et puis, je ne veux pas le citer mais il m'arrive de me rappeler certaines de ses références à Trotsky. »

Un soir, quand on alla enfin se coucher, je demandai à Oskar ce qu'il pensait réellement de tout cela. J'attendis dans le noir, bien décidée à ne pas répéter ma question, quand il me fit cette réponse soigneusement pesée : « Essaie de considérer les choses sous cet angle. Ces gens ne sont peut-être pas coupables au sens habituel de ce mot. Mais, à l'heure actuelle, le destin et les intérêts des individus sont d'une importance secondaire. Ce qui est en jeu c'est tout notre futur, et peut-être celui de l'humanité. Ces gens ont peut-être commis de graves fautes et, dans ce cas, qu'on le veuille ou non, on doit les tenir pour dangereux. S'ils prouvent leur innocence, on les relâchera. S'ils ont commis des erreurs, ils cesseront d'occuper les fonctions qu'ils occupaient. Ils peuvent faire un autre travail. Du travail, on n'en manque pas. » Sa voix trahissait son manque de conviction. Je fis semblant de dormir.

Peu après, Oskar prit des contacts avec ses amis dans les cercles dirigeants. Sans plaider l'innocence des emprisonnés, il réclamait simplement une enquête régulière et rapide. Il attirait leur attention sur le fait que la recrudescence des pratiques policières du moment risquait d'effrayer inutilement les couches encore hésitantes de la population et, par conséquent, de ralentir leurs efforts pour la production. Le problème n'était pas tant celui des personnes qui pourraient être innocentes que celui de l'intérêt national. Il fit même une allusion indirecte à la possibilité que l'ennemi de classe lui-même trouvât un champ d'activité au sein même de l'organisation qui avait été créée pour être un bouclier. En ce cas, les vrais saboteurs étaient ceux qui arrêtaient de bonnes personnes ayant des fonctions essentielles, afin de ruiner l'économie et par là même de saper la confiance des masses.

Si indirectes et soigneusement formulées que pussent sembler ces interventions, c'était à l'époque un acte unique de courage intellectuel. Point n'est besoin de dire qu'elles n'aidèrent jamais personne mais qu'elles firent beaucoup de tort à mon mari quand son tour arriva.

Mais cette action avait un sens, une importance et une intention propre, ne serait-ce que dans le microcosme de nos relations (peut-être peut-on dire la même chose de toutes les actions de chacun). Pour un temps court mais inoubliable, je retrouvai l'homme que j'avais aimé. Il se comportait comme nous pensions autrefois que tout homme devait apprendre à se comporter dans un avenir meilleur : avec humanité.

Ce fut une courte période parce que, très rapidement, l'avalanche nous ensevelit aussi. Mais ce qu'il avait essayé de faire me donna la force d'endurer la décennie à venir et d'apprendre à mes enfants à aimer et à respecter leur père. Ce père que ma plus jeune fille apprit à connaître et à se rappeler seulement tel qu'elle le vit derrière un double grillage lors de notre première visite à la prison, près de deux ans après qu'on l'eut emmené.

Le jour de l'arrestation de mon mari, j'étais donc là, à Prague. Soi-disant pour enseigner à mes successeurs l'Art de l'Exportation de la Brosse à Dents. J'attendais toujours de rencontrer mes élèves, et, en attendant, je ne faisais rien, ou plutôt je faisais des choses qui me changeaient les idées et qui m'amusaient. Quand nous pointâmes, en arrivant, le quatrième jour, ce fut pour découvrir que c'était au tour des gros meubles de se faire déménager. On avait fait appel à des professionnels qui peinaient pour monter au quatrième étage ce qui avait meublé le premier, et pour descendre du quatrième ce qui allait meubler le premier. Apparemment, on n'avait pas besoin de nous ; nous décidâmes donc d'aller nager dans la Vltava. Le soleil, la douche froide, puis la caresse de la rivière sur laquelle on pouvait se laisser flotter en regardant défiler lentement le panorama le plus beau du monde, tout cela nous revigorait et nous soulageait des tensions des semaines passées.

Pour moi, c'était comme une trêve. Délicieusement fatiguée par la nage à contre-courant qui m'avait ramenée à mon point de départ, je m'allongeai sur les planches que le soleil avait desséchées. Nous savions qu'Oskar était filé mais je me disais que le fait même que rien de plus ne lui était encore arrivé prouvait assez que, dans son cas, ils avaient dû conclure qu'ils faisaient fausse route. L'après-midi, les copains et moi, on se balada dans Prague, on se cotisa pour acheter une bouteille de cognac qu'on rapporta à l'hôtel. Après le dîner, quelques filles vinrent prendre leur douche chez moi ; j'étais la seule à avoir une chambre avec salle de bains. Après avoir bu quelques verres, l'une d'entre elles entama un discours politique, s'arrêtant aux passages que toutes en chœur nous pouvions prononcer avec elle. Tous les bons clichés y passaient : « l'amitié éternelle », « glorieux », « le grand... », et parfois des phrases entières. L'unisson était parfait. Et puis, on tomba dans le sentimentalisme, et chacune y alla de son vieux souvenir d'amour. Quand la bouteille fut vide, nous étions très joyeuses.

Avec des serviettes de toilette, des écharpes et des nappes, on se fabriqua des robes du soir aux décolletés vertigineux. Comme j'étais l'ex-Américaine, et, par là même supposée être la plus sophistiquée de toutes, les filles me demandèrent de leur apprendre les rudiments du strip-tease que l'on ne connaissait, dans ce coin de monde, que par ouï-dire. Devant un grand miroir à l'ancienne, déjà dépouillée d'un foulard à pois et d'une nappe à carreaux, je m'apprêtais à laisser glisser solennellement la dernière serviette de toilette, quand le téléphone sonna dans la chambre. Quelqu'un décrocha. « C'est pour toi. Elle dit qu'elle a Bratislava au bout de la ligne. »

Il était presque minuit, et j'avais parlé avec mon mari la veille. Mon cœur tapait dans ma gorge, il fallait que ce soit grave pour qu'on m'appelle à cette heure.

Les enfants... ! Je n'aurais jamais dû les laisser ! Bien sûr, j'y étais obligée, mais je m'étais bien amusée aujourd'hui alors qu'elles étaient loin, et ça c'était impardonnable ! Il y a des gens qui abandonnent la foi de leurs pères parce qu'ils ont acquis la certitude que c'est ici-bas qu'il leur faut trouver le bonheur, grâce à plus de justice, plutôt que dans l'au-delà grâce à la religion. Comme eux, je m'étais inventé mes propres rites. Entre l'intelligence et l'âme, il y a un espace qui refuse d'être occupé par la pensée rationnelle. Quand, soudain, cet espace devient un gouffre effrayant, on est aussi vulnérable que ceux dont la pensée s'élève jusqu'à Dieu ou qui ont quelquefois même la chance de le voir. Quand ce gouffre noir s'ouvrit devant moi, je me souvins très vite de la formule magique que je m'étais inventée. Pour détourner tout danger qui pourrait menacer mes enfants, la formule consistait à penser à elles à tous les instants. Mais, ce jour-là, je ne l'avais pas fait. Une autre de mes croyances était que ma privation de plaisirs profiterait mystérieusement à ceux que j'aimais. Mais, quelques instants auparavant, face à ce miroir, je n'avais pensé qu'à moi, à mon corps, aux plaisirs que je voulais donner et prendre, aux plaisirs qui m'étaient refusés depuis un certain temps. A la maison, les discussions politiques sans cesse reprises et l'appréhension d'un avenir qui se précisait inexorablement rôdaient en intrus dans notre vie intime. Il nous arrivait encore parfois de nous étreindre dans la nuit, silencieusement, c'était comme pour fondre nos angoisses de bêtes traquées. Tenant d'une main tremblante le récepteur téléphonique, j'attendais d'entendre le prix à payer pour m'être bien amusée ce soir-là, pour avoir été frivole et oublieuse des rites, mais surtout pour avoir cru, quand j'avais fugitivement pensé à lui, que rien d'inquiétant ne menaçait plus mon mari.

Des étincelles dorées échappées de la locomotive passent en traînées régulières et puis elles perdent leur flamboiement magique, parce que déjà le petit matin est en train de tuer la nuit. Le jeune homme assis par terre dit quelque chose au sujet d'une douche froide. De toute évidence, il voulait que je partage l'humeur dans laquelle cette agréable perspective le mettait ; à tout le moins, il voulait que je lui adresse un sourire ou lui fasse un signe de tête. Je fis de mon mieux.

Nous en avions encore pour vingt minutes, mais les passagers commencèrent à faire comme si le voyage était terminé. Ils s'agitaient, prenaient leurs affaires à bout de bras, et se pressaient vers la portière. Apparemment, ils étaient impatients d'arriver. J'étais la seule à souhaiter que le train ne s'arrêtât jamais. Quand il s'arrêterait, il me faudrait affronter la journée. Reculant, terrorisé devant l'avenir, mon esprit essayait de trouver refuge dans le passé, mais pour en être aussitôt arraché.

J'essayai de vider mon cerveau de toute pensée sur le passé, le présent ou le futur. Rien à faire. Au contraire, c'est sous un jour nouveau que je revis ce qui nous avait amenés là. A ma surprise et à ma honte, cette soudaine clarté m'apporta une sorte de joie. C'était absurde et déplacé. Mais c'était comme cela. Une sensation de libération. A partir de maintenant, plus besoin de feindre, de me mentir et de mentir aux autres, d'avancer aveuglément en trébuchant dans le labyrinthe de la loyauté, sentant le souffle de l'ennemi sur mon cou, le connaissant mais n'osant pas dire son nom. Le cercle vicieux était rompu. Parce que c'était bien cela. Désigner l'ennemi implique que vous soyez son ennemi, ce qui, en retour, lui donne le droit de vous considérer et de vous traiter comme tel. Maintenant, au moins, je pourrais appeler les choses par leur nom. Finis les propos et les silences mensongers. Fini de voir des choses et de prétendre qu'on n'a rien vu. Finis les efforts pour déceler les stigmates du criminel sur le visage de l'ami de toujours parce qu'il est celui qu'on vient d'arrêter.

Tout semblait avoir suivi une certaine logique, et maintenant ça y était, nous étions de l'autre côté de la barricade.

Ce moment de lucidité n'impliquait pas cependant que j'acceptais ni même que je comprenais vraiment le sens de ce que je ressentais. J'aurais bien repassé la barricade dans l'autre sens si la possibilité m'en était donnée, pour la simple raison que je ne pouvais pas croire qu'on ne me la donnerait pas, cette possibilité. Quand j'essayais de revoir les années écoulées, depuis notre retour des Etats-Unis, avec les yeux de l'ennemi qui avait arrêté Oskar et qui allait maintenant l'interroger et le juger, je pensais que même la police ne pourrait l'accuser de quoi que ce soit. Dans son cas, ils auraient à admettre que le trop grand zèle qu'ils mettaient à traquer leur avait fait commettre une erreur. Mais que penser des autres, dont j'étais tout aussi convaincue de l'innocence ? Ce n'était pas le moment de penser à eux. Je m'obligeais à revoir les années passées, le travail de mon mari et ma vie personnelle, et je ne pouvais pas m'expliquer pourquoi on suspectait Oskar. Je voyais un dossier vierge, témoin de sa loyauté, de son désintéressement et de son honnêteté, et comme communiste, et comme individu. « Ils ne peuvent pas ne pas le reconnaître. » D'ailleurs, à l'heure qu'il est, il est peut-être en train de m'attendre à la maison.

Les premiers temps après notre retour en Tchécoslovaquie n'avaient pas été faciles. En 1946, la crise du logement était telle que le Parti, qui n'était pas encore tout-puissant, ne put rien nous offrir de mieux pour nous abriter que les bureaux désaffectés et succinctement réaménagés de la rédaction du quotidien slovaque ancien porte-parole de l'Etat slovaque clérico-fasciste qui venait de sombrer avec la fin de la guerre. Le bâtiment était vétuste, plein des fantômes d'un passé récent, et le petit poêle était difficile à manœuvrer même pour un expert en chauffage central - ce que je n'étais pas. Il n'y avait pas de meubles, mais des amis nous en prêtèrent quelques-uns. Oskar travaillait comme économiste pour le Comité central. Sa tâche consistait à rentabiliser les quelques entreprises que le Parti possédait en les faisant tourner, et à renflouer les finances du Parti en sollicitant des dons auprès des capitalistes. Il suffisait de leur faire comprendre qu'une fois au pouvoir, le Parti saurait se souvenir de leur aide et les récompenser, en témoignant à leur égard d'une bonne disposition proportionnelle à leur générosité prévoyante. Ils donnèrent des sommes considérables, les entreprises commencèrent à tourner, mais le salaire d'Oskar n'augmenta pas pour autant. Son travail et ses activités politiques absorbaient tellement de son temps qu'il était rarement à la maison et que j'étais seule et un peu perdue la plupart du temps. Ce temps, je le remplissais en faisant la queue, en me débattant avec les corvées ménagères et avec la langue slovaque qu'il me fallait maintenant apprendre pour de bon, avant de postuler un emploi quelconque.

Quand j'étais venue vivre à Bratislava au début de mon mariage, la ville dans son ensemble était le vestige typique de ce qui subsistait de la monarchie austro-hongroise. On y parlait plusieurs langues, sa population était faite de Hongrois, de Slovaques, d'Autrichiens, de Tchèques et d'Allemands, chaque groupe ayant ses juifs. Tout le monde parlait au moins trois langues, et les vrais natifs de la ville parlaient - mal - toutes les langues. Elle s'était appelée Pozsony jadis, quand les rois de Hongrie venaient s'y faire couronner, et puis plus tard Pressburg, d'où partaient les rails des tramways dont le terminus était Vienne. D'excellents journaux y étaient publiés dans toutes les langues, et parler le slovaque n'était absolument pas nécessaire. Aussi, durant les trois années que j'y passai avant-guerre, je n'attrapai que quelques mots de slovaque. Mais, maintenant, c'était devenu Bratislava, la capitale d'une Slovaquie qui, durant son indépendance sous Hitler, s'était progressivement éveillée au nationalisme[1]. En public, c'est à peine si j'osais ouvrir la bouche. Si l'on m'entendait parler anglais avec Susie dans la rue, on me traitait de sale Boche. Les Hongrois, désormais en minorité craintive, se taisaient ou parlaient le peu de slovaque qu'ils savaient. La plupart des juifs étaient morts, partis ou en partance. Il y en avait cependant qui avaient survécu - et qui restaient. La plus vieille génération essayait d'améliorer son slovaque pendant que la génération suivante, qui avait déjà fréquenté des écoles slovaques, évitait soigneusement d'utiliser en public la langue qu'elle parlait à la maison. En réalité, le nationalisme exacerbé était toléré par le Parti, qui l'avait même repris à son compte, à un point tel que j'en vins à perdre les vieilles illusions qui m'avaient fait, au début, me tourner vers la gauche, ce rêve d'un internationalisme fraternel et tolérant. Peu de temps après notre retour au pays, j'allai au secrétariat du Parti du district le plus proche pour y faire part de mon désir de prendre ma carte mais, malgré la pressante campagne de recrutement, on me pria grossièrement de retourner chez moi et d'y apprendre d'abord le slovaque. Quand j'eus appris suffi-

1. La Slovaquie, rattachée aux pays tchèques en 1918, proclamera, le 13 mars 1939, son indépendance formelle sous la protection de l'armée et de la SS hitlériennes. Le régime de Mgr Tiso s'y inspira du régime nazi, déportant en masse les juifs et les Tchèques. (N.d.T.)

samment la langue, j'en avais aussi suffisamment appris sur le Parti pour ne jamais y entrer.

Susie, qui avait presque dix ans quand elle commença l'école à Bratislava, apprit le slovaque très rapidement, comme peut le faire un enfant. Je souhaitais éperdument le deuxième enfant que je n'avais pas pu avoir en exil. Je voulais l'avoir tant que je n'étais pas trop vieille. Finalement, je décidai de ruser pour l'avoir, et en juillet 1948 Tania naissait. Durant presque tout le temps de ma grossesse, je gagnais médiocrement ma vie en travaillant comme secrétaire personnelle du consul provisoire des Etats-Unis qui mettait en place un tout nouveau bureau. Je travaillais pour lui lors des Evénements du Glorieux Février 1948, et très peu de temps après je fus contactée par des émissaires du Parti qui me dirent qu'il était de mon devoir de surveiller le consul et de faire un rapport sur les gens qui venaient le voir. Prenant ma grossesse avancée comme excuse, je quittai à regret mon travail, sage précaution qui m'évita par la suite d'aller rejoindre en prison les trois ou quatre personnes de la région qui avaient travaillé pour le consul en attente de l'arrivée de son propre personnel. Quelques jours après son ouverture officielle, le consulat fut fermé.

Après février 1948, le Parti n'eut plus besoin de dons. Oskar fut nommé directeur d'une grande maison de commerce qui venait d'être nationalisée. On nous remit les clés d'un bel appartement abandonné par un général en fuite, et quand Tania eut atteint l'âge d'aller à la crèche, je repris à mon tour le travail. En un an, à peu près, l'appartement était meublé. Oskar fut promu aux fonctions de commissionnaire-délégué (chaque ministère à Prague avait son commissionnaire correspondant en Slovaquie) et nous nous retrouvâmes dans la nouvelle haute société. A ce niveau, on pouvait jouir de privilèges, mais mon mari les refusait.

Avant la naissance de Tania, comme tout le monde je faisais la queue avec mon gros ventre pour obtenir des couches rationnées. Quand elle eut trois mois, je dus la sevrer, et le médecin prescrivit du lait frais sur ordonnance. Il n'y en avait pas dans les épiceries et le lait en poudre proposé en remplacement rendait les nourrissons malades. Beaucoup d'adultes buvaient du lait frais parce qu'ils savaient où s'en procurer, mais mon bébé dut s'en passer. Avec un père quasiment seul responsable de la production et de la distribution alimentaires, Tania ne pouvait pas se permettre de boire du lait acheté au marché noir, ou offert grâce au « piston socialiste » ! Pas de passe-droits pour nous.

Qui donc - à l'exception de sa famille - aurait pu reprocher quoi que ce soit à mon mari ? Au nom de qui et de quoi serait-il devenu suspect ? Et pourtant, pendant les semaines qui précédèrent son arrestation, il montra des signes d'anxiété. Il avait l'impression que la police le surveillait et depuis un bon moment déjà. Cela me semblait trop absurde pour être vrai. Peut-être s'étaient-ils intéressés à lui, comme il était de leur devoir de s'intéresser à tous les gens en place : travail de routine ! Je connaissais assez les domestiques de notre nouveau régime pour les considérer en bloc comme des imbéciles maladroits et menteurs, mais j'étais loin, à cette époque, de les tenir pour les impitoyables criminels au sang froid qu'ils étaient en réalité. Aussi sceptique et déçue que je l'étais devenue, je passais quand même mes jours au milieu des membres du Parti et si je vivais bien, c'était par la grâce du Parti : par là même, je pouvais rester complètement aveugle et continuer à espérer qu'une fois calmés les spasmes de l'accouchement de l'ordre nouveau, la cause ultime serait bien servie. Qu'un honnête homme puisse être arrêté, accusé puis torturé jusqu'à ce qu'il confesse des crimes imaginaires était une notion aussi impensable pour moi que pour la plupart des camarades fidèles. A l'anxiété d'Oskar je répondais, non sans ironie, qu'à force d'écouter trop d'appels hystériques à la vigilance contre des ennemis de l'Etat invisibles et omniprésents, il finissait, lui aussi, par en voir partout.

Le début de l'été 1951 fut particulièrement beau. La cité jardin sur la colline au-dessus de la maison était aussi agréable, parfumée et paisible que je me l'imaginais lorsque j'étais la réfugiée nostalgique de Chicago la laide, la bruyante, la malodorante.

Ce jour-là, les lilas étaient en fleur des deux côtés de la rue étroite et, par endroits, on pouvait déjà reconnaître le parfum des jasmins qui venaient d'éclore. Nous grimpions la colline et, au fur et à mesure, on redécouvrait la ville superbe, ses environs et le Danube à nos pieds. Cette escapade en famille aurait dû me réjouir ; j'étais pourtant mécontente et mal à l'aise. Depuis presque une heure, mon mari et moi n'avions pas échangé une parole. Le landau avec le bébé endormi était dur à pousser dans la montée. Susie arrivait à un âge où l'on ne se montre guère serviable et compréhensif envers son prochain, et encore moins envers ses parents. Elle marchait à quelques pas de nous, affichant un ennui mortel. Je ne la blâmais pas, seulement j'aurais bien voulu que l'un d'entre eux deux m'aide un peu à pousser le landau. Mon mari était plongé dans ses réflexions. Qu'il fût physiquement présent à mes côtés, mais pourtant absent, n'était pas nouveau en soi, mais cette fois-ci il n'était pas seulement taciturne : il avait l'air triste et abattu. Je ne lui demandai pas de m'aider pour éviter de déclencher une de ces disputes habituelles au cours desquelles je finissais toujours par lui reprocher son indifférence et son manque de coopération pour les problèmes familiaux, et qui l'amenaient, lui, à me reprocher la vision, irrémédiablement mesquine, que j'avais de la vie politique. Alors, comme ce jour-là il me faisait de la peine, je gardai le silence, mais la dispute se passait dans ma tête.

... Donc, tu n'as rien à me dire. Pourquoi, alors, as-tu tant insisté pour venir ? La gosse va avoir trois ans et c'est la première fois que tu te promènes avec nous. Je sais que tu n'as jamais le temps. Mais je me souviens de tant de samedis et de dimanches où je me promenais dans le parc, m'asseyant toute seule sur un banc, d'abord avec mon premier enfant, puis, ensuite, avec mon deuxième. J'ai souvent eu la gorge serrée en voyant passer des familles qui se promènent ensemble. Les pères poussent les landaus ou portent un petit sur leurs épaules. Dans la tête ils ont des choses simples. Ils ne pensent pas au martyre des coolies chinois, à l'urgence qu'il y a à trouver, dans cet après-midi de dimanche, la solution qui va engendrer un monde nouveau dans cent ans ou plus. Tu as raison, je n'aurais jamais dû t'aimer ni t'épouser. Mais je les ai sincèrement partagées avec toi, les souffrances des coolies, et suffisamment longtemps pour espérer qu'à ton tour tu partages avec moi les joies et les peines de notre vie commune. Ne serait-ce que les week-ends ? Ta semaine est consacrée au travail, aux conférences de bureau et aux réunions d'affaires, je sais. Mais les dimanches, tu les passes généralement avec les camarades que tu rejoins aux meetings où vous débattez de choses dont vous censurez le contenu et sur lesquelles vous vous abstenez de vous interroger. Il y a longtemps que j'ai accepté la situation, et maintenant j'ai appris à me passer de toi presque trop bien. Cette promenade en famille était ton idée, pas la mienne. Et voilà que nous sommes en train de marcher ensemble un dimanche, pour la première fois, et tu n'as rien à dire. Ni à moi ni aux enfants. Je me demande souvent si tu sais que nous ne sommes pas heureux ensemble. Tu ne sembles pas le savoir. Quoi que le mariage signifie pour toi, tu sembles être satisfait de ce que nous avons. A l'occasion, tu m'assures même, avec cette pudeur et cette distance qui sont les tiennes, de tes sentiments inchangés à mon égard. Je suis sûre que, à ta manière, tu aimes aussi nos enfants. Tu es bien le mari et le père aussi exemplaires que les gens le disent. Personne ne t'a jamais vu avec une autre femme, boire ou dépenser l'argent du ménage. Ce doit être de ma faute, alors, si à un moment donné, que je ne peux pas déterminer avec exactitude, mais qui doit se situer quelque temps après notre retour, tu as commencé à disparaître de notre vie commune. J'ai essayé de te suivre de bon cœur là où tu allais, mais je ne peux plus. A la plupart de mes questions tu n'as pas de réponses, ou bien des réponses impatientes et insatisfaisantes. Je suis larguée. Pourquoi ? Il doit y avoir quelque chose qui ne marche plus du tout entre nous, ou alors entre toi et ton travail, je veux dire ce pour quoi tu travailles.

Alors que j'écris ces lignes, les lilas sont à nouveau en fleur. Au début de ce printemps 1968, je connais les réponses à ces questions que je me posais il y a dix-sept ans, et je ne les connais que trop bien depuis des années. Tout comme ceux qui prétendent ne les découvrir qu'aujourd'hui. Nous en aurions certainement discuté avec mon mari s'il était en vie. Mais il est mort.

En ce dimanche où nous nous promenions, il devait être douloureusement absorbé dans son explication de l'inexplicable et dans sa justification de l'injustifiable, pendant que je le tourmentais en pensée avec des questions auxquelles un membre loyal du Parti n'avait pas de réponses à fournir. Je demandais comment des actions moralement condamnables pouvaient être justifiées par une politique au service de la morale et de la justice. Je demandais pourquoi notre presse devait être pleine de grossiers mensonges alors que c'était l'organe d'un Parti créé pour combattre au nom de la vérité. Je demandais si nos camarades arrêtés étaient réellement capables de commettre des crimes. Je demandais pourquoi des villages de paysans hongrois avaient été presque entièrement déportés près de la frontière allemande dans des villes laissées libres par la déportation des Allemands. Je demandais pourquoi nous ne prêtions attention à la terreur que maintenant, quand elle commençait à s'abattre sur notre petit cercle. Les clichés comme « on ne fait pas d'omelette sans casser des œufs » ou « c'est un grand processus de renaissance, et la naissance d'un enfant, c'est pas beau non plus à voir » n'avaient pour seul effet que de me mettre en colère. J'étais ironique, soulignant tout ce qui était faux comme s'il était lui, personnellement, responsable de l'inhumanité du Parti et de ses maladresses ridicules. Comme je devais être absolument détestable à ses yeux ! D'un autre côté, j'avais aussi mes raisons d'être désespérée et fâchée. Ce qui, au départ, nous avait réunis était notre désir de combattre pour la justice et la vérité. Mon amour pour Oskar était né de ma gratitude envers celui dont les leçons avaient été autant de révélations quand j'étais jeune et révoltée par l'inhumanité et l'injustice de la société. A cette époque-là, j'étais impatiente d'aider à transformer le monde mais ce n'est pas en vivant dans la Hongrie d'Horthy que je risquais de trouver celui qui serait capable de me montrer le chemin, de me redonner espoir, de me conseiller et m'instruire comme je le voulais. Il avait fallu une curieuse coïncidence, pour que je rencontre le professeur que je recherchais, l'ami qui allait m'ouvrir la fenêtre et me faire voir le jour. Oskar travaillait à Prague en ce temps-là, et notre première rencontre n'eut lieu qu'après avoir échangé, un an durant, une correspondance qui me fit tomber amoureuse de lui. (Ceux qui n'ont pas vécu dans un pays socialiste comprendront ce qu'il y a de tragique et de comique à évoquer aujourd'hui ces souvenirs. Habitant dans un pays réactionnaire d'où toute littérature révolutionnaire était bannie, il m'était absolument impossible d'apprendre les bases du marxisme par correspondance sans craindre la censure à la frontière. Notre police secrète exhibait à ses victimes les photocopies de leurs lettres les plus intimes même si celles-ci n'avaient jamais quitté le pays.)

C'est justement parce que Oskar avait été un professeur de vérité si convaincant et si sûr de lui que je n'arrivais plus à aimer cet homme que les événements forçaient à me fournir sans conviction des mensonges embarrassés. Furieuse, abattue et abandonnée pendant cette promenade dominicale, je poursuivais la discussion dans ma tête, pour une fois seule et en silence. Il semblait trop fragile et déprimé ce jour-là pour que la lutte fût égale.

Soudain, une grosse voiture noire nous frôla à une vitesse telle que je poussai le landau sur une petite avancée de pierre près d'un muret pour éviter qu'il ne soit renversé ; j'avais les jambes coupées. Mais pourquoi la voiture, qui roulait pourtant à tombeau ouvert, s'arrêtait-elle maintenant là-bas, au coin de la rue ? Sans un mot, Oskar m'attrapa par les épaules et me poussa précipitamment dans une petite allée qui dévalait la colline. A peine avions-nous atteint le dernier virage de la rue principale qu'une autre voiture nous fonça dessus, nous ratant d'un cheveu. Elle stoppa net quelques immeubles plus loin : ses deux occupants se retournèrent et nous dévisagèrent. La voiture redémarra mais au virage suivant nous nous retrouvions nez à nez avec l'autre voiture. Le bruit et les écarts pour éviter les voitures avaient réveillé la petite en sursaut, elle commença à hurler. Je m'arrêtai pour la reborder et tenter de la rendormir en la berçant. A ce moment-là, Oskar me serra le bras si fort que j'eus mal.

— T'arrête pas. Continue !

— Attends, je veux simplement...

— Tu comprends, oui ou merde ! Avance, bon Dieu, avance !

Je n'en croyais pas mes oreilles. Pour la première fois sa brusquerie me fit peur. Il n'était jamais comme cela, d'habitude. Sous le coup, j'hésitais.

— T'es sourde, avance, vite...

Quatre hommes - deux par voiture - nous suivirent à petite allure quand nous rentrâmes à la maison. Maintenant, je comprenais. Aucun de nous ne parlait. A la maison, je donnai à manger aux enfants ; Oskar déclara qu'il n'avait pas faim et partit dans sa chambre.

Les enfants étaient déjà couchés quand il revint, pâle et visiblement secoué, pour me dire qu'il n'avait décidé de cette promenade que pour en avoir le cœur net. Jusqu'à aujourd'hui, il avait cru que la Sécurité d'État suspectait quelqu'un d'autre à son travail ou des personnes qu'il avait pu rencontrer à l'extérieur. Maintenant, quels qu'aient été ses espoirs, il n'y avait plus aucun doute : c'est après lui qu'ils en avaient. Le lendemain matin, à mon réveil, Oskar était déjà parti, mais il m'avait laissé sur la table la copie d'une lettre qu'il avait dû taper depuis un certain temps déjà. Sinon, j'aurais entendu la machine à écrire cette nuit-là car je n'avais pas fermé l'œil. J'ai encore l'exemplaire de cette lettre. On me la restitua, quatorze ans plus tard, avec les autres papiers que la police avait saisis lors de la perquisition qui avait suivi son arrestation. C'était au moment de sa réhabilitation, un an avant sa mort. La lettre était adressée au commandant de district de la Sécurité d'Etat. Voilà ce qu'elle disait :

« Ce qui n'était qu'un doute qui me rongeait est aujourd'hui une certitude que je ne peux désormais plus ignorer. Je sais que depuis quelque temps vous m'avez fait suivre. Aussi je considère comme nécessaire de vous dire ce que j'en pense. J'ai beau essayer de décortiquer ce que j'ai fait aujourd'hui et tout ce dont je me souviens dans le passé, je ne trouve rien qui puisse sinon justifier, du moins autoriser votre conduite. Je n'ai rien à redire aux déclarations de notre Président, le camarade Zápotocky[1], selon lesquelles aucun citoyen aussi loyal soit-il, aucun membre du Parti, aussi dévoué soit-il, ne doit refuser de faire l'objet d'un contrôle. Surveiller, en effet, n'est pas seulement le droit, c'est aussi le devoir de nos organes de sécurité, dans l'intérêt général de tous ceux qui désirent protéger la patrie des ennemis intérieurs et de tous ceux dont le seul but est de sauvegarder la paix. Néanmoins, compte tenu du nombre d'officiers et de véhicules mobilisés, compte tenu des heures de travail passées à me faire suivre depuis plusieurs mois, je considère de mon devoir d'attirer votre attention sur le fait que - dans mon cas du moins - vous dilapidez les fonds de l'État et peut-être relâchez-vous la surveillance des vrais saboteurs.

Mes amis et camarades me croient incapable de faire du mal à une mouche. Mais ils n'ignorent pas non plus que, si besoin en était, je n'hésiterais pas à tuer de mes propres mains quiconque voudrait nuire à notre République socialiste. Si, pour des raisons qui m'échappent, des soupçons se portent sur moi, je demande instamment que l'on m'interroge et que l'enquête soit menée sans délai, ouvertement, légalement et efficacement.

En cette période dramatique de notre développement que nous traversons, le principe vaut plus que jamais que seuls ceux qui ne font rien ne commettent pas, de temps à autre, des bêtises. J'ai des fonctions qui m'obligent souvent à prendre des décisions difficiles. Mais, même sur ce plan, je ne vois rien de grave que j'aurais pu commettre.

Non seulement je refuse de croire que notre Parti accepterait de voir persécuter délibérément et gratuitement des camarades ayant des responsabilités telles qu'ils doivent se donner entièrement à leur tâche, mais je suis, de plus, fermement convaincu que notre direction demanderait des

1. Antonin Zápotocky (1884-1957), secrétaire général du PCT de 1922 à 1925 ; membre du présidium du Comité central du Parti en 1945, puis président du Conseil syndical central (syndicat unique) ; président du Conseil des ministres après le coup de Prague, de 1948 à 1953 (à la place de Klement Gottwald devenu président de la République) ; président de la République de 1953 à 1957. (N.d.T.)

comptes à quiconque chercherait à l'entraîner sur une fausse piste par des dénonciations fausses et malveillantes. La rumeur veut que l'attitude actuelle de notre police - je sais que je ne suis pas le premier ni le seul à subir un traitement semblable ou pire - soit à mettre en relation, d'une manière ou d'une autre, avec le récent procès d'espions à Prague et qu'elle est principalement et directement dirigée contre les camarades qui sont revenus d'Occident après la guerre.

Si tel est le cas, cette rumeur n'est que révélatrice de l'état d'esprit de l'humoriste qui l'a lancée, incapable de comprendre que l'on puisse revenir au pays avec des intentions honnêtes. Le comportement dogmatique et borné des initiateurs de telles campagnes révèle leur propre surestimation du monde capitaliste et leurs doutes envers la République populaire de Tchécoslovaquie. Dans leurs âmes et consciences obscurcies, ces mouchards et enquêteurs ne peuvent à l'évidence pas imaginer qu'on puisse préférer vivre en République populaire de Tchécoslovaquie plutôt qu'aux États-Unis sans être nécessairement un espion... »

La lettre fut postée en juin, mais elle ne reçut à ma connaissance aucune réponse. Oskar fut arrêté en août 1951, alors qu'il faisait un cours dans l'un des nombreux endroits où l'on assurait la formation politique.

Quand ce matin d'août le train entra enfin en gare de Bratislava, j'étais sûre en descendant que personne ne m'attendait. La nuit avait été suffisamment longue pour que je passe de la panique et de la douleur au calme et à la réflexion : libérée des illusions que j'aurais pu me faire, je comprenais que ce qui était arrivé n'était rien d'autre qu'un maillon logique de la chaîne d'événements qui ne m'étaient que trop familiers. Une fois dans le taxi, je n'eus pas besoin de me promettre d'être forte. Les autres avaient fait face, c'était mon tour. Ce à quoi je songeais le plus, en roulant vers la maison, c'était aux enfants.

Mais elles n'étaient pas là pour m'accueillir, et c'était peut-être mieux ainsi. La jeune fille qui logeait chez nous et qui, à l'occasion, gardait nos enfants, m'ouvrit la porte et me dit qu'elle avait envoyé Susie à l'école avec Tania pour qu'elle la dépose, en chemin, au jardin d'enfants.

Elle était seule à la maison quand les flics avaient débarqué ; elle était dans tous ses états en me racontant ce qui s'était passé. Elle ignorait ce qu'était devenu Oskar ; elle savait seulement qu'il n'était pas rentré à la maison ; elle n'en savait pas plus que ce qu'elle avait conclu de la perquisition. Elle était très prévenante mais tout aussi pressée de m'annoncer qu'elle avait déjà trouvé une autre chambre ailleurs.

L'appartement était dans un état qui symbolisait ce que serait notre vie dans les années à venir : tout était sens dessus dessous. Ce grand désordre était l'œuvre de gens hostiles et sans cœur. Ma première réaction fut de faire demi-tour et de rentrer à « la maison ». Ce que je trouvai, ce n'était pas ma maison. Les flics avaient perquisitionné la veille et tout alentour empestait encore de leur haleine. Les objets déplacés, dévoyés, avaient perdu tout relief et portaient les traces repoussantes de leurs mains. Mais à l'horreur se mêlait aussi le comique, puisque la stupidité accompagne toujours le grotesque.

À travers les propos décousus de notre jeune locataire, qui était à bout de nerfs, je compris que les flics avaient fait une grande découverte en fouillant dans les sous-vêtements d'Oskar. C'était une vieille boîte de talc américain. Tout en essayant de déchiffrer les indications inscrites sur la boîte dans cette langue incompréhensible pour eux, ils échangeaient des propos ironiques et furieux et quêtaient l'approbation de la jeune fille ; cette boîte de talc était une pièce à conviction qui à elle seule prouvait assez les goûts bourgeois et décadents du maître de maison qui ne pouvait nier les contacts illégaux avec le monde capitaliste, ce qui faisait de lui un élément dangereux.

Aux piles de vieilles revues, aux coupures de journaux, aux lettres et autres papiers, aux photographies, aux livrets de banque et à l'argent, au stylo-plume et à la vieille montre-gousset en or de feu mon beau-père (il n'y avait aucun autre objet de valeur dans la maison), vint donc s'ajouter une autre preuve qu'ils emportèrent dans un petit camion : la boîte jaune de talc.

Je devais être témoin de beaucoup d'autres inepties burlesques de ce genre au cours des années à venir, quand j'eus affaire aux autorités. Elles ne me faisaient plus tellement rire.

Ce n'est qu'au bout de quelques semaines que je fus convoquée au commissariat le plus proche, à six heures du matin, pour y être interrogée par deux civils qui me posèrent des questions proprement absurdes jusqu'à vingt heures trente. Elles ne portaient que sur moi, sauf lorsqu'ils me demandèrent où travaillait mon mari, prétendant ou espérant me faire croire qu'ils ignoraient tout de son arrestation. A part cela, l'interrogatoire se déroula avec une courtoisie qui faisait place, de temps à autre, à un ton menaçant : si je ne disais pas la vérité, ils me retiendraient jusqu'à ce que je la confesse. Tout en feuilletant un épais dossier me concernant, ils continuaient à me poser des questions oiseuses sur mon dernier emploi, sur mes relations avec le précédent directeur, sur les raisons de mes fréquents voyages à Prague - dont ils savaient les dates exactes ainsi que les noms des hôtels où j'avais séjourné. Et finalement ils me demandèrent si j'avais un amant et si oui quel était son nom. Bien entendu, ils ne m'offrirent rien pendant qu'ils buvaient leur café et mangeaient leurs sandwiches et je ne fus pas autorisée à fumer bien qu'à plusieurs reprises ils m'aient demandé si j'étais fumeuse, tout en me soufflant leur fumée sous le nez. Je ne fus pas autorisée non plus à téléphoner à mes enfants. Le soir, ils me relâchèrent en me donnant le conseil énigmatique de filer droit... J'en suis encore aujourd'hui à me demander ce qu'ils attendaient de cet interrogatoire. S'il ne s'agissait que de m'intimider, ils avaient réussi. De retour à la maison, j'étais dans un tel état de nerfs que les enfants en furent épouvantées.

Mais ce matin-là, celui de mon retour, je remerciai la jeune fille pour son aide et lui dis qu'elle pouvait déménager immédiatement si elle le désirait. Elle ne se le fit pas dire deux fois.

Je décidai de faire de mon mieux pour remettre la maison en ordre avant que les enfants ne rentrent. Buffets et commodes étaient grands ouverts, les lits retournés, le plancher jonché de vêtements. A voir l'état de la chambre des enfants, je compris que les flics avaient dû chercher - même ici - des récepteurs-transmetteurs. Tout ce que nous avions acquis au prix de notre travail, toutes ces choses ordinaires et innocentes me regardaient comme si on leur avait fait mal.

Nous n'avions jamais accordé une grande importance à la possession des choses. Quand nous étions rentrés au pays nous avions liquidé sans regret aux Etats-Unis l'essentiel de ce que nous possédions. Nous avions en poche juste ce qu'il fallait de dollars pour payer notre voyage et le rapatriement de « ce qui était essentiel » : là où chaque kilo était compté, ce fut un problème de savoir quoi faire rentrer dans l'essentiel. Oskar fit des piles gigantesques de vieux journaux, ficela des paquets de numéros d'avant-guerre de *Panorama* (*Rundschau*) et d'albums de ses articles et autres coupures de journaux. Je réussis à ménager une petite place pour les livres que j'aimais en le persuadant qu'on pourrait certainement se procurer aisément les œuvres de Lénine et de Staline au pays. Mais je ne pus le faire céder sur les provisions de nourriture - « On mangera comme tout le monde », disait-il. Pas plus d'ailleurs que sur la porcelaine anglaise et le linge de table de mon trousseau. Mais il y eut un point sur lequel je ne transigeai pas : je refusai de me séparer des journaux intimes que j'avais tenus et de mes albums de photos. Il me traita de « sentimentale » - il n'avait certainement pas tort. Seulement, qui peut dire à l'autre ce qui est « essentiel » et pourquoi ? On croit tous que c'est possible mais combien d'amitiés se sont brisées à cause de cette illusion ?

Et voilà que tout ce que je possédais d'"essentiel" traînait par terre, avec des pages déchirées dont on avait arraché les photos jugées suspectes. Je voyais, épars sur le plancher, mon enfance, ma jeunesse, le monde qui m'avait faite. C'est vrai, autrefois, je l'avais trouvé irrespirable, ce monde étroit, son égoïsme me faisait honte et je lui avais tourné le dos pour aller rejoindre celui dont mon mari disait qu'il était ouvert, généreux et prometteur d'un avenir radieux et constructif. Mais ce vieux monde-là avait été le mien et, après des années d'exil et de déception, il m'arrivait d'y repenser avec la tendresse qu'apportent les souvenirs de la jeunesse.

J'adorais mon père ; je venais d'avoir quinze ans quand il mourut. Il avait une passion pour la photographie, ce qui était rare pour l'époque. Je m'agenouillai et me mis à ramasser ce qui restait des albums. Il y avait ses essais de photos d'art : un cerisier en fleur ; moi, enfant, avec mon petit chien sur les genoux ; d'autres chiens, des chevaux, un rayon de soleil traversant à l'oblique une fenêtre ; des juifs, aux visages graves, en petits groupes devant la vieille synagogue un jour de fête. Une photo floue et sous-exposée de lui-même jouant de l'alto avec son quatuor à cordes amateur. Et, bien entendu, plein de photos de la famille : des enfants nus à plat ventre sur des couvertures de peluche blanche ; mon frère le jour de sa licence, un peu solennel et trop sérieux avec ses lunettes ; des photos de mariages ; ma mère en danseuse espagnole à un bal costumé dans les années vingt. Des photos de moi en week-ends, dans la montagne, dans la neige ou au bord d'un lac. Un groupe de jeunes, riant et faisant des grimaces à l'objectif.

En réalité, c'était une galerie de souriants portraits de défunts. La plupart — même le bébé sur la couverture de peluche — avaient été abattus, gazés, brûlés ou noyés dans les eaux glacées du Danube, en tout cas assassinés.

Comme il y avait beaucoup de photos de vacances, prises en Autriche, quand papa nous emmenait faire de longues et difficiles excursions sur des hauteurs d'où le lac ressemblait à une petite mare, le souvenir de mon père me ramenait aux meilleurs moments de mon enfance. Il avait une manière à lui de laisser ma mère se débrouiller avec tout ce qu'il y a d'ingrat dans l'éducation des enfants. Quand il rentrait du travail, nous avions toujours fini nos devoirs, nous étions lavés, peignés ; maman nous avait appris à nous tenir, et nous ne nous disputions jamais devant lui. Maman avait une telle dévotion pour papa, et une si grande notion de l'heure, qu'elle s'organisait pour qu'il ne fût jamais le témoin de nos disputes ou des petits drames concernant notre éducation. Il n'était jamais là pour entendre les sermons moralisateurs que ma mère débitait d'un ton monotone et que j'appris à supporter sans les écouter, car à quoi bon les écouter si je n'avais pas le droit d'y répondre ? Bien sûr, je ne devais pas laisser ma chambre en désordre, ni me montrer impolie envers mes tantes qui m'ennuyaient ; mais pourquoi porter des socquettes seulement à partir du mois de mai alors qu'il faisait chaud dès avril ? Pourquoi porter à quatorze ans des bas de coton à côtes ? Pourquoi manger tout ce que j'avais dans mon assiette alors que ma mère aurait dû savoir que je grossissais et que cela me chagrinait ? (Intérieurement, j'étais faible, mince et presque transparente comme Elizabeth Bergner !) Et pourquoi ce soutien-gorge serré pour cacher ce qui était si impatiemment attendu et désormais reçu de la nature avec reconnaissance ? Pourquoi les livres que j'aimais et que j'avais lus depuis longtemps m'étaient-ils interdits ? Pour m'en sortir, un seul moyen : la résistance passive. Je jetais la nourriture dans les toilettes, je me débarrassais du soutien-gorge dans l'obscurité du palier de l'appartement. Je serais morte de honte si un cavalier au cours de danse avait découvert à travers ma robe les boutons de cette prothèse dégradante.

Papa n'eut jamais rien à voir dans tout cela. Quand il rentrait à la maison, j'étais dans l'escalier à attendre que l'ombre de la cabine se profile derrière le verre dépoli de la cage d'ascenseur. Si l'ascenseur ne s'arrêtait pas à notre étage, ce n'était pas grave, au contraire, cela prolongeait l'attente, et j'aimais ça. Chaque jour, papa me trouvait un nouveau surnom, très drôle. Il savait aussi faire des cadeaux à tiroirs : j'avais six ans environ quand il ramena un sac à la maison, c'était les premières cerises de la saison, déclara-t-il. A la cuisine, je découvris que le sac contenait un petit chien, un vrai fox-terrier, le bonheur !

Les blessures que la vie m'infligea par la suite me mirent devant une alternative. Ou bien, et c'était le plus facile, je laissais couler le sang. Mais je ne pouvais pas me le permettre. Ou bien je devais tenir jusqu'au bout et attendre que les blessures se cicatrisent. Ce qu'elles firent. Si le tissu de la cicatrice est épais, il me protège dans les deux sens : rien ne peut pluß me blesser comme autrefois, mais, dans le même temps, rien ne sera plus jamais aussi bien ressenti qu'autrefois. Seuls les souvenirs de mon enfance ont gardé leur intensité. Plus poignant que tous les vrais chagrins à venir fut celui que je ressentis le jour où maman se débarrassa de mon chiot avec le consentement passif de papa. L'amère déception que papa me causa par sa trahison me fit plus de mal que le geste de ma mère qui, lui, n'était guère surprenant quand on connaissait son amour de l'ordre et son réel sens pratique.

Dans son Journal, que je lus des années seulement après sa mort, mon père se reprochait beaucoup de n'avoir pas fait certaines choses, et d'en avoir laissé se faire d'autres dans le but de sauvegarder la paix et le confort de son ménage. Avec une amère ironie à l'égard de lui-même, il se décrivait comme n'ayant vécu sa vie qu'à moitié comme le tragi-comique

Oblomov[1]. Bien que je ne puisse dire s'il avait en lui l'étoffe d'un bon photographe, d'un bon écrivain ou d'un bon musicien, je sais qu'il aurait vécu plus pleinement s'il avait sérieusement tenté l'aventure. Mais à cette époque, et dans son milieu, il était plus simple et plus rassurant de répondre aux désirs de ses parents ; on étudiait le droit, on devenait un col-blanc, on fondait un foyer et on faisait carrière.

Comme nous grandissions, notre éducation commença à soulever des problèmes qui contraignirent inévitablement mon père à prendre parti. Ce qui, pour moi, le rejeta dans le camp ennemi. Assez étrangement, quand je me mis à le regarder avec un regard plus critique, je découvris que je l'aimais « extraordinairement », non pas parce qu'il était mon père, mais bien qu'il le fût. Mon amour « extraordinaire » se nuançait toujours de compassion. Encore qu'il n'y eût aucune raison de s'attrister sur son compte : il réussissait, il était respecté, populaire et heureux en ménage.

La légende familiale voulait que son père, fils d'un pauvre tailleur de village, se soit enfui à Budapest pour y mener les études qu'il entendait faire. Quand il se maria, il était professeur de mathématiques et d'histoire naturelle au collège théologique juif. Il mourut jeune, avant ma naissance. De quel village venait-il ? Et comment s'était-il enfui ? je ne le sus jamais. Les familles juives en savent moins sur leurs ancêtres que les familles chrétiennes. Le passé ne les intéresse guère, sauf s'il remonte à quelques milliers d'années. Elles auraient plutôt tendance à s'inquiéter du loyer impayé par un cousin au troisième degré que de la vie et des mérites de feu leur grand-père.

Un grand placard vitré, dans le salon, abritait un violon, un alto, un violoncelle et une contrebasse. Papa jouait de tous ces instruments, mais il prenait un air désenchanté pour se qualifier d'apprenti amateur. Je partageais peut-être inconsciemment sa frustration. La compassion que j'éprouvais pour lui se nourrissait aussi d'un petit épisode qui cependant me marqua à jamais. J'avais à peu près dix ans lorsqu'une de mes tantes m'invita au

---

1. Héros principal du plus célèbre roman d'Ivan Gontcharov (1812-1891), symbole de la paresse et de l'indécision, jusqu'au récent film de Nikita Mikhalkov, *Quelques jours de la vie d'Oblomov*, qui lui donne toute sa dimension humaine. (N.d.T.)

théâtre. Je dus mal me tenir ce jour-là, car on me dit que je ne méritais pas d'y aller. Seulement, comme la tante devait venir me prendre à la maison, maman se laissa attendrir mais elle exigea - en représailles - que je recouse d'abord un bouton qui manquait à mon gant blanc. Mon père vint me voir dans ma chambre et, me trouvant en larmes (je n'avais pas tellement l'habitude des travaux d'aiguille), il essaya de m'aider. Il se piqua les doigts et - probablement pour me faire rire - fit semblant de s'être profondément blessé. Je ne trouvais pas cela drôle du tout. Enervée comme je l'étais, la vue du sang sur son doigt me retourna le cœur. Mais j'étais surtout terrifiée à l'idée que maman pourrait le surprendre en train de m'aider, et qu'il aurait honte devant elle d'avoir triché.

Des années plus tard, quand il mourut brusquement, je quittai le pensionnat autrichien où je passais des vacances d'été pour assister à temps à son enterrement. Durant tout le voyage de retour, j'étais obsédée par l'image du petit gant blanc taché de son sang. Comme si, en mourant, il avait donné sa vie pour moi.

A treize ans, je fus clouée quelques jours au lit par la varicelle, et papa me lisait tous les soirs un passage du *Faust* de Goethe ; je lui posais des questions, il répondait ; j'en posais d'autres jusqu'à ce que maman vienne éteindre la lumière. A part ces soirées-là, je ne fus seule avec lui que deux fois dans ma vie. Et les deux fois nous étions très intimidés, nous n'étions pas habitués. La première fois, c'était pour visiter un chenil et, la seconde fois, pour aller au cirque. Il était bien entendu qu'il n'y allait que pour me faire plaisir, et je fis semblant de lui être reconnaissante pour m'y avoir emmenée. Il faut dire que tout le reste de la famille avait déclaré que c'étaient des spectacles ridicules ; mais moi je savais parfaitement qu'il aimait les chiens, les chevaux et le cirque autant que moi, et qu'il était bien content que je lui serve de prétexte. Il ignora toujours tout ce que je savais de lui. Par exemple, qu'il avait pendant des mois pris en secret des leçons de cithare chez un vieux musicien qui habitait la banlieue. Quand ça se sut dans la famille, il fut accablé de sarcasmes et sommé d'arrêter ses ridicules leçons particulières, ce qu'il fit, pour obéir aux adultes. Mais, moi, je l'avais su bien avant tout le monde, et je savais aussi, parce que mon instinct me le disait, qu'aller là-bas, en banlieue, ça voulait dire aider le vieil homme, faire quelque chose qui l'amusait et surtout vivre avec un secret. Il ne devina pas non plus qu'assise un soir derrière lui dans notre loge à l'Opéra, je vis ses épaules secouées par des sanglots silencieux. Il ne sut jamais combien j'avais lu de livres interdits et comme j'aurais aimé en parler avec lui.

Mais je sentais que le moment n'était pas encore venu pour cela. Après nos deux excursions, nous étions rentrés à la maison sans nous parler, mais s'il m'avait fait un signe, j'aurais dit quelque chose comme cela : « Je ne t'en veux pas de ne pas parler. Après tout, tu ne me connais pas et tu crois que je suis encore une enfant. Mais je n'en suis plus une et bientôt j'oserai parler tout haut. Tu découvriras alors une amie qui t'a compris mieux que tous les autres, et tu pourras me parler de choses dont tu ne te parles même plus à toi-même. Je sais aussi que tu ne pries plus, même quand tu vas à la synagogue les jours de fêtes. Et si je te disais, à cet instant précis, que cela fait belle lurette que moi je ne dis plus le soir mes vieilles prières d'enfant, comment le prendrais-tu ? Je connais tes rêves et tes frustrations, je suis la seule qui comprenne que tes visites au vieux cithariste n'étaient pas ridicules ; c'était une petite fugue timide dans la vraie vie que tu as manquée ! » J'étais comme une mère implorant que son fils lui fasse des confidences mais ajournant la première discussion sérieuse : c'est peut-être trop tôt ; il n'est pas assez mûr... Puis il fut trop tard.

A l'école, je formai avec mes meilleures copines un petit cercle restreint et rebelle baptisé « le Club des gamines » parce que nos parents n'avaient de cesse de nous dire que nous étions encore trop gamines pour lire les livres que nous lisions et débattre des sujets dont nous discutions.

Nous préférions nous rencontrer entre nous pour le thé à la maison plutôt que de retrouver des garçons à la danse ou au tennis. Je doute que mes filles puissent comprendre pour quelles raisons des adolescentes prenaient plaisir à ne se retrouver qu'entre elles, et des adolescents qu'entre eux. Peut-être parce qu'on ne nous surveillait pas, que nous pouvions inviter qui nous voulions plutôt que les enfants des amis de nos parents et que, pour nous, les hommes étaient beaucoup plus intéressants comme thème de discussion que présents en chair et en os, sous forme de petits jeunes gens boutonneux. Nous parlions d'eux et beaucoup de Dieu en des termes si négatifs que nous nous effrayions parfois nous-mêmes - supposez qu'Il existe vraiment, après tout, et qu'Il nous écoute ? Nous déclamions des poèmes et écoutions de la musique, mais, par-dessus tout, nous discutions de nos aînés et de l'état du monde dont nous les tenions pour responsables.

Nous étions bien décidées à le changer, ce monde. Nous lisions plus de livres que nous n'apprenions nos leçons, et nous avions une vision un peu plus étendue que la plupart des autres filles de notre classe. Nous étions impatientes d'être des adultes.

Dans ma famille, on racontait une histoire : la légende de l'énorme bretzel. Quand ils avaient notre âge, mon père et ses frères sortaient avec leur père le dimanche, et s'ils s'étaient bien conduits pendant la semaine, on leur achetait un énorme bretzel. C'était la grande récompense. Si on nous racontait le bretzel, c'était pour nous mettre en garde contre les déceptions qui nous attendaient, si nous persistions à tout vouloir avaler de la vie, si vite et si goulûment. Ça désignait tout à la fois : les séances de cinéma, les glaces mangées quotidiennement dans un cornet et dans la rue, au lieu d'être savourées dans une sorbetière à l'occasion d'une fête, aussi bien que les doutes et les opinions que nous formulions trop fort et trop tôt.

Le clivage des générations n'était pas une nouveauté, mais il était plus profond que jamais auparavant, la première phrase cohérente que je prononçai de ma vie en témoigne. Non que je m'en souvienne, mais elle avait dû être considérée comme suffisamment drôle pour qu'on me la répète souvent. Je m'étais barricadée derrière une chaise et je criais : « Je suis un soldat russe, je tire — boum boum ! » J'étais une enfant de la Première Guerre mondiale.

Nous étions venus au monde de nos parents, à l'époque où il était encore exsangue, gisant et fracassé. Tandis que nous apprenions à raisonner, eux apprenaient à oublier. Ils ramassèrent les morceaux, les recollèrent, et nous les repassèrent comme s'ils formaient un tout intact. Ils ne voulaient pas admettre que cette ville tranquille, où ils avaient vécu l'avant-guerre, avec ses conceptions, son mode de vie et ses règles de conduite, avait maintenant cessé d'exister, et qu'ils étaient, eux, les responsables de sa disparition qui n'était pas accidentelle.

Le mot « guerre » dans mon enfance était employé comme un adverbe de temps toujours accolé à « avant », « pendant », ou « après » ; il n'était pas plus chargé de sens que « petit déjeuner » ou « l'heure de se coucher ». Pour nous, les enfants, ce mot n'eut ni signification, ni odeur, ni goût, jusqu'à ce que nous tombe par hasard entre les mains le livre de Remarque, *A l'ouest rien de nouveau*, que nous lûmes secrètement.

Personne ne parlait de la guerre. Ni à la maison ni à l'école. C'était un sujet aussi indécent que le sexe, dont nos mères ne parlaient qu'en termes de mariage, de trousseau, de recettes de cuisine et de dressage des employées de maison.

Il nous fallut découvrir la vérité par nous-mêmes, à notre façon, et comme nous le pouvions. Vers ma quinzième année, je compris que toutes nos pensées, tous nos sentiments, toute notre destinée étaient marqués et déterminés par le fait que notre génération tout entière était née pendant la guerre.

Après une heure de travail, tout ce que les flics de la sécurité avaient dérangé avait plus ou moins retrouvé sa place. Mon beau-frère téléphona pour savoir si j'étais arrivée, et il me dit qu'il passerait après le travail. Puis une comptable de mon entreprise me téléphona pour me dire d'abord que mon salaire me serait versé et que ma lettre officielle de licenciement était probablement déjà au courrier. « Inutile de vous déplacer », dit-elle. Elle ajouta qu'elle était désolée et raccrocha.

J'avais encore quelques heures devant moi avant le retour des enfants. Je pris une douche et m'allongeai dans l'espoir de dormir. Mais vidée comme je l'étais, je m'assoupis un instant seulement pour me réveiller terrifiée à l'idée qu'il allait me falloir expliquer ce qui se passait à Susie. Elle avait presque quinze ans et était une des fondatrices de la première organisation des jeunes pionniers de Bratislava. Quand son groupe avait prêté serment, en récompense de sa participation exceptionnellement active au mouvement, c'est elle qui avait été choisie pour nouer le foulard rouge autour du cou du camarade Bacílek qui représentait le Comité central à cette cérémonie officielle. C'était un souvenir qu'elle chérissait particulièrement. Elle identifiait son père à tout ce qui la nourrissait intérieurement. Occupé comme il l'était, ils ne se voyaient pas souvent tous les deux, mais elle était fière de lui parce qu'elle savait qu'il était quelqu'un d'important dans le Parti, et que le Parti c'était tout. Comment lui dire les choses sans briser son idéal ni la dresser contre son père ?

Là-bas, aux États-Unis, en grandissant, elle était devenue très tôt une amie. C'était surprenant de découvrir à quel point elle était capable de partager mes goûts et mes pensées. Nous visitions des musées et des galeries, nous nous promenions dans des parcs et des zoos, et — les jours de vacances — dans les montagnes. Dans le Wisconsin, nous avions un ami, un petit écureuil, que nous allions voir en rampant quand il s'installait sur la même souche, tous les soirs. Nous retenions notre souffle, Suisie me donnait sa petite main, qui serrait la mienne en silence pendant l'enchantement. J'essayais de la tenir éloignée des bandes dessinées aux couleurs criardes qui étaient, à cette époque, une menace culturelle réservée aux seuls États-Unis, et je lui faisais lire de bons livres et de la poésie dont nous discutions. En d'autres termes — comme on dirait aujourd'hui —, j'étais en train d'en faire une sale petite snob intellectuelle avec une dangereuse dépendance latente à l'égard de sa mère.

Mais, maintenant, elle volait de ses propres ailes, ou plutôt c'est l'État qui la couvait. Elle m'était devenue étrangère. Ou bien cela avait-il commencé avec l'arrivée de ma deuxième enfant ? Non, probablement pas. Elle n'avait jamais manifesté aucune jalousie et, quand trois ans plus tôt sa petite sœur était née, elle avait été comme une petite mère pour elle.

Était-ce l'âge ou l'environnement nouveau qui m'avait fait perdre son affection ? La question m'obsédait. Elle ne faisait rien pour cacher sa gêne quand je faisais des fautes en slovaque ; si je lui parlais en anglais — de fait sa langue maternelle —, elle me répondait toujours en slovaque. Au dîner, j'étais l'objet de critiques faites sans acrimonie mais avec un mépris évident. Comme on en aurait fait à un enfant attardé que l'on est obligé de supporter. Elle et son père ne méprisaient pas seulement mon langage ; ils méprisaient aussi mes remarques sans intérêt sur la queue que je devais faire des heures durant pour acheter leur pitance, et mon manque d'enthousiasme à me réjouir, comme eux, des événements du jour.

Comment allais-je gagner son appui ? Comment expliquer l'arrestation de son père à une fille qui avait téléphoné à Moscou pour féliciter Staline à l'occasion de son soixante-dixième anniversaire ? Elle avait téléphoné, j'en étais sûre, moins par conviction profonde que par rancune envers moi. La veille de ce jour-là, j'avais plaisanté sur les préparatifs des célébrations qui me semblaient aussi infantiles que ridicules. Oskar et Susie, bardés de leur idéologie, m'étaient tombés dessus. Susie s'identifiait à son père dans les domaines où elle n'était pas en mesure de se faire une opinion. Des slogans, des chansons de pionniers, des marches, des brigades et des meetings, elle ne vivait que pour cela.

Une fois, cependant, son père l'avait déçue. Quand *Pravda* de Bratislava annonça un beau jour, à la stupéfaction générale, l'arrestation d'une bande de traîtres — tous hauts dignitaires du Parti — menés par la veuve d'un martyre de la nation[1].

Un long poème, fielleux et dénonciateur, commis par le poète officiel de l'organisation de jeunesse, trônait à la une. Aurait-il taquiné sa muse à la hussarde et la nuit avait-elle porté ses fruit, ou avait-il eu un accès privilégié à des documents qui l'avaient inspiré et lui avaient laissé le temps de mijoter sa diatribe ?

---

1. En novembre 1949, plusieurs dizaines d'arrestations furent opérées parmi les anciens dirigeants des partis socialiste national, populiste et social-démocrate. Le procès des « chefs d'un complot ourdi pour saboter la République » se déroula à Prague du 31 mai au 8 juin 1950. Quatre condamnations à mort y furent prononcées, suivies de l'exécution capitale, dont celle de la principale accusée, Milada Horakova, ancienne responsable du Parti socialiste national tchèque, membre du Comité central de 1945 à 1948. Verdict annulé en 1968 (cf. Karel Kaplan, *1952. Procès politique à Prague,* trad. française de Milena Braud, Bruxelles, Editions Complexe, 1980). (N.d.T.)

Seuls des esprits mesquins pouvaient se poser la question. Le poème, quoi qu'il en soit, faisait le serment d'aider Gottwald à écraser la vipère et ses créatures venimeuses, et il exhortait la jeunesse à l'indéfectible vigilance révolutionnaire. Cet ignoble fatras de mauvaise poésie, rimaillée pour nuire, était presque un appel à la pendaison. Susie le déclama avec enthousiasme au repas. Elle s'attendait que son père la félicitât, comme lorsqu'elle avait téléphoné à Moscou, mais Oskar ne cacha pas son écœurement. Il était effaré et ne savait que dire. « C'est très bien, dit-il, mais j'espère que tu laisseras aux autres le soin d'écraser les vipères. » Elle l'avait regardé, surprise et déçue.

Depuis ce jour-là, elle s'était complètement repliée dans son monde. Elle n'était presque jamais à la maison et, quand elle était là, elle faisait semblant d'être ailleurs.

Que dire à une enfant qui passait le plus clair de son temps libre dans une organisation dont l'idole était Pavel Morozov, le petit paysan soviétique qui avait dénoncé ses parents pour n'avoir pas, durant la collectivisation forcée, dénoncé des voisins koulaks ? Son père avait été fusillé comme de juste et « Pavlik » tué, à son tour, par son oncle, ce qui le transforma en martyr. Pour n'avoir pas hésité à faire ce qu'exigeait l'intérêt de l'État, Pavlik était cité en exemple à suivre pour nos enfants.

Lui parler franchement, en lui disant ce que je pensais, me rejetterait immédiatement dans le camp de ses ennemis. Chaque jour, on lui apprenait à considérer comme un dangereux sympathisant de la réaction celui qui doutait que Staline fût son grand-père infaillible, Tito un chien sanguinaire au service de l'impérialisme, et la classe ouvrière occidentale à deux doigts de la famine, et par conséquent à la veille de faire sa révolution. Devant cette révolution qui les menaçait, leurs maîtres impérialistes étaient prêts à détruire notre pacifique patrie socialiste, par les armes s'il le fallait ; mais, en attendant, ils faisaient feu de tout bois. On pouvait facilement faire gober aux enfants que des gouvernements oppresseurs ne pouvaient tolérer l'existence de pays où fleurissaient la liberté et la démocratie et vers lesquels les peuples terrorisés et les meurt-de-faim tournaient leurs regards envieux et avides. Si je voulais que mon enfant au moins me supporte, j'avais intérêt à dissimuler mes opinions quand je la voyais partir avec toute sa classe à la chasse aux doryphores du Colorado, lâchés par des ballons américains sur nos champs de pommes de terre, ou quand elle s'en allait défiler dans les rues en hurlant des slogans réclamant la pendaison pour des traîtres dont les fautes n'avaient pas encore été définies, et avant même qu'on leur ait donné la chance de les avouer.

Avant la naissance de Susie, Oskar et moi conservions dans des albums les coupures de la presse bourgeoise les plus révélatrices de sa malhonnêteté abjecte et souvent grotesque. Seuls nos journaux et nos livres savaient dire la vérité sur les conditions sociales, la menace fasciste, le colonialisme et les conditions dramatiques dans lesquelles vivaient les hommes dans le monde entier. La seule littérature digne de l'homme était la nôtre ; elle seule, d'ailleurs, disait la vérité sur l'URSS, elle seule nous indiquait la seule voie à suivre.

A quoi ressemblent aujourd'hui notre prose et notre littérature ? Si nous faisions maintenant un album des coupures de notre presse, qu'y lirions-nous ? Le mépris pour le bon sens des lecteurs, des phrases creuses incitant à la haine et à la trouille, et se contredisant stupidement. Des mensonges, encore des mensonges, rien que des mensonges.

De fait, j'ai gardé des coupures d'articles de *Pravda* de Bratislava juste avant qu'Oskar ne soit arrêté. Quelques citations prises au hasard trouvent ici leur place pour recréer l'atmosphère et faire comprendre le dilemme que me pardonneront même ceux qui, à la lecture de ce qui précède, doivent me considérer comme une incorrigible professionnelle du scepticisme.

18 juillet 1951 : « La clique de Tito, suppôt de l'impérialisme ! Le gang titiste, après avoir rallié le camp de l'impérialisme et parachevé son coup d'État contre-révolutionnaire, s'enfonce maintenant dans la fascisation de la Yougoslavie. Mais la profonde haine que nourrissent les peuples de la Yougoslavie contre la clique de Tito est plus

forte que la terreur titiste et que les machinations menson-
gères des bandits de Belgrade. Chaque nuit, les murs se
recouvrent d'inscriptions : "A bas le fasciste Tito !",
"Vive le camarade Staline !" Dans les rues, on rencontre
des gens en haillons, morts de peur et de faim, qui travail-
lent du matin jusqu'au soir pour des salaires de misère.
Tito a fait du pays un terrifiant exemple de ruines, de
misère et de famine comme jamais l'histoire n'en a
connu. » (L'auteur de l'article a lutté durant le « Printemps
de Prague » pour le renouveau du journalisme.)

« Joseph Vissarionovitch Staline. Nous lui devons une
gratitude infinie, un amour sans bornes et le respect pour
l'éternité ! » (L'auteur, d'une autre trempe intellectuelle,
ancien professeur, fut par la suite le vice-président du conseil municipal.)

« Citoyens, n'accordez aucun crédit aux rumeurs mal
intentionnées qui prétendent qu'à nouveau il n'y aura plus
de pain dans la ville. Samedi fut une exception regrettable.
Des mesures appropriées vont être prises... »

A la mi-avril 1951, Rudolph Slánský[1] prononça un discours
au IXᵉ congrès du Parti. Je n'en cite qu'un extrait :

« Les faces repoussantes des traîtres corrompus ont enfin
été démasquées ! Il est caractéristique de cette bande traîtresse d'espions et de conspirateurs qu'elle ait regroupé en
son sein des nationalistes bourgeois tchèques et slovaques.
Les nationalistes tchèques Sling et Svermova et les nationalistes slovaques Clementis, Husák et Novomesky[2] tra-

1. Rudolf Slánský (1901-1952), membre du Bureau politique du PCT en 1929,
membre de la direction du PCT à Moscou de 1939 à 1945 ; participe en 1944 à l'insurrection nationale en Slovaquie ; secrétaire général du PCT de 1945 à 1951 ; vice-président du Conseil des ministres en 1951, date de son arrestation. Condamné à mort et exécuté en 1952. Réhabilité en 1968. (N.d.T.)
2. Le 13 mars 1950, Vladimir Clémentis, ministre des Affaires étrangères, est révoqué.
A la même époque, d'autres leaders communistes slovaques furent sanctionnés, accusés
de « nationalisme bourgeois » (Husak, Smidke, Novemesky). (N.d.T.)

vaillent main dans la main. Ils veulent infliger aux peuples tchèque et slovaque le même sort que la bande titiste d'agents de l'impérialisme a fait subir à la Yougoslavie, qui est devenue un État fasciste d'esclaves. Mais cette bande a misérablement échoué, grâce au Parti communiste, et à son timonier bolchevik, le camarade Gottwald ! (Applaudissements prolongés, cris : "Vive le camarade Siroký ! Vive l'Union soviétique !") Nous n'avons pas été assez vigilants ! Désormais nous devons accroître notre vigilance et demeurer sur nos gardes ! Apprenons auprès du Camarade Staline comment il dirigea ses bolcheviks, et mena une juste lutte de principes contre tous les traîtres trotskistes, zinoviévistes et boukhariniens. Tôt ou tard, notre Parti démasquera, écrasera et frappera sans merci chaque traître ! »

Trois mois plus tard, Slánský, alors secrétaire du Comité central du PCT et premier ministre, fut décoré de l'Ordre du socialisme à l'occasion de son cinquantième anniversaire qui fut célébré dans tout le pays. Sa photo trônait encore dans chaque vitrine quand il « devint » le chef d'une conspiration traîtresse dont mon mari emprisonné était supposé avoir été l'un des « très sales juifs ». Slánský lui-même fut arrêté fin novembre. Il fut pendu un an après avec onze autres victimes.

Pravda de Bratisalava, août 1951 : « La littérature soviétique est notre grand exemple à suivre et notre soutien. Aucun écrivain qui penserait que la littérature soviétique ne doit être imitée que pour son haut niveau idéologique et son esprit combattant, mais qui continuerait à admirer les auteurs décadents et cosmopolites de l'Occident quant à la forme, ne saurait faire de la littérature socialiste. Plus grande sera la familiarité de nos auteurs avec la littérature soviétique, mieux ils pourront apprendre les méthodes du réalisme socialiste, plus vite notre littérature socialiste slovaque pourra prendre forme. Le camarade Jdanov a enrichi la littérature soviétique grâce à des grands enseignements vers lesquels nous nous tournerons sans cesse pour y puiser la force et l'enthousiasme nécessaires à notre combat pour une culture de haut niveau artistique et idéologique. Jdanov est un phare qui éclaire aussi notre culture slovaque. » (1968 : l'auteur milite notamment pour la renaissance de la culture et du journalisme sous le socialisme à visage humain.)

Pravda de Bratislava, octobre 1951 : « La Constitution stalinienne ne se contente pas d'instituer simplement les droits formels des citoyens. Elle met particulièrement l'accent sur les garanties de ces droits et les moyens de les concrétiser. La Constitution stalinienne donne aux travailleurs soviétiques un degré sans précédent de liberté et de démocratie impensable et impossible dans un régime bourgeois. »

Comment vais-je l'annoncer à Susie ? Quelle que soit la manière dont je vais le lui dire, un des deux piliers qui soutiennent son existence va s'effondrer : son père ou le Parti.

Considérant son état d'esprit, le plus facile eût été de lui dire que son père n'avait que ce qu'il méritait.

C'est ce qu'avaient choisi de faire quelques femmes devant la même situation — une d'entre elles réussit même si parfaitement que son jeune fils écrivit une lettre ouverte et largement diffusée réclamant la peine de mort pour son père qu'il appelait son pire ennemi. (Une lettre semblable fut publiée par l'épouse d'un des principaux accusés du grand procès qui allait s'ouvrir[1].)

---

1. Jo Langer assimile ici la démarche de Lise London à celle du jeune Thomas Frejka, qui dénonça son père au tribunal (voir sa lettre dans *le Monde* du 27 novembre 1952). La réalité est plus complexe : après avoir bataillé pour lui auprès de toutes les instances du Parti et avoir subi un sort assez comparable à celui de la femme d'Oskar Langer, Lise Ricol-London ne pouvant croire, dit-elle, que son mari dont elle avait connu l'inflexible courage face à la Gestapo ait pu céder à la torture ou au chantage (tous deux avaient été militants communistes et déportés pendant la guerre), réclama du tribunal « un juste châtiment » (*L'Humanité*, 29 novembre 1952). Peu de temps après, alertée par des amis moins « crédules », elle reprit la lutte pour la libération d'Artur London, où ses liens avec le PC français (elle est la belle-sœur de Raymond Guyot) ne jouèrent pas un rôle négligeable. (A. London, *L'Aveu*, Paris, Gallimard, 1968.) Eugen Löbl (*op. cit.*) dit en revanche que la femme de London avait demandé l'intervention du Parti français à Maurice Thorez dès le procès. D'après Auguste Lecœur, cité par Annie Kriegel (*Les Grands Procès dans les systèmes communistes*, Paris, Gallimard, 1972), la lettre au tri-

Mais ces mères occupaient une place trop élevée dans la hiérarchie pour que je connaisse bien leurs personnalités. De toute façon, elles étaient, elles, des membres disciplinés du Parti aux yeux desquelles le Parti avait toujours raison. Peut-être s'étaient-elles laissées aller à penser que, dans le cas particulier de leurs propres époux, le Parti commettait sa première et seule redoutable erreur, mais même cela ne pouvait être dit ouvertement par un membre discipliné à cette époque, il fallut attendre des années, quand l'autorisation vint d'en haut. Si c'était cela la discipline, c'était pour moi la discipline consentie par un cadavre mort à l'esprit et à l'intelligence. Quoi qu'il en soit, j'étais tellement incapable de partager les dispositions d'esprit des zélateurs de l'époque que je ne peux aujourd'hui accorder à ces femmes et à ces enfants que le bénéfice du doute.

Moi, je n'ai jamais douté un seul instant de la loyauté et de la totale innocence de mon mari. Surtout pas quand il fut arrêté, et encore moins quand j'entendis ses aveux et sa condamnation à vingt-deux ans de réclusion. Ma conviction n'avait rien à voir avec l'aveuglement d'une épouse aimante, c'était beaucoup plus simple : j'avais vécu avec lui suffisamment longtemps pour le connaître parfaitement, et s'il y a une chose dont je n'étais pas la victime, c'était bien l'aveuglement à son égard. Je ne prétends pas pour autant avoir été, en quelque sorte, une exception, ou quelqu'un de particulièrement avisé ou perspicace. Bien au contraire : tout cela prouvait que j'appartenais à l'écrasante majorité de la population, y compris les ouvriers dont je commençais à très bien connaître la vie et le comportement quand je fus enfin « transférée avec succès à la production ». Avec mes doutes et mon dégoût, j'appartenais à cette grande majorité silencieuse, celle qui n'écrit pas de livres pour raconter comment un moment historique a marqué profondément sa vie et ses sentiments. La plupart de ces livres-là sont écrits par des hommes et des femmes qui, d'une manière ou d'une autre, étaient pour quelque chose dans l'époque qu'ils vécurent. C'est sur ces livres-là que les historiens se penchent pour reconstituer

---

bunal aurait alors fait partie de la mise en scène. Cette version est récusée par Artur et Lise London. (N.d.T.)

l'histoire d'une époque. Elle sera diverse, suivant les opinions politiques de leurs auteurs. Mais des sentiments profonds et des souffrances de la majorité, ils ne sauront rien. La majorité silencieuse n'écrit pas, elle se borne à essayer de vivre et de survivre dans la période en question. Et la majorité silencieuse n'est jamais aussi silencieuse que dans un État totalitaire. Cependant, elle était moins silencieuse sous Franco ou sous toute autre junte que sous Staline. Du moins par l'écriture.

Je décidai de ne rien cacher à Susie, même au risque de me l'aliéner complètement, justement maintenant, quand j'avais tant besoin d'elle.

Avant sa naissance, tant d'autres choses occupaient mon esprit que je ne me sentais pas une envie irrésistible d'avoir un enfant. Une fois née, elle devint le centre de ma vie ; quand la menace de la guerre s'avéra imminente, elle n'avait pas deux ans, et mon amour pour elle se transforma en une sorte de passion douloureuse.

Un jour ensoleillé de l'automne 1937, j'étais assise sur un banc le long du Danube, Susie dormait dans son landau que j'avais placé à l'ombre, sous un arbre. Il était près de midi, et toutes les mères, les gouvernantes et les enfants rentraient vers leurs maisons. Moi, je n'étais pas pressée, mon mari était en voyage. Le silence s'était installé si brusquement qu'on pouvait l'entendre. Tout autour de moi, les arbres et les arbrisseaux poudreux semblaient s'être assoupis. Même le grand fleuve était immobile, dur et lisse comme du métal. A mes pieds, sur le trottoir, je vis une plume de pigeon, elle était figée, comme amidonnée. Je me figeai aussi, dans cette immobilité totale et délicieuse.

Tout le monde a ressenti des moments comme celui-là. On ne sait plus, après, combien de temps cela a pu durer, un instant peut-être, ou bien une heure, ou plus. Ju, ma meilleure amie, et moi appelions ces moments les « soldes de tout compte » ; c'est ce que nous avions trouvé de mieux. Mais, en fait, c'est quelque chose de différent et de plus étrange. Ces moments rares, ces

moments parfaits, surgissent sans crier gare, parfois en pleine
activité et au milieu d'une foule ; un rien peut les provoquer :
un orage d'été ou un entrefilet dans le journal. Ils peuvent être
provoqués aussi bien par le parfum d'une fleur que par l'odeur
d'un pain de savon neuf, le toucher d'une écharpe de soie ou la
sonorité d'une langue étrangère et inconnue. Cette fois-ci,
c'était le calme soudain dans la chaleur de midi. Je voudrais
enfiler ces moments comme autant de perles toutes aussi précieuses les unes que les autres quelle qu'en soit l'origine, me les
passer autour du cou et dire à celui que j'aime : « Regarde, tout
le reste n'est que hasard et je n'y suis pour rien. Mais ce collier,
c'est moi... »

Quand cela m'arrive, mon esprit — mais peut-être est-ce mon
âme ? — est comme une caméra braquée vers l'infini. Quand
j'étais petite, je demandais à mon père de m'expliquer les signes
cabalistiques sur son appareil de photo Kodak, il me montrait
le petit « S » horizontal qui signifiait « infini ». A cette époque,
je m'imaginais que, si la bague était réglée sur « S », l'objectif
pouvait voir là où nous ne pouvions voir. Plus tard, bien
entendu, je sus que c'était une erreur, mais je continuai à nourrir un amour secret pour cette lettre. C'était le symbole qui
ouvrait les portes secrètes, par lesquelles on pouvait s'échapper
d'ici et du présent. Quand ma caméra est réglée sur ce signe
magique, la vie est suspendue. Les contours si nets des choses à
portée de main se brouillent, et tout revêt une signification qui
puise ses sources dans ce qu'il y a de plus lointain dans l'espace
comme dans le temps. J'existe, mais je ne suis qu'une part du
passé et du futur, je ne fais qu'un avec le monde entier et ce qui
vit en lui. Mon esprit s'ouvre à des dimensions abyssales bien
au-delà du domaine habituel de la pensée pratique. Quand cela
m'arrive, j'ai deux solutions : pour ne pas succomber à la peur
panique, je me précipite sur la vaisselle, je la lave, ou je fais du
ménage, en attendant que cela se passe ; ou bien, je me fige - où
que je sois -, et, tout à la fois résignée et heureuse, je m'aban-
donne.

Si la petite s'était réveillée en pleurant, ou si une autre mère
avec un landau était venue s'asseoir à mes côtés et m'avait
entreprise sur les premières dents, les prix sur le marché ou la

mode d'automne, cela m'aurait tirée de mon état et jamais je n'aurais remarqué la feuille morte. Mais il n'y avait pas âme qui vive à la ronde, si ce n'est un vieillard qui s'arrêta pour me demander du feu à ma cigarette. Il avait un comportement si étrange que, loin de rompre le charme, il le renforça en y prenant sa place. Il allait et venait devant mon banc et sans s'inquiéter de savoir si je l'écoutais, il discourait sur la misère, la solitude, la dernière guerre et la méchanceté du monde. Il faisait bien une quinzaine de pas de chaque côté avant de tourner sur ses talons avec une raideur toute militaire, en sorte que je n'entendais qu'une partie de ses propos. De temps à autre, il s'arrêtait pour m'adresser directement la parole : « Une autre guerre se prépare, ma p'tite dame, comme j'vous le dis. Elle est là, elle va péter, et je suis content. Voilà ce qui nous attend, madame », ajouta-t-il poliment. Il se planta près de moi et reprit : « Et qu'est-ce que vous allez faire, hein ? Je vous le demande bien, ma petite dame. Je vais vous le dire : eh bien, rien ! absolument rien, si vous voulez savoir. C'est comme ça. Alors, laissons venir ! » s'exclama-t-il triomphant. Il était vieux, pauvre et visiblement en quête de sympathie et de réconfort. Mais je n'avais rien à lui donner. Je le trouvais terrifiant et répugnant. Et il me fallut prendre beaucoup sur moi pour me retenir de lui crier de foutre le camp quand je le vis pencher sa gueule pas rasée et sa casquette graisseuse sur le visage de mon enfant. Tout d'un coup, il me mit sous le nez la photographie d'un petit garçon prise dans un décor de roses artificielles et de pics neigeux. On l'avait affublé d'un béret marin avec un long ruban et d'une culotte trop longue pour être courte, et trop courte pour être longue. Et : « Qu'est-ce que vous pouvez y faire, hein ? Rien », répétait-il doucement maintenant. Il brandit alors la photo comme s'il craignait que je la lui prenne, souleva sa casquette crasseuse et disparut avant que je trouve quoi que ce soit de gentil à lui dire. C'est seulement une fois qu'il fut parti que je réalisai qu'il n'avait pas eu à chercher la photo dans un portefeuille, parmi des papiers ou de vieilles factures ; il l'avait sous la main, dans sa poche ; il l'avait sortie comme un fumeur sort son briquet ou un tailleur son petit bout de craie bleue.

Je voyais défiler par centaines des portraits d'enfants morts, encadrés sur les murs, et les dessus de cheminées, dans des portefeuilles et des sacs à main. Je pensais à la nuit de noces du vieillard. Quand l'enfant au béret marin avait été conçu, sa femme devait avoir mon jeune âge ; sa voix de fausset me revenait aux oreilles : « Qu'est-ce que vous pouvez y faire, hein... ? »

Les gens mouraient en Espagne ou en Chine, les prisonniers politiques étaient battus à mort dans les prisons allemandes, tous me regardaient fixement, ensevelis sous les décombres de leurs maisons ou à travers les barreaux de leurs prisons, et tous me posaient la même question. Des femmes en couches se redressaient sur leurs coudes entre deux spasmes de douleur et m'interrogeaient, comme s'il était de mon devoir de savoir. Des enfants, à qui l'on apprenait à défiler et à tirer, profitaient d'un moment d'inattention de l'officier pour rompre les rangs et m'appeler à travers les champs. J'étais désespérée que mon mari ne fût pas là pour m'aider à répondre. Lui, il savait.

Je me levai et tirai le landau de dessous l'arbre. Mon enfant dormait nue sur son molleton blanc. Sa peau était dorée par le soleil, et son petit corps si joliment fait avait la couleur d'un pétale de rose thé. Elle respirait profondément et calmement, avec un vague sourire. Sous ses boucles soyeuses, son grand front bombé se perdait dans l'arc de cercle brun de ses cils. Ses sourcils étaient encore si fins qu'on les discernait à peine. Ses bras arrondis au-dessus de sa tête semblaient fragiles comme des objets qu'on doit manier avec la plus grande douceur si on ne veut pas les casser. Son petit ventre rond et gavé de lait se terminait par le doux triangle, et se soulevait à chaque respiration. Ses pieds, sur les coussins, se contractaient doucement au gré de son rêve, et sur sa poitrine s'était posée la feuille fanée d'un platane, tombée avant saison. Elle était grande, d'un jaune sale, veinée comme la main noueuse d'une sorcière prête à enserrer le corps fragile. Sa nudité innocente semblait sans défense devant ce banal symbole de mort... Je retirai précautionneusement la feuille, j'avais les yeux pleins de larmes. Je les laissai couler. Cela me faisait du bien. Le charme était brisé, et la peur qui m'avait saisie se transformait en un mystérieux sentiment de bonheur et d'espérance. Une fois dans ma main, la feuille morte avait perdu tout maléfice, elle était porteuse d'une myriade de bourgeons à venir.

La petite se réveilla sereine, et s'étira dans un grand soupir. Il y avait peu de temps encore, c'est dans mon ventre que je sentais ces mouvements-là. Et comme elle, comme un enfant remue dans le ventre de sa mère, l'idée grandissait en moi que la vie pouvait être heureuse et que l'homme n'était pas désarmé. Bien sûr que nous y pouvons quelque chose, vieil aigri ! Le seul amour que je porte à ma fille est plus fort que le mal et nous - ses parents - sommes totalement convaincus qu'elle grandira dans un monde meilleur. Bien sûr, les feuilles continueront de mourir et de tomber, et les gens nous quitteront quand leur heure aura sonné. Mais ce sera un monde sans faim ni peur qu'ils quitteront. Tous auront du travail et des conditions de vie décentes, une bonne récolte ne sera plus une catastrophe économique mais une bénédiction, on ne mélangera plus le blé à la poussière de charbon pour que les riches soient encore plus riches, et le lait ne sera plus jeté à la mer ; ce sera l'ère de la justice et de la liberté, les hommes seront frères, et nations et races vivront en paix.

Superbe vision ! Dans ces temps-là, nous étions sûrs de tenir entre nos mains la clé de ce paradis.

Susie arriva enfin.

En sortant de l'école, comme tous les jours, elle avait pris Tania au jardin d'enfants. Elle me souhaita la bienvenue, et comme s'il ne s'était rien passé, elle partit immédiatement s'enfermer dans sa chambre. Tania, qui s'était faite aux absences répétées de son père, me demanda seulement où était notre jeune locataire, mais ne s'étonna pas quand je lui appris qu'elle était partie loger ailleurs. Elle était trop petite pour remarquer les autres changements ; elle joua avec ses poupées, comme d'habitude, et elle répondit avec joie à mes démonstrations de tendresse excessives et éplorées, croyant probablement que mon absence de quelques jours était la cause de ces débordements. En retour, elle alla gentiment se coucher.

Alors, seulement, j'eus avec Susie un long entretien d'une grande franchise. En fait, ce fut un véritable monologue. Elle m'écouta ; elle semblait moins bouleversée que je ne l'avais craint. Mais elle ne dit rien et ne pleura pas. Pour finir, je l'embrassai en lui souhaitant une bonne nuit, et, en quittant sa chambre, j'ignorais tout de ses pensées profondes. Durant plusieurs semaines, pour ne pas dire des mois, elle évita soigneusement d'aborder le sujet, en m'évitant tout court. Quand la police nous expulsa, elle accusa le coup sans dire un mot, et une fois de plus sans pleurer. Si elle avait des réactions, elle les gardait pour elle. Quand je rentrais de l'usine, morte de fatigue, désespérée et en grand besoin d'affection, je la trouvais souvent étendue sur son lit au milieu de ses cahiers. Quand elle était bien sûre que je pouvais l'entendre, elle entonnait à tue-tête ses chansons de jeune pionnière. Toutes célébraient la noblesse du dur labeur, mais jamais elle ne me donnait un coup de main à la cuisine, ou pour remonter mon seau de charbon de la cave, par une échelle très raide : elle me contemplait, c'est tout. Tous les jours nous avions une prise de bec, je pleurais et je la rudoyais, alors elle prenait son manteau et sortait, et ne pleurait toujours pas. J'éprouvais malgré tout beaucoup de pitié pour elle, je savais que son cœur était bon et que seul le conflit qui la déchirait intérieurement l'avait durcie à mon égard. Je continuais néanmoins à lui débiter mes sermons larmoyants sur la vaisselle qui n'avait pas été faite, et à hurler plus fort qu'elle quand elle hurlait ses chansons au lieu de m'aider. Mais les seuls mots qu'elle attendait de moi, j'étais incapable de les prononcer.

Elle continuait à se montrer douce et gentille avec sa petite sœur, mais entre elle et moi, c'était la guerre : le soir, on ne s'embrassait même plus pour se souhaiter bonne nuit. Je n'avais plus la force de me battre pour regagner son amour. En peu de temps, j'avais tout perdu : mon mari, la plupart de mes amis, mon travail, ma maison, mon droit à une vie décente, ma vitalité et mon assurance, ma foi en la raison et l'honnêteté, et je voyais bien que je perdais ma santé. Il me semblait logique, dès lors, de la perdre elle aussi.

J'étais loin de la vérité, et je devais m'en rendre compte peu de temps après notre première expulsion. Dans notre nouveau logement, nous n'avions qu'une chambre pour nous trois. Aujourd'hui, j'ignore encore quand et comment Susie commença à changer puisqu'elle ne m'en a jamais parlé. Mais, une nuit, quelque chose me tira de mon sommeil agité, j'allumai la lampe. Son lit était vide, et ma première réaction fut de me dire qu'elle avait fugué. Je sautai du lit et c'est alors que je la vis allongée sur le petit lit de Tania. Elle serrait contre elle sa petite sœur paisiblement endormie, et tout son corps était secoué de sanglots convulsifs.

Je m'assis sur le bord du lit et pris mes deux filles dans mes bras. Susie ne me repoussa pas ; elle se serra tout contre moi. J'étais heureuse, heureuse comme seuls savent l'être les gens qui sont très malheureux. Toutes mes forces m'étaient revenues et je me sentis tout à fait prête à affronter l'avenir avec tout ce qu'il me réservait encore.

Trois jours après mon retour de Prague, j'avais reçu la notification officielle de mon licenciement ; attachée à la feuille, il y avait une petite note du responsable aux cadres m'informant que j'étais « mutée à la production » ; suivaient le nom de l'usine et la date à laquelle je devais m'y présenter. Contre de telles instructions, il n'y avait aucun recours, même pour ceux qui se trouvaient dans des situations moins désespérées que la mienne. Par ailleurs, j'avais besoin de gagner ma vie. Le peu d'économie que nous avions était en banque, le carnet de chèques dans les mains de la police, et quand je téléphonai au commissariat, on me répondit que, jusqu'à nouvel ordre, le salaire de mon mari était bloqué. J'avais dix jours devant moi ; j'essayai de voir ce que je pouvais faire.

De tous les gens en place que je connaissais, je pensai que le camarade M. serait le plus facile à approcher et le plus apte à m'aider ou - du moins - à me conseiller. Avant février 1948, Oskar et lui avaient partagé un bureau au siège du Parti, ils s'étaient liés d'amitié, et j'étais sûre qu'il avait une confiance absolue dans la loyauté d'Oskar. Nous avions quelquefois dîné avec lui chez mon beau-frère qui lui avait loué une chambre à son retour d'exil. Je voyais régulièrement sa femme Léna dont je partageais le sort : cette espèce de disgrâce à la cour de nos maris pour ne pas connaître le slovaque. Ça nous avait rapprochées, et, entre nous, nous parlions l'anglais et l'allemand. Elle était juive allemande, avait épousé M. à Londres après avoir divorcé d'un autre communiste tchèque en exil. A l'époque de l'arrestation d'Oskar, M. était déjà l'éminence grise du Comité exécutif slovaque et, bien que son nom ne fût pas scandé dans les défilés, tout le monde savait qu'il était généralement l'inspirateur des grandes décisions prises par le Parti en Slovaquie et qu'on attribuait officiellement à ceux dont on scandait justement les noms.

Léna était plutôt petite et rondouillarde ; on disait qu'elle avait fait de la danse en professionnelle dans sa jeunesse, mais quand je la rencontrai cela paraissait difficile à croire. Elle n'était pas spécialement intelligente, mais elle avait bon cœur. Sa foi dans le communisme était inébranlable, et elle était une des rares femmes de haut fonctionnaire à refuser de profiter des avantages de la situation. Elle était d'une naïveté inimaginable pour tout ce qui concernait les relations mondaines, et comme tant d'autres femmes au passé militant, elle était incapable de tenir une maison. Elle me téléphonait souvent pour me demander des conseils, croyant à tort s'adresser à une experte. Elle se trompait lourdement, je n'y connaissais pas grand-chose, mais un peu plus qu'elle quand même, ce qui n'était pas difficile. Les coups de fil de Léna, et Léna elle-même, devaient par la suite me fournir une série de sketches comiques dont j'usais volontiers pour faire rire les nouveaux copains que je me fis dans un milieu où l'humour était admis, et dans lequel on ne bannissait pas la pestiférée politique que j'étais.

Donc, Léna me téléphonait beaucoup, et toujours en catastrophe. Le plus prestigieux de tous ses appels restera celui du lapin. Un ami venait à l'improviste de lui envoyer un lapin : cadeau royal, s'il en fut, en période de disette de viande ! Paniquée devant l'animal dont elle ne connaissait rien, Léna l'avait dépecé et avait mis tous les morceaux dans la casserole. Ils étaient en train de cuire quand elle appela, elle m'en fit l'inventaire détaillé et me supplia de l'aider à distance à trier ce qui serait mangeable et ce qui ne le serait pas. Ce morceau d'anthologie était le meilleur de mes sketches. Comme elle ne s'était pas mise au slovaque, elle n'avait pas de tâche précise mais elle écrivait pour Radic-Prague des émissions de propagande en anglais et des reportages sur la Slovaquie que je l'aidais parfois à taper. Un de ces reportages surtout me revient en mémoire : il était pris sur le marché aux légumes de Bratislava. C'était une fresque chatoyante décrivant les légumes frais pleins de vitamines, dont pouvaient aujourd'hui, grâce au Parti, se gorger les femmes d'ouvriers alors qu'hier encore ils n'étaient destinés qu'aux bourgeoises privilégiées qui les faisaient d'ailleurs porter par leurs bonnes, trottinant péniblement derrière elles et surchargées de paniers. Cela se passait pendant l'été 1949, alors qu'on ne trouvait pas une seule carotte, même séchée sur plant, dans tout Bratislava. Pour elle, son reportage n'était pas un mensonge. Parler autrement, c'eût été faire le jeu des ennemis du socialisme, et de toute façon, elle ne faisait qu'anticiper des événements imminents, c'était une question de jours.

Il y avait aussi l'histoire des livres. Comme d'autres personnages de tout premier plan, Léna et son mari, après février 1948, s'étaient vu attribuer l'appartement de quelqu'un qui - volontairement ou pas - avait disparu. Il était entièrement meublé et, dans l'une des pièces, il y avait une bibliothèque dont les volumes ne laissaient aucun doute sur les goûts particuliers qui avaient été ceux de l'ex-propriétaire. Comme d'habitude, Léna se retrouvait toute seule après l'emménagement, et elle me demanda de venir l'aider. Quand j'arrivai je la trouvai occupée à nettoyer les rayonnages de la grande bibliothèque dont elle avait empilé le contenu qu'elle destinait à la poubelle. Grâce à mes années d'apprentissage et de rédaction de catalogues à Chicago, un coup d'œil sur les volumes me suffit pour réaliser qu'il s'agissait là d'une collection de grande valeur. Ce n'était pas de la pornographie courante ; c'était des pages dues aux plus grands écrivains et poètes du passé qui avaient à l'occasion versé dans l'érotisme. Les quelques exemplaires qu'elle me donna la chance d'examiner étaient superbement reliés et illustrés à l'intérieur de très belles reproductions d'eaux-fortes et de peintures de grands maîtres. J'étais horrifiée à l'idée que tout ça s'en allait à la voirie. Mais Léna me les arracha en déclarant péremptoirement qu'il s'agissait d'« histoires de cul ». C'était si net et si définitif que je n'osai pas lui suggérer de m'en confier quelques-uns pour les mettre à l'abri.

Malgré tout, je l'aimais bien, Léna. J'éprouvais même du respect pour son optimisme toujours au beau fixe et son dévouement au service d'une cause qui - entre autres désagréments - l'obligeait à partager le lit d'un mari maladif, laid, peu soigneux de sa personne, et complètement dépourvu d'humour comme doit l'être un apparatchik. Il est curieux de noter que tous ses vilains défauts allaient en augmentant au rythme de son ascension dans la hiérarchie du Parti. Mais, dans notre milieu, on le considérait comme un remarquable théoricien du marxisme, frôlant le génie en économie politique, et nanti d'une probité irréprochable qui faisait de lui l'indispensable pilier du Parti.

Pauvre Léna ! Elle avait plus de quarante ans quand elle accoucha d'un enfant mort-né probablement conçu accidentellement par M. De son premier mariage, elle avait un fils. C'était maintenant un adolescent qui vivait à Prague avec son père. Elle ne le voyait presque jamais. Peu de temps après l'arrestation du camarade M., elle fut déportée dans un village reculé où elle fut contrainte de travailler dans une briqueterie ; mais elle continua à faire de la propagande au sein de la population du coin. C'est à la même époque qu'« ils » pendirent son premier mari à Prague. Un peu avant l'exécution, son fils s'était ignominieusement illustré à l'échelle mondiale pour avoir écrit une lettre ouverte, largement reproduite, dans laquelle il réclamait la peine de mort pour son père. Sa lettre en disait plus long sur la Tchécoslovaquie d'avant janvier[1] que toutes les analyses habituelles rétrospectives et pseudo-scientifiques des « déformations temporaires causées par le culte de la personnalité » et par les défauts personnels du président Novotný[2] auxquels on fit si souvent référence lors du ''printemps'' de notre renaissance politique. A l'époque dont je parle, Novotný n'était rien d'autre qu'une petite dent du grand engrenage. Si le garçon écrivit spontanément sa lettre, c'est l'image atroce de ce qu'ils étaient, lui et sa belle-mère ; si la lettre lui fut dictée, c'est l'image de l'atrocité de tout un système.

La pauvre Léna demeura néanmoins une bonne communiste.

---

1. Le 5 janvier 1968, Alexander Dubček devint le premier secrétaire du PCT (il fut contraint à démissionner en avril 1969 et exclu l'année suivante du Parti). C'est de ce 5 janvier, que l'on date - par convention - la naissance du « Printemps de Prague ». (N.d.T.)

2. Antonin Novotný (1904-1975), nommé en 1953 premier secrétaire du Comité central et vice-président du Conseil des ministres, fut président de la République de 1957 à 1968. Incarnant la ligne stalinienne et s'étant, à la fin des années cinquante, opposé à la réhabilitation des victimes des procès, il fut relevé, à l'aube du « Printemps de Prague », de toutes ses fonctions au sein du Parti et de l'Etat. (N.d.T.)

Plus de dix ans après, quand son premier mari que l'on avait pendu fut réhabilité à titre posthume, Léna était en train de soigner M. qui avait eu une attaque cardiaque à sa sortie de prison. Puis elle tomba brusquement malade, et après quelques mois de souffrances atroces, elle succomba à un cancer. M. lui survécut suffisamment longtemps pour être réhabilité de son vivant.

Mes tentatives pour rencontrer le camarade M. après l'arrestation de mon mari furent vaines. Je ne pus jamais dépasser le stade de sa secrétaire. Il était trop puissant et trop occupé. J'allai donc voir Léna. Je l'assurai que je ne voulais la voir que cinq minutes et que je ne rêvais pas de demander à M. de plaider l'innocence de mon mari. Mais elle savait certainement, disais-je, aussi bien que moi, qu'il avait les relations nécessaires et les moyens de faire accélérer l'interrogatoire de mon mari par la police. C'est tout ce que je voulais et - si possible - quelques conseils. Léna pleura avec moi, mais ne put que me promettre d'essayer. Le lendemain, elle me téléphonait pour me dire que M. était vraiment dans l'impossibilité totale de me rencontrer. Non qu'il ne le voulût pas, mais il n'avait simplement pas du tout le temps.

Je courus chez elle, tremblante d'indignation.

— Ecoute, dis-je, tu connais bien Oskar. Ton mari le connaît encore mieux. Je te demande de me dire immédiatement si tu peux croire qu'il est un ennemi de l'Etat et si tu peux concevoir que M. puisse le croire aussi.

Elle s'absorba dans le rangement de tout ce qui traînait sur la table, préoccupation inhabituelle s'il en fut, puisque, de toute façon, comme toujours, la maison était en pleine pagaille.

— Réponds-moi, s'il te plaît !

— Je ne sais pas... En fait, on ne le connaît pas depuis longtemps. Et pas aussi bien que tu le dis.

Je me levai précipitamment, mais, avant de partir, je lui confiai un message pour M. qui tenait plus du propos vengeur que de la prophétie.

— Dis-lui que, s'il est trop occupé pour s'intéresser à ce qui se passe et trop occupé pour distraire cinq minutes de son temps pour me voir, il se pourrait qu'il se retrouve lui-même, et dans pas longtemps, dans un endroit où il aura du temps à ne pas savoir qu'en faire !

Peu de temps après, on arrêta M. ; c'est alors que ma phrase dut lui revenir, elle l'interpréta à sa façon, c'est-à-dire à la façon d'une bonne militante ; et, comme une bonne militante, elle s'en ouvrit à quelques camarades ; c'est pourquoi la rumeur me parvint un jour qu'Oskar et M. étaient complices dans la même conspiration, que c'était évident, que je ne l'ignorais pas puisque j'avais même essayé de prévenir M.

Après mon échec auprès de M., j'imaginai immédiatement une nouvelle tactique. Je n'avais qu'à contacter quelqu'un de plus important. Il suffisait d'un peu de bonne volonté pour accepter de faire ce que je demandais, ça n'exigeait à mes yeux aucun courage. Il fallait que la police reçoive l'ordre d'interroger Oskar sans plus atendre, c'est tout. Si on lui donnait loyalement sa chance, il devait s'en sortir. Le plus important était de faire intervenir quelqu'un avant qu'ils ne transfèrent Oskar pour s'en servir dans une autre affaire sur laquelle ils travaillaient. J'étais convaincue qu'il était encore en ville, à quelques immeubles de là, au quartier général de la police, et j'avais même l'espoir d'être autorisée à lui rendre visite. En réalité, il était déjà à Ruzyn. Cela surprendra les touristes, mais Ruzyn n'est pas seulement le nom de l'aéroport de Prague, comme voudrait le faire croire le dépliant du « Čedok » invitant les estivants progressistes de l'Occident à venir visiter la Ville Dorée, la capitale de notre République populaire démocratique. Juste derrière l'élégant aéroport de Ruzyn, il y a la prison, cette bouche d'ombre où l'on enferma des innocents des années durant - les a-t-on jamais dénombrés ? - et qui eurent à subir les traitements que notre police avait si parfaitement appris des conseillers soviétiques ; cette combinaison unique en son genre de terreur, de tromperie et de provocation, de chantage et de tortures tour à tour physiques et mentales et qui produisit à l'échelle industrielle ces témoins récitant, à la virgule près, des dépositions contre eux-mêmes et contre les autres dans les procès politiques à grand spectacle.

C'est là qu'Oskar passa ses deux premières années de détention. Et il nous fallut attendre sept mois avant de recevoir de ses nouvelles. C'était un court message. Et il nous fallut attendre trois ans pour obtenir, les enfants et moi, une première permission de visite. Il n'était plus à Ruzyn ; il travaillait déjà dans un camp de détenus aux mines d'uranium de Bohême du Nord. Après avoir tenu son rôle de témoin contre le « gang » de Slánský[1], il avait été jugé séparément et secrètement, puis condamné par la Cour suprême à vingt-deux ans pour espionnage sioniste, sabotage et haute trahison.

Mais, en 1951, je croyais encore qu'il y avait des communistes qui prêteraient leur aide à l'un des leurs. Il fallait trouver la bonne personne, agir vite et ne pas renoncer. Je décidai d'appeler Julo B. Avant la guerre, il avait été un de nos meilleurs amis et, engagé comme nous dans toutes sortes d'activités culturelles de gauche, nous le rencontrions souvent. Il était devenu un très haut fonctionnaire du Parti et du gouvernement à Prague. Moi, je ne l'avais pas revu depuis qu'il avait accédé à ce poste, mais Oskar le rencontrait régulièrement quand il allait à Prague discuter des problèmes économiques au ministère. J'étais sûre qu'il m'aiderait si je pouvais le joindre. Je me souvenais de lui dans les jours survoltés qui avaient précédé les accords de Munich : il était exceptionnellement intelligent ; dans les meetings, il savait admirablement parler, il était convaincant parce qu'il était convaincu, et, en plus, dans le privé, il était divertissant, beau et cultivé, ce qui surprenait chez un militant de sa trempe. Le plus important en tout cas pour le moment était qu'il connaissait bien Oskar et qu'il l'avait tou-

1. Le procès du « Centre de conspiration anti-Etat et anti-Parti dirigé par Rudolf Slánský » se tint à Prague du 20 au 27 novembre 1952 : onze condamnations à mort (exécutées le 3 décembre) et trois condamnations à perpétuité furent prononcées. Au banc des accusés, outre Slánský, Svab, vice-ministre de la Sécurité ; Reicin, vice-ministre de la Défense ; Frank, secrétaire du Comité central ; Frejka, conseiller du président de la République ; Clementis et ses adjoints London et Hajdu ; les vice-ministres du Commerce extérieur, Löbl et Margolius ; le vice-ministre des Finances Fischl ; le journaliste Simone et deux responsables du Comité central du PCT, Geminder et Sling. Seuls Hajdu, Löbl et London échappèrent à l'exécution capitale. Tous ont été réhabilités sur le plan judiciaire en 1963 et sur le plan politique en 1968. (N.d.T.)

jours tenu en haute estime, tant professionnelle que politique.

Aujourd'hui, j'ai des difficultés à refaire le raisonnement qui me poussa à appeler tous ces gens. M'étais-je convaincue que les autres victimes dont j'avais entendu parler étaient détenues pour des raisons valables ? Ou que j'étais la première à attirer l'attention du Parti sur les bavures de la police d'État ? Une explication possible est que si j'avais agi rationnellement, je me serais totalement abandonnée au désespoir et à l'immobilisme, ce que je me refusais à faire, pour les enfants. Je faisais ce que me dictait mon instinct plutôt qu'une analyse critique. Il était très difficile en ces temps-là d'approcher les hauts responsables. Par bonheur, on m'informa que Julo B. prenait justement ses vacances dans les montagnes des Hautes Tatras. C'était ma chance ! J'allais pouvoir lui parler sans passer par les démarches inévitables pour une visite au ministère.

Je laissai Tania à la garde de Susie et pris le premier train. Dès que l'express s'ébranla, je me sentis mieux. Je *faisais* quelque chose. Cette journée d'été était superbe, et les majestueuses montagnes étaient glorieuses de beauté. Je grimpai le chemin étroit et escarpé qui conduisait à la petite villa isolée, ça sentait bon la résine, et j'étais pleine d'espoir. Je m'arrêtai en route pour cueillir quelques mûres et me préparer à la rencontre. Je sortis une petite glace de mon sac à main, me recoiffai et me remis du rouge à lèvres. Quand j'arrivai à la grille du charmant chalet suisse, j'étais plus impatiente qu'angoissée.

A l'entrée, un homme en civil me salua à la communiste : « *Čest práci* ! » La traduction la plus approchante serait « Hommage au travail ! » C'était le salut obligatoire non seulement au travail, mais aussi à l'épicerie, à l'école et partout ailleurs. Les enfants pouvaient rentrer à la maison et crier par pure habitude : « *Čest práci*, maman, je peux avoir mon goûter ? » On s'habitue à tout, je pense. Mais dire « salut » ou « bonjour » par erreur pouvait aisément passer pour un héritage bourgeois aux oreilles de certains qui vous regardaient de travers.

L'homme n'agissait pas comme un domestique ordinaire.

— Que désirez-vous ? me demanda-t-il.

Il était anormalement grand et gras, et il barrait toute la porte.

— *Čest práci*, répondis-je avec déférence. Le camarade B. est-il là, s'il vous plaît ?

— Il ne reçoit personne.

Il me jeta un regard hostile qui me culpabilisa, et je ne sus que répondre.

— Nous sommes de vieux amis, bégayai-je. Je suis descendue en vacances à l'hôtel, et j'ai appris qu'il était ici. Puis-je le voir ? Pourriez-vous m'annoncer ?

J'épelai distinctement mon nom avec toute la fausse assurance que je pouvais trouver malgré son regard implacablement méprisant.

— Vous n'avez pas entendu, camarade. Vous êtes sourde ? *Čest* !

Là-dessus, il disparut et me claqua la porte au nez. Je trem·blais de la tête aux pieds, et la pensée absurde me vint que cet homme savait déjà tout ; qu'à partir de maintenant, il me suffisait de dire mon nom pour que se ferment toutes les portes. J'avais envie de m'enfuir. De dégringoler le plus vite possible la colline, de faire cul sec de trois ou quatre verres de cognac au bar de l'hôtel et de me laisser embarquer au lit par le premier venu un peu gentil qui me le demanderait. Advienne que pourra, pensais-je furieuse, rien de tout cela n'est de mon fait.

Mais je ne m'enfuis pas. Je commandai à mes genoux d'arrêter de trembler, à mon cœur de cesser de cogner. Je m'obligeai à penser à mes enfants, à mon mari, au long et coûteux voyage que j'avais fait avec de l'argent emprunté et - dernière évocation mais non des moindres - je revis les yeux rieurs de Julo tels que j'en avais gardé le souvenir, son beau visage intelligent aux traits si nets, qui m'avait toujours rappelé les images d'un Ancien Testament illustré pour les enfants. Si seulement je pouvais parvenir jusqu'à lui, par n'importe quel moyen, tout s'arrangerait.

Je contournai le jardin, et sous le couvert d'une haie j'atteignis une arrière-cour abandonnée. Par une porte de derrière à demi ouverte je me glissai dans la maison et montai sur la pointe des pieds un escalier de bois rutilant. A travers une porte

blanche me parvint le bruit de la douche ; une autre porte
ouverte donnait dans une pièce ensoleillée avec un grand balcon. Je m'y glissai. Julo entra à ce moment, vêtu d'une sortie de
bain noire. Il n'avait presque pas changé, et sur le ton de la conversation, je lui dis :

— Bonjour, Julo, je suis descendue à l'hôtel et j'ai appris que
tu étais ici. Je suppose que tu me reconnais. Désolée de débar-
quer ainsi, mais ton gorille ne voulait pas...

— Oh, celui-là... *Čest práci* ! dit-il.

Il me prit par les épaules, me serra la main cordialement et
me fit asseoir.

— Laisse-moi te regarder ! Cela fait combien d'années ? Et
quelles années ! Mais tu n'as pas changé, absolument pas.
Alors, quelles nouvelles ? Dis-moi !

Il semblait en bonne forme, peut-être un peu trop bonne. Le
bruit avait couru que, pendant la guerre, il avait eu des ennuis
pulmonaires. Peut-être était-il maintenant suralimenté. Nous
parlâmes un peu de nos enfants. Je regardais ses dents, aussi
parfaites qu'hier, tout en essayant de décider du moment où j'en
viendrais au vif du sujet. Manifestement, il ignorait encore.
Mais il devait avoir une arrière-pensée sur ma visite, car, brusquement, il me demanda sur un ton qui ne semblait guère naturel :

— Et Oskar ? Comment va-t-il ? Toujours autant de travail ?

C'était maintenant que je devais en venir au fait qui m'ame-
nait. Je ne me rappelle pas ce que je lui dis ni combien de temps
cela dura avant que je m'aperçoive que je parlais dans le vide. Il
me tournait le dos, debout devant la porte ouverte sur le balcon.
Je m'arrêtais parfois, espérant une quelconque réaction de sa
part. Je ne pouvais pas voir son visage.

— Tu le connais, vous vous connaissez depuis des années,
Julo. Pourquoi ne dis-tu rien, pour l'amour de Dieu ?

Il se retourna, s'avança vers moi, mais ses yeux fixaient un
coin vide de la pièce. Frappant plusieurs fois du poing la table
qui nous séparait, il affirma, d'une voix de fausset qui n'était pas
la sienne :

— Écoute ! Je veux que tu saches que j'ai une confiance
aveugle dans les services de notre sécurité d'État. Est-ce clair ?

S'il est innocent, comme tu le prétends, alors il n'a besoin d'aucune aide.

Debout dans son peignoir de bain sombre, ses yeux noirs étincelants fixaient un point dans le vide, au-dessus de ma tête ; il me rappelait un moine du Moyen Age.

Nous échangeâmes quelques mots brefs et embarrassés pendant qu'il me reconduisait à la porte.

Il me restait encore quelques jours avant d'avoir à me présenter à mon nouveau lieu de travail. Je courais fébrilement partout pour voir des gens, espérant saisir quelque « information de l'intérieur » ou un conseil.

Le dernier patron de mon mari me reçut immédiatement. C'était un ancien social-démocrate devenu en 1948 communiste de la onzième heure. A cause de cela, il était plutôt courtois, mais particulièrement prudent : Non, malheureusement, il ne savait pas me dire vers qui me tourner, il n'avait aucune idée des accusations absurdes qui avaient pu faire tomber Oskar. Il ne pouvait rien faire non plus pour le mois de salaire qu'ils avaient ordre de retenir. Il m'accorda quelques instants de silence compatissant et il me gratifia d'une chaleureuse poignée de main, ce qui dans sa situation était en soi un acte de courage. Puis il partit en hâte vers une réunion.

Les réactions que je rencontrai ailleurs allaient des vaines tentatives d'explication, ou des insinuations suggérées, au silence triste et au haussement d'épaules, accompagnés de quelques conseils pratiques peu encourageants, tout cela en fonction de la position que mon interlocuteur occupait à ce moment-là.

« Vous devriez comprendre, le Parti est dans une phase très particulière de son évolution en ce moment... »

« Si vous étiez l'une des nôtres, vous feriez preuve de davantage de compréhension. Vous dites que vous le connaissez. Très bien. Mais jusqu'à quel point connaissez-vous son travail, les gens qu'il rencontrait, ce qu'il faisait en dehors de chez lui ? Que savez-vous des tentations auxquelles un homme est exposé dans sa vie politique et publique ? »

« Seriez-vous en train de dire qu'on arrête comme ça quelqu'un contre lequel il n'y a aucune preuve ?... »

« Vous avez dit qu'il était surveillé ? Depuis combien de temps ? Comment s'en est-il aperçu ? Qu'est-ce que c'était ? Des voitures ? Oh, mon Dieu !... »

« Suivez mon conseil ! Laissez faire, vous n'y pouvez rien. Tenez-vous tranquille, pensez aux enfants. Si vous avez des objets de valeur, ne les gardez pas chez vous. L'inventaire, vous savez... »

« Essayez de vous rappeler. Réfléchissez bien. Qui voyait-il récemment ? Avait-il des parents à l'étranger ? »

« Je lui ai souvent répété de ne pas mettre son nez dans les affaires des autres. Il ne tenait pas compte des avertissements. »

« Bien entendu, nous avons des difficultés, et des erreurs sont commises. Mais nous dépasserons tout cela. Moi ? Non, je ne peux pas, désolé. Tout ce que nous pouvons faire, c'est attendre. »

Attendre ! Quoi ? Combien de temps ? Comment ?

Je décidai de me rendre au Comité exécutif à Prague. L'homme de la Commission de contrôle me reçut avec beaucoup de courtoisie. Encouragée par sa manière, je parlai non seulement de notre problème personnel, mais aussi de toute cette vague inquiétante d'arrestations en Slovaquie. Il prit des notes, hochant la tête d'étonnement et de désapprobation. A la fin, il m'assura que c'étaient là des renseignements précieux dont il s'entretiendrait avec ses supérieurs. Prague allait s'occuper attentivement de ce problème et je pouvais m'attendre à recevoir de leurs nouvelles très bientôt.

Idiote comme je l'étais, je le crus. En marchant dans le silence des longs couloirs briqués de l'immeuble moderne, j'étais fière et soulagée. Qui disait qu'il fallait s'incliner ? J'aurais dû venir ici dès le début ! Quand tout se gâte, on est prêt à faire preuve d'un optimisme et d'une crédulité complètement ineptes. Pour me récompenser de mon intelligence et de mon courage, je m'achetai un billet de wagon-lit et passai une nuit paisible pour la première fois depuis le début de cette histoire.

Quand Susie ouvrit la porte, elle était livide. Elle me dit que, tôt ce matin-là, trois policiers étaient venus nous signifier notre expulsion. Celui des trois qui devait être le nouveau locataire avait examiné soigneusement l'appartement. L'avis d'expulsion arriva au courrier une demi-heure plus tard. Nous devions attendre d'autres informations et des notifications ultérieures pour savoir où et quand nous allions déménager. Notre bureaucratie, connue pour la lenteur de ses travaux, était d'une rapidité et d'une efficacité surprenantes dans ce genre d'affaire.

Avis en main, je courus au quartier général de la police. Ayant encore à l'esprit les paroles encourageantes de l'officiel du Parti tchèque, j'exigeai qu'on me conduise au service des expulsions. Quand j'entrai dans la pièce, l'homme assez jeune qui était assis derrière le bureau ne leva pas la tête, ni même ne répondit à mon salut. Il ne m'invita pas à m'asseoir, il se contenta de tendre la main pour prendre la feuille. Je commençai à expliquer que c'était sans doute un malentendu. Mon mari serait probablement de retour d'un jour à l'autre. J'avais deux enfants, dont l'un était encore en bas âge. Si on considérait qu'en l'absence de mon mari l'appartement était trop grand, j'étais toute disposée à prendre des locataires et à n'utiliser que l'une des trois pièces. Ne pouvaient-ils pas attendre, au moins, que l'affaire fût éclaircie ? L'homme secoua la tête et fit une grimace ironique. Comme un homme qui écoutait les bredouillements d'un voleur pris en flagrant délit.

Pour me donner du courage, je fis même allusion à ma récente visite à la Commission de contrôle de Prague et à la promesse qu'on m'avait faite. Jamais je n'aurais dû. L'homme éclata d'une rage soudaine. A la seule mention du nom de Prague, tel un taureau devant un chiffon rouge, il bondit. Je devrais déjà être bien contente, hurla-t-il, que l'on m'ait trouvé un endroit pour vivre à Bratislava. Du moins pour l'instant. Bientôt, le Parti trouverait le moyen de nettoyer la capitale slovaque de toute sa merde, de tous les gens comme moi et mes semblables ; et c'est sous un flot d'injures que je quittai le bureau, au comble de l'humiliation.

Ce que j'ignorais alors, c'était le sens des menaces qu'il avait laissé échapper dans sa rage. En fait elles avaient trait à un plan qui se tramait dans le plus grand secret. Moins de deux ans plus tard, il fut publié et appliqué : ce fut l'« Opération B ». Personne ne sut jamais pourquoi elle s'appelait « B », et personne ne le demanda car, en parler, même à voix basse, pouvait attirer des ennuis. L'« Opération B » consistait à expulser de Bratislava, après un préavis de quelques jours, des « éléments incontrôlables » que l'on déportait vers des campagnes où ils étaient assignés à résidence dans des chambres, parfois des cabanes, réquisitionnées par la police chez des paysans. Celle-ci avait tellement besoin d'appartements pour ses nouveaux cadres, dont le nombre se multipliait rapidement, que les « éléments dangereux » dont la ville devait être purgée englobèrent bientôt, en plus de la « merde » comme moi, des retraités inoffensifs et ensuite tous ceux dont la tête ne revenait pas à leur concierge. Mais quand je me retrouvai debout et tremblante devant le commissariat de police, l'« Opération B » était encore un secret bien gardé.

Il pleuvait des cordes ; je me rappelai que j'avais laissé mon parapluie là-haut. Mais pour rien au monde je n'aurais pu affronter cet homme une nouvelle fois. Incapable de bouger, comme dans un cauchemar, je restai debout sur le trottoir, la pluie et le vent froid me glaçaient mais moins que la proximité de ce flic. Dehors, je me laverais de la boue dont il m'avait couverte. J'aurais voulu rester là jusqu'à ce que la pluie m'ait fait fondre, que le vent m'ait emportée ou que le froid m'ait laissée morte et pétrifiée. C'était simple : je ne pouvais plus continuer.

Bien sûr, je continuai. Comme les autres. Je n'en étais qu'au début. Je vivais les toutes premières heures d'une période qui n'irait qu'en empirant durant dix ans.

L'usine était loin, en dehors de la ville, dans une petite agglomération de l'autre côté du Danube. Pour pointer à l'heure, je me levais à 4 h 30, je préparais le petit déjeuner pour les enfants et j'attrapais un tramway qui me déposait à 5 h 10 à l'arrêt du bus sur le pont. Comme mon salaire était très bas, presque tous les soirs je tapais des manuscrits à la machine. Cependant, ce n'était pas le fait de me lever tôt ni le travail lui-même qui me faisaient haïr cet emploi, c'était son odeur. L'usine fabriquait du caoutchouc synthétique, et ça puait.

Je n'ai ni la mémoire des noms ni celle des nombres ; je ne sais pas retenir les mélodies, et quelquefois je ne reconnais pas les gens sur de vieilles photos, mais je me rappelle les odeurs, au point de les sentir à nouveau, parce qu'elles sont inscrites au plus profond de ma mémoire sensorielle. En vérité, les odeurs sont autant de signes de sténo permettant de noter tout ce qui fut important dans mon passé. Les jours de mon enfance que je passais confortablement au lit avec un rhume, c'était l'odeur un peu âcre d'un bout de cigare éteint que notre médecin de famille gardait aux lèvres en se penchant sur ma poitrine. Une certaine lotion après-rasage, mêlée à la fumée de cigarettes égyptiennes au filtre doré, est attachée au souvenir de mon père venant me dire bonsoir. Le parfum d'eau de Cologne, l'authentique 1147 fabriquée à Cologne, me rappelle ma mère, trop puritaine pour mettre des parfums plus forts. Mon premier baiser, c'est une odeur d'imperméable mouillé avec un relent d'essence. L'école, c'est l'odeur de la craie et de l'éponge humide quand on m'appelait au tableau, et le gymnase, celle, aigrelette, de jeunes corps mal lavés. L'amande douce et le talc pour bébé, les couches mouillées, c'est le mélange doux-amer des joies et des nuits blanches au début de la maternité. Le poil de mon petit chien blanc, il y a longtemps, les hommes que j'ai connus, les endroits où j'ai travaillé, les pays que j'ai visités, tout semblait emmagasiné dans mon cerveau en distillations concentrées de parfums nostalgiques, d'odeurs répugnantes et excitantes, d'exhalaisons acides.

Dans mon nouveau travail, tout puait : l'atelier, le vestiaire, les toilettes et même mon supérieur direct. Les odeurs étaient différentes, mais toutes étaient très fortes. Et quand je rentrais à la maison, j'avais l'impression que je puais moi aussi.

A l'atelier, mon travail consistait à ajuster une toute petite pièce sur une énorme machine mixeuse. A l'arrivée de chaque petite pièce, c'était l'angoisse ; j'avais peur de faire sauter la machine en la touchant, alors je la touchais au mauvais moment et de la mauvaise façon... c'était un désastre. Je déteste les machines. Je sais bien que la civilisation moderne, le progrès et tout ce qui s'ensuit sont impensables sans elles, qu'il y en aura de plus en plus ; on me dit que, même si aujourd'hui elles rendent l'homme esclave, elles finiront par le libérer. Mais elles m'épouvantent et je ne sais même pas me servir d'une machine à coudre.

Comme ils ne pouvaient pas me mettre à la porte, au bout d'un mois environ je fus transférée au laboratoire d'essai des matières premières. On m'y enseigna les quelques rudiments de chimie nécessaires pour l'évaluation de la force de résistance des matériaux ; mais là les émanations me suffoquaient ; c'est alors que le vieil ingénieur à la mauvaise haleine fit son entrée. Il était hongrois et de noble extraction, il avait donc double raison de trembler pour son emploi. Il y avait des jours où le matériel à tester était en si petite quantité que le laboratoire, où il était le seul professionnel, était surpeuplé de toutes sortes de laveurs de bouteilles et autres employés non qualifiés comme moi. Il devait croire que plus il avait de gens sous ses ordres, plus sa position se stabilisait. Alors, pour maintenir son cheptel qui n'avait pas grand-chose à faire, il courait sans arrêt d'une table à l'autre, faisait l'important et incitait tout son monde à se dépêcher. En huit heures qui semblaient interminables, je faisais ce que j'aurais facilement pu faire en deux. J'avais du mal à respirer, j'avais très mal aux pieds, et je m'ennuyais énormément. Un jour, j'essayai de cacher un livre sous une plaque de caoutchouc, derrière les balances d'analyse, et je lisais debout, une bouteille et des poids à la main. Il eut tôt fait de découvrir ma ruse et, penché tout près de mon oreille, il me supplia dans un murmure fétide de cesser de lire pour lui éviter des ennuis.

En chuchotant moi aussi, je lui confiai que je m'emmerdais à mourir. C'est à partir de ce moment-là que je commençai d'avoir avec lui des conversations que nous nous murmurions dans le sifflement bruyant de l'eau qui bouillait dans une cornue tandis qu'il affectait de m'aider à manier une éprouvette.

Il ne comprenait pas comment nous avions pu être assez fous pour revenir des États-Unis, ni comment je pouvais être surprise par les choses qui se passaient, comme elles se passaient. Mais où étais-je donc, pour l'amour du ciel, à l'époque des procès de Moscou ? Je haussais les épaules. Où étions-nous alors ? Question pertinente. Naturellement, nous étions dans le camp opposé à Franco, opposé à l'injustice, à Hitler, au racisme et à la guerre. Nous étions du côté où se tenaient tous les gens bien et sensés en cette période de l'histoire. Nous étions du côté de l'Union soviétique. Il n'y avait pas de moyen terme. Dans quel autre camp aurions-nous pu être, alors que la moindre parole de doute ou de critique à l'égard de la Russie apportait de l'eau au moulin empoisonné de Goebbels ? Une fois qu'on a pris position fermement dans le camp qu'on a choisi, on s'aveugle volontairement sur sa nature. Nous étions donc tous dans le camp de Staline.

Sous la cornue qui sifflait, je me demandais aussi, mais sans même formuler la question, de quel côté il était lui-même pendant la guerre. Tout en concédant, au bénéfice du doute, qu'il n'était probablement pas un fasciste très militant, je le méprisais. Toutefois, malgré la mauvaise haleine et les relents de « szásalisme » qu'il évoquait pour moi, malgré Hitler, je commençais à attendre impatiemment ces quelques minutes de conversation que nous avions à voix basse, parce qu'au début j'avais été rejetée par les ouvriers. Comme je l'appris très vite, leur hostilité n'était pas due à leurs convictions politiques, mais à leur crainte que je sois un mouton. La seule fois où mon sentiment de solidarité et d'unité avec les masses confina à la béatitude, ce fut durant l'été 1938 à Paris, en écoutant le vieux Cachin et la Pasionaria parler à une foule de 40 000 personnes au Vel d'Hiv. Je me joignis aux cris retentissants de « No pasaran » et de « Ouvrez les frontières ! ». J'étais jeune, plusieurs de nos amis étaient partis se battre dans les Brigades internationales, et c'était la première fois de ma vie que je voyais autant de mes congénères motivés par une seule et même juste cause, unis dans un immense cri d'indignation et par la volonté de se battre. C'était comme si les livres que mon mari me donnait devenaient réalité. Autrement, à part quelques activistes professionnels que je rencontrais dans le mouvement avant la guerre, mes premiers contacts avec la classe ouvrière avaient été superficiels, sans idées politiques de part et d'autre. Mais c'est toujours dans le cadre du Vel d'Hiv que je repensais ensuite à la classe ouvrière, facteur décisif de l'histoire et classe sociale dont nous ne pouvions espérer acquérir et partager la conscience politique qu'après nous être débarrassés du poids de nos origines sociales et du conditionnement apporté par notre éducation dès l'enfance.

Mon premier travail, le matin, était d'aller chercher plusieurs bouteilles d'eau dans le stérilisateur pour que l'on analyse dépôts et autres impuretés. Je traversais la cour de l'usine sale et mal éclairée et, en montant, une lampe électrique à la main, les marches raides d'un escalier métallique en colimaçon d'où suintaient des gouttes d'eau rouillée, je revoyais les scènes de ces films soviétiques qui nous réchauffaient le cœur avant la guerre. Je m'efforçais de ressentir des émotions de circonstance : la noblesse du travail physique, l'indifférence à l'ennui ou à l'inconfort tant que l'on travaillait pour le bien commun, au coude à coude avec la classe ouvrière qui avait enfin commencé à jouer son rôle dans la construction de notre pays. Peut-être, pensais-je, finiront-ils par cesser de me regarder de travers. S'ils me voient pointer à l'heure, et travailler aussi bien et honnêtement qu'eux, ils finiront par m'accepter. Je deviendrai l'une des leurs et, comme tout ce qui se passe se fait dans leur intérêt, en me mêlant à eux, j'apprendrai à voir les choses de leur point de vue et à les accepter. Je suis prête à renoncer à mes anciennes valeurs bourgeoises et à accepter les leurs. De ce nouveau point de vue, tout prendra un sens acceptable, et peut-être même notre tragédie personnelle que j'apprendrai à considérer comme un sacrifice sans importance à ce qui demeure l'essentiel : le bien commun. Peu à peu, mes collègues se dégelèrent. Au vestiaire, les femmes commencèrent à me

127

mêler à leurs conversations, et quand je passais devant les hommes des ateliers voisins, ils se mirent à me crier les mêmes gaudrioles qu'aux autres femmes. Pendant la pause de 10 heures, je me précipitais comme tout le monde à la cantine, où je n'arrivais pas à avaler l'éternelle soupe aux tripes, dont la qualité passée, présente et à venir était remise en question tous les matins à l'atelier. Après un mois environ, la barrière de classe était tombée. Les femmes me dirent pourquoi elles avaient eu peur de moi au début. Elles m'apprirent aussi comment prendre l'air occupé sans travailler et comment être saisie tout à coup de crampes, de crises de migraine, ou d'une entorse à la cheville, moyens infaillibles pour passer une ou deux heures de non-travail payées, loin du patron et de la puanteur, dans la salle d'attente du médecin où l'on pouvait reposer ses pieds endoloris.

Notre nouvelle amitié aidant, je découvrais qu'elles avaient presque toutes dans leur entourage, ou dans leur famille, des victimes du régime dont les persécutions avaient commencé bien avant qu'elles nous touchent nous. Il y avait longtemps qu'elles avaient appris à avoir peur de la police et des autorités. Après quelques mois passés dans l'usine, les derniers lambeaux de théorie sur le mythe de la classe ouvrière, qui s'accrochaient encore tout au fond de ma tête d'intellectuelle de gauche, s'effilochèrent complètement et disparurent. Ces gens-là n'étaient ni meilleurs ni pires que les autres et, dans l'ensemble, pas tellement différents. Comme ils étaient beaucoup plus astucieux que n'osaient l'être les bourgeois, ils savaient couper aux cours d'enseignement obligatoire et intensif qu'on essayait de leur assener en dehors des heures de travail, et ils ignoraient la langue de bois. Il ne leur venait pas à l'idée qu'ils étaient conformes à l'image que donnaient d'eux les penseurs politiques depuis plus d'un siècle ; des prisonniers dans une cage, où maintenant le dogme politique continuait de les enfermer. Les plus âgés se souvenaient certainement d'avoir hai le propriétaire de l'usine qui les exploitait. Mais ce n'était pas là cette haine de classe qui mène à la grande explosion libératrice. Ils haissaient tout autant leurs exploiteurs actuels, sinon plus. La seule différence était que, maintenant, ils « possédaient » l'usine et comme ils ne pouvaient pas se haïr eux-mêmes ils « les » haïssaient d'autant plus violemment qu'ils ne pouvaient même pas faire grève.

Notre État ouvrier leur offrait pourtant quelques avantages. Ils pouvaient se permettre de rouspéter un peu plus librement que les employés de bureaux et autre menu fretin. Ils mangeaient plus souvent des pommes de terre et des fruits que nous, parce que la plupart d'entre eux avaient un vieux parent vivant à la campagne et qu'ils pouvaient voler fruits et légumes dans le voisinage avant qu'ils ne soient pourris ou ramassés. A l'usine, les conversations tournaient autour des mêmes sujets que dans toutes les autres entreprises où j'avais déjà travaillé : le temps, le patron, les salaires, le sexe et la famille, la maladie, la nourriture, la boisson et les cancans. A tous ces lieux communs s'ajoutaient les commentaires amers qu'on se faisait à voix basse sur *Eux*, des nouvelles, effrayantes parfois, et les discussions incessantes sur les difficultés de ravitaillement, la pénurie de viande et d'autres denrées de première nécessité. Mais cette pénurie était telle qu'on la trouvait aussi bien au centre des conversations qui roulaient dans les cénacles intellectuels.

S'il arrivait qu'on parle d'autre chose, les rêves et les ambitions qui s'exprimaient étaient d'un conformisme tout à fait bourgeois. Avec étonnement, et aussi une sorte de soulagement, je découvrais que ces gens-là n'avaient qu'un désir, celui de devenir tout ce qu'on nous avait appris à mépriser : des possédants, des petits chefs, des cumulards, en somme des nouveaux riches. Autrement dit, leur grande ambition était d'accéder à la classe moyenne. Je découvrais aussi que, sur le plan de la morale, personne n'était plus « bourgeois » que les prolétaires et surtout pas un jeune bourgeois intelligent et généreux. Lui, il sait déjà par expérience ce que les « classes inférieures » n'ont jamais eu le loisir d'apprendre : que le petit confort matériel, une fois acquis, n'apporte pas forcément la satisfaction escomptée par ceux qui en rêvent. La vraie mentalité petite-bourgeoise - celle dont les marxistes parlent avec tant de mépris - n'a survécu dans sa forme classique que chez les ouvriers de notre ère industrielle.

Ceux, peu nombreux, qui suivaient d'assez près la vie

publique pour avoir une connaissance même superficielle de ce qui s'y déroulait étaient les moins mécontents. Ils avaient l'espoir qu'en récompense de leurs propres sacrifices, *Ils* sauraient donner à leur fils la chance d'accéder à une de ces nouvelles carrières fulgurantes qui leur permettrait ainsi de mener une vie bourgeoise, avec tout ce que cela comportait désormais. Autrefois, on était content de vivre dans un appartement confortable, d'avoir un imperméable qui ne prenait pas l'eau et un pull-over qui ne rétrécissait pas au lavage. On était content mais on n'en tirait aucune vanité particulière. Tandis qu'aujourd'hui, de petites choses comme celles-là non seulement ont acquis une valeur nouvelle et démesurée, mais sont surtout devenues les symboles du privilège et du standing.

Tout bien pesé, cette année passée à l'usine m'avait enfin débarrassée de mon complexe d'être née bourgeoise. Mais en même temps j'y avais aussi perdu le peu d'espoir qui me restait encore de trouver parmi les ouvriers l'ultime justification de ce qui nous arrivait, à nous et au pays.

Les ouvrières avaient été gentilles et m'avaient donné des coups de main. Elles m'avaient appris comment faire traîner le travail en longueur pendant huit heures pour que les normes ne soient pas augmentées ; elles m'avaient montré comment sortir du bâtiment sans être vue quand le bruit courait qu'il y avait un arrivage de légumes au magasin du coin. J'avais appris aussi à simuler, à intervalles bien mesurés, les évanouissements menstruels ou les brutales douleurs dans le dos qui ouvraient pour un moment l'accès au dispensaire. Là, je pouvais reposer mes pieds et lire dans la salle d'attente, puis passer environ une heure étendue sur un lit dans un petit box avec un appareil électrique plein d'aiguilles sur la jambe, le ventre ou le dos - gadget que notre médecin utilisait pour les douleurs de toutes sortes. C'était un endroit béni pour se retirer, le Paradis. Il y avait juste ce qu'il fallait d'odeur médicamenteuse pour suggérer l'idée de la maladie et de ses suites : l'évasion et la délivrance par la mort ou l'espoir de la guérison. Allongée sur le petit lit, je me retrouvais en moi-même.

Comment en étais-je arrivée là ? Etait-ce de mon plein gré ? Etait-ce le destin qui m'avait conduite ici ? Mais qu'est-ce que le destin ? Dieu ? Je ne pouvais pas m'obliger à croire en lui, malgré le besoin que j'en avais à ce moment-là. En tout cas, je me sentais responsable de ma propre vie. D'un autre côté, comment le résultat pouvait-il être si mauvais alors que j'avais toujours voulu bien faire ?

J'étais là, moi, l'épouse d'un absent que j'avais aimé, que je n'aimais peut-être plus, mais à qui j'étais plus étroitement liée que jamais par la pitié et la loyauté. Personne ne savait où il était. En ce moment précis, on était probablement en train de le battre. Comment, autrement, en faire un coupable qu'on pouvait garder aussi longtemps... La mère de deux enfants que je devais nourrir et élever sans père dans une société où nous étions des parias, la police sur mes talons, sans jamais savoir quand surviendraient ses nouvelles menaces ni si elle me lâcherait un jour, avec un salaire à peine suffisant pour manger... Et l'éternelle appréhension du pire à venir. J'essayais de comprendre comment j'en étais arrivée là, mais trop fatiguée et ensommeillée pour une réflexion systématique, je me remémorais parfois les premières leçons de marxisme simplifié que mon mari me donnait quand j'avais dix-neuf ans. Ses petites histoires étaient tellement convaincantes que j'avais adhéré à la théorie avant d'avoir eu l'occasion de l'étudier.

« Imagine que tu voies deux hommes assis sur un banc dans un parc. L'un est bien habillé, bien nourri, apparemment content de vivre. L'autre est en haillons, affamé, pâle et désespéré. Si tu devais prendre la place de l'un d'eux, naturellement tu choisirais celle du premier. Erreur ! Ta décision serait fondée sur une perception statique et non dynamique. Pour faire le choix correct il faudrait réinsérer les deux hommes dans le contexte de leur passé, de leur développement et de leur avenir potentiel. En d'autres termes, adopter un point de vue historique. Ce qui conduirait à découvrir que l'homme bien habillé et heureux a une maladie incurable, et que tandis qu'il tire sur son gros cigare et qu'il fait des plans pour aménager sa fortune, les valeurs qu'il possède sont sur le point de s'effondrer d'un seul coup. Alors que son voisin apparemment à plaindre est en bonne santé, qu'il est seulement affamé et fatigué et qu'on peut y remédier. Il n'a rien à perdre, tout à gagner... »

131

Ou bien :

« Les ouvriers ne peuvent pas se payer d'oranges ou de vrai café. Pourquoi ? Parce qu'entre les producteurs et les consommateurs, il y a toute une chaîne de profiteurs : le propriétaire, la société d'emballage, le transporteur, le grossiste, le propriétaire du magasin, et l'Etat qui a besoin d'argent pour payer la police, l'armée et les bureaucrates (dont on se débarrassera à l'avenir puisqu'ils seront inutiles). Ceux qui fabriquent les marchandises à tous les stades de la production et qui, en fin de compte, ne peuvent pas les acheter sont les opprimés, le prolétariat. Avec le communisme, les oranges, le café et tout le reste viendront directement au consommateur par l'intermédiaire de l'Etat sans enrichir au passage les parasites et les profiteurs. Cela affectera si bien leur prix que tout le monde pourra les acheter. »

Tout cela paraissait si logique, si prometteur ! Mais voilà, quelque chose quelque part n'avait pas marché. Si avant Noël (ou plutôt avant la venue du « Grand Père Gel » comme on l'appelait maintenant) un chargement d'oranges arrivait, et si vous aviez suffisamment de chance et de patience pour en acheter, le kilo vous coûtait trois heures de salaire ou plus, et le café qui n'était pas rationné valait une semaine de salaire au kilo. Bien sûr, on n'était pas obligé de manger des oranges. Mais les pommes étaient rarissimes ou pourries, et leur prix inaccessible.

L'Etat ne payait pas plus pour les oranges et le café que n'importe quel importateur capitaliste et la vie des pauvres producteurs ne s'améliorait pas.

Alors qui était le profiteur ?

Le commerce avec l'Union soviétique, le règne de la terreur, le gaspillage constant et l'emploi de dix personnes pour le travail d'une seule, tout ça coûtait cher, et il fallait bien que l'argent vienne de quelque part.

Quelque temps avant Noël 1951, deux policiers vinrent me dire que notre expulsion aurait lieu le lendemain matin. Il neigeait. Les meubles entassés n'importe comment et couronnés d'un petit sapin de Noël dénudé faisaient triste figure sur la plate-forme d'un camion débâché. Le chauffeur était assisté de deux hommes, si bien qu'en moins d'une heure tout avait été déversé dans notre nouvelle demeure.

A l'entrée, une porte vitrée aux carreaux cassés s'ouvrait sur une cour longue et étroite. On entrait par une petite cuisine sans fenêtre qui menait à deux pièces sombres. La cuisine n'avait aucun équipement : il y avait bien un petit poêle dans la première pièce, mais je n'avais rien pour l'allumer. Le charbon et le bois étaient rationnés, et comme nous sortions d'un appartement qui avait le chauffage central, nous n'avions pas de carte de rationnement. Avant qu'il fasse nuit, aidée par le voisin, un vieux monsieur qui accepta volontiers le petit pourboire que je lui offris, j'avais entreposé une partie des meubles à l'autre bout de la cour, dans un hangar. Susie était assise, hébétée, sur une valise, la petite pleurait de sommeil dans ses bras. Je la déshabillai et l'enfouis sous tout ce que je pus trouver de chaud. Pour Susie, je préparai un divan, espérant qu'elle oublierait que nous n'avions pas mangé de la journée et que nous n'avions rien dans la maison. Elle se comportait comme si l'idée de déménager m'était venue par caprice, en trouvant d'ailleurs que je n'avais pas eu très bon goût dans mon choix. J'étais trop fatiguée pour discuter.

Une fois livrée à moi-même, si bizarre que cela puisse paraître, je me sentis bien mieux que je ne m'étais sentie depuis des mois. Finalement, c'était plus simple d'être expulsée que de se battre contre l'expulsion ou de l'attendre avec angoisse comme je l'avais fait jusque-là. Je connaissais des gens qui avaient enduré bien pire pendant la guerre. Après tout, qu'est-ce qu'un logement sombre et froid à côté d'un camp de concentration, du ghetto de Varsovie ou de la prison ? Rien. Maintenant, la ligne était clairement tracée entre l'ennemi et nous, alors finis les examens de conscience, les illusions, les « erreurs », les conseils quémandés aux camarades. Ils pouvaient garder leurs explications imbuvables, continuer de s'aplatir devant le Parti, mais les rats n'étaient pas loin, ils monteraient à l'assaut de leurs dos courbés, et tôt ou tard, si haut placés soient-ils, ils finiraient inévitablement par se faire chier sur la gueule par leurs chers camarades. Une saine colère et le mépris me donnaient une force nouvelle. Mais j'étais quand même épuisée, et je n'arrivai pas à me relever de la caisse où j'étais assise pour aménager quelque chose qui ressemble à un lit. J'étais à moitié endormie, quand j'entendis des pas qui approchaient de la porte. Je ne voulais voir personne, et surtout pas encore un fonctionnaire qui m'apportait probablement une mauvaise nouvelle supplémentaire. Je ne me retournai même pas. Il n'y avait pas de verrou, et Bronia entra.

C'était la dernière personne que je m'attendais à voir. A l'époque, nous n'étions même pas des amies, nous nous connaissions un peu par nos maris. Le sien était membre du Parti, éditeur, juif, et elle l'avait épousé pendant la guerre à Londres - autrement dit, il avait vraiment tout pour avoir des ennuis... Alors, que venait-elle faire chez moi à cette heure-là, dans un moment où tout le monde me fuyait et où j'étais surveillée plus que jamais ?

Elle posa une miche de pain, du beurre et du fromage sur la valise. « Tiens, j'ai pensé que tu n'avais pas eu le temps de faire des courses ni la cuisine, aujourd'hui », dit-elle. Elle m'embrassa, je l'embrassai.

C'était la première fois depuis que nous nous connaissions, puis assises dans la cuisine froide éclairée par une seule ampoule, perdues au milieu des paquets, des livres et des casseroles, nous avons pleuré un bon coup. Tout en cherchant des yeux un endroit propre où poser le pain, je le tenais serré dans mes bras, comme quelque chose de vivant. Cela me faisait chaud. Ce n'était pas une miche de pain, c'était un objet précieux que je craignais d'avoir perdu pour toujours. C'était un peu d'honneur humain, un beau petit drapeau de courage civil hissé au nez de la lâcheté générale.

Le lendemain, je reçus une autre visite inattendue. C'était le mari de la voisine de ma belle-sœur, que je connaissais à peine de vue. Dans la rue, il me saluait toujours avec un sourire particulièrement aimable, mais comme je le trouvais, moi, particulièrement vilain, je ne m'arrêtais presque jamais, et nos conversations n'avaient jamais dépassé le stade des banalités. Susie était à l'école et Tania au jardin d'enfants. Grâce à la gentil-

lesse du docteur de l'usine, j'étais en congé de maladie, et par
les soins de mon beau-frère, un petit fagot de bois nous était
arrivé ce matin-là. Je me débattais avec une hache empruntée
au vieux monsieur d'à côté. Je n'avais jamais manié la hache, et
je m'en sortais très mal. Aussi, quand le vilain monsieur apparut et me proposa son aide, j'étais assez contente... Il fabriqua
une pile bien propre de petit bois, qu'il plaça devant le poêle,
puis regarda autour de lui, une expression de tristesse infinie
envahit son visage ingrat, et il me tendit la main dans un geste
solennel de condoléance. « Si je peux faire quelque chose pour
vous, ne vous gênez pas, dit-il, et tenez, prenez ceci... » C'était
un petit paquet de café fraîchement moulu. Il sentait merveilleusement bon, et compte tenu des prix du moment, c'était un
cadeau considérable. Je le remerciai et le priai de s'asseoir.
J'attendais que l'eau bouille lorsqu'il me saisit par derrière, me
poussa dans l'autre pièce sur le divan et atterrit sur moi de tout
son poids. Tout en essayant d'atteindre ma bouche que je lui
refusais en me débattant, il bafouillait des phrases inachevées :
« Si triste, une petite femme toute seule... Personne pour la protéger... Pourquoi être si obstinée quand il me voulait tant de
bien... »

Aussi paradoxal que cela paraisse, ce qui me frappa le plus
dans cet incident ignoble, c'est le fait qu'il m'avait fallu très peu
de temps et une force que je ne me connaissais pas pour l'écar-
ter de moi. Si par hasard il avait choisi le mode sentimental
pour faire ses propositions malhonnêtes, j'aurais été obligée de
lui répondre sur un ton mondain que n'ayant rien fait pour
m'attirer son intérêt, je ne pouvais malheureusement pas y
répondre, j'aurais perdu un temps fou, mais nous aurions évité
le scandale et il ne se serait pas esquivé en grommelant des
grossièretés. Après son départ, j'aurais donné des millions pour
une douche, mais je ne disposais que d'un filet d'eau glacée au
robinet rouillé. Il me restait comme seul luxe l'évier jaunâtre et
craquelé dans lequel j'allai vomir.

L'avenir me réservait beaucoup d'autres occasions de vomir,
avec de nombreux paquets de café à la clef, mais aussi heureusement quelques beaux morceaux du pain de Bronia.

Notre logement était humide et bas de plafond, la bâtisse

sans étages était une ancienne maison de vignerons. Dans la cour, autrefois, on devait dresser les tables à l'époque du vin nouveau, les gens venaient le goûter, et c'est problablement dans ce qui nous servait maintenant de maison qu'on devait préparer les tranches de pain grillé frottées d'ail qu'on leur servait avec la nouvelle cuvée. Quelqu'un devait encore entreposer du vin dans la cave, il flottait toujours dans les pièces une odeur âcre et fermentée qui montait à travers les larges fentes de notre plancher. Pour aller chercher du bois pour le poêle, il fallait dégager la trappe qui se trouvait dans la cuisine et descendre par une petite échelle raide ; il me fallut quelque temps pour m'habituer à l'idée que n'importe qui pouvait s'introduire chez nous par ce trou.

On entrait dans la cour par un lourd portail en bois, qui donnait sur la rue, et notre porte était la première. Ensuite, venait une rangée de petites pièces sans fenêtres qui devaient autrefois abriter des travailleurs saisonniers ou servir de réserves. Chacune de ces tanières était maintenant habitée par une famille de deux personnes ou plus, qui ne recevait de la lumière du jour que celle qui voulait bien passer à travers le carreau de la porte d'entrée. Ils devaient nous envier nos fenêtres, mais en même temps ils étaient bien contents d'être enfin débarrassés du flic qui nous avait précédées. C'était un petit flic, il avait emménagé dans l'appartement d'un plus grand flic, qui venait justement d'emménager dans l'appartement dont nous avions été expulsées.

Tout à leur joie de ne plus l'avoir comme voisin, ils eurent la générosité de nous déconseiller d'utiliser les cabinets communs situés à l'autre bout de la cour. Pas tant à cause de l'endroit lui-même, mais plutôt de la famille qui habitait à côté : le père, la mère et leurs quatre enfants étaient tous des fous dangereux. Il nous fallut donc apprendre l'usage d'un seau, de son couvercle et du désinfectant, et le temps passant on finit par en rire. Comme en riaient nos visiteurs, anciens ou nouveaux amis, tous gens de courage, quand je leur rappelais qu'ils avaient intérêt à prendre leurs précautions chez eux avant de se mettre en route pour chez nous.

En partie grâce à un réel mauvais état de santé, en partie

grâce à l'aide d'un docteur compatissant, mais surtout parce que le système de « retour à la production » était administré, comme tout le reste, par des incapables, trop bêtes pour conserver les traces de ce qu'ils faisaient, au bout d'un an je pus quitter l'usine. Mais si je voulais continuer à avoir droit à nos carnets de rationnement, il était indispensable que je me trouve un autre emploi, et en attendant de le trouver je vivais de dactylographie et de traductions.

Puisqu'on n'était pas arrivé à se débarrasser de la « minorité » hongroise qui en fait constituait la majorité de la population dans cette partie de la Slovaquie - on avait décidé de lui accorder tous les droits, à commencer par le droit à l'endoctrinement politique. On avait donc fondé une maison d'édition de langue hongroise. L'un des éditeurs était une femme encore assez jeune. Elle était native d'un de ces villages de la Slovaquie orientale dans lequel tout le monde était hongrois, souvent juif-hongrois, et unanimement pauvre. Elle était une des rares survivantes de l'insurrection slovaque qu'elle avait faite au côté des partisans du maquis pendant la guerre. Pour ses mérites et en tant que membre du Parti, elle jouissait maintenant d'une position apparemment enviable ; mais, en fait, comme elle était exceptionnellement intelligente et probe, elle n'en retirait aucune joie.

Néanmoins, elle remplissait ses fonctions d'éditeur, tout en acquérant, dans le même temps, l'instruction secondaire qui ne lui avait pas été dispensée dans son enfance. Elle avait bien connu mon mari, aussi se débrouillait-elle, avec beaucoup de courage, pour m'aider indirectement. Régulièrement, il m'arrivait un lot de brochures de propagande du Parti à traduire du slovaque en hongrois ; les textes étaient écœurants, mais ça payait bien et l'argent tombait par l'intermédiaire de la tierce personne qui était supposée être l'auteur des traductions. Par ailleurs, un homme du théâtre de la ville - sympathique et qui commençait à y voir clair - me confiait quelquefois des manuscrits de pièces à taper sur stencil.

Je finis par trouver un vrai emploi dans un bureau. Il était ennuyeux et mal payé. Mais cela ne dura guère et se termina en drame : on me mit à la porte le 21 novembre 1952, une demi-heure après la sortie dans les rues de Bratislava de l'édition spéciale de *Pravda* qui étalait à la une l'article : « Devant le tribunal du peuple », relatant l'ouverture du procès des « conspirateurs contre l'État, menés par Rudolf Slánský ». Parmi les premiers témoins entendus figurait le nom de mon mari.

Le témoignage d'Oskar devant le tribunal était une accumulation de charges à retenir contre lui-même autant que contre Slánský et les autres et c'était la première information que je recevais sur les raisons de son arrestation. Jusque-là j'avais eu l'espoir, fondé sur d'autres cas, que les accusations porteraient sur son travail, peut-être un sabotage économique ou une vigilance insuffisante et un manque de conscience de classe dans le recrutement de ses collaborateurs. Son témoignage, qui équivalait à des aveux, ruina définitivement ces espoirs. L'histoire qu'il racontait était un épouvantable tissu de contre-vérités si évidentes, si faciles à démonter, que ma première réaction fut de croire qu'il était devenu fou. Puis me vint immédiatement l'idée affreuse qu'un homme qu'on avait ainsi forcé à mentir au cours d'un procès qui devait à l'évidence déterminer toute la politique de l'État et du Parti ne serait jamais relâché vivant.

Il racontait qu'il était américain, qu'il avait accepté cette citoyenneté juste avant de quitter les États-Unis afin de n'être pas soumis à la loi tchécoslovaque, et pouvoir ainsi retourner aux États-Unis si ses activités contre l'État étaient démasquées. *A la maison, j'avais tous nos papiers prouvant que nous*

*avions renoncé à la citoyenneté américaine trois ans
auparavant.*

Oskar affirmait qu'il était retourné en Tchécoslovaquie sur
les ordres des sionistes américains dans le seul but de promou-
voir leurs intérêts en sapant la démocratie de notre peuple.

*A la maison, j'avais la lettre du Parti qui l'avait rappelé por-
tant la signature de Bacilek, ainsi que mon propre carnet qui
avait échappé à la fouille, renfermant une série de coupures de
1948, articles où il dénonçait férocement le sionisme, sur la
base de la dette que les juifs avaient contractée envers le socialisme, et de l'avenir radieux que le socialisme promettait aux
juifs dans leurs pays d'origine. Ils avaient été écrits en réponse
à un discours du président Beneš, qui exprimait de la sympathie
pour les juifs et les poussait à émigrer en Israël pour leur
sécurité.*

Oskar déclarait qu'un leader sioniste local l'avait envoyé à
Slánský, pour recevoir de ce dernier des directives précises afin
que les juifs organisés en Slovaquie fissent usage de la loi de
restitution des biens juifs passés sous administration aryenne
pendant l'Occupation. En concentrant ainsi entre les mains des
sionistes tous les biens des juifs qui avaient été exterminés en
camps de concentration, ils auraient augmenté leur pouvoir
économique, leur donnant le moyen de renverser le régime
démocratique de Tchécoslovaquie.

*Quiconque connaissait un peu le travail d'Oskar ne pouvait
imaginer qu'il avait trempé dans la restitution des biens ; il
n'avait de toute façon pas le pouvoir de réaliser de telles opéra-
tions. Si jamais il prenait l'initiative d'une décision concernant
une petite épicerie de village ou un magasin de textile et son
ancien propriétaire, cette décision devait être avalisée par un
certain nombre de supérieurs hiérarchiques de Bratislava et de
Prague.*

Puis on dressait une liste des réunions secrètes qui se seraient
tenues chez nous, donnant même certains noms.

*Bien entendu, je ne savais que trop bien qui fréquentait notre
maison et consommait mon précieux café, et je me rappelais parfaitement leurs rengaines partisanes. La politesse et mon mari
me forçaient à faire bonne figure à ces soirées, contre mon gré.*

Oskar prétendait être allé à Prague en août 1947 pour voir Slánský et élaborer un plan pour confier aux sionistes et aux nationalistes bourgeois des postes clés de l'économie indépendamment de leur origine de classe. A eux deux, ils avaient décidé de traiter d'antisémites tous ceux qui soulèveraient la moindre objection contre cette orientation.

Si mon mari avait jamais rencontré Slánský, je l'aurais su, surtout en 1947, car, étant donné leurs situations respectives à l'époque, Oskar m'aurait certainement fait part d'un événement aussi exaltant que sa rencontre avec le Premier Secrétaire. Jamais cette rencontre ne s'était produite, bien évidemment.

Plus loin, il affirmait avoir reçu une lettre de Slánský avec des instructions pour délivrer aux émigrants juifs des permis d'exporter du matériel coûteux afin de miner l'économie du pays. « Je reçus également une réponse à ma lettre concernant l'antisémitisme », ajoutait mon mari.

Le Président : « Qu'avez-vous fait de ces lettres ? »

Langer : « Je les ai détruites. »

Le Président : « Pourquoi ? »

Langer : « Parce qu'il était dangereux de conserver des documents qui pouvaient dévoiler les activités de Slánský et de ses associés. »

C'était la seule partie de la transcription qui contenait un brin de vérité, bien que les lettres détruites n'aient jamais existé. Oskar avait effectivement envoyé une lettre au Comité central de Prague, adressée au Premier Secrétaire, dans laquelle il attirait l'attention du Parti sur le fait que l'antisémitisme, si largement répandu et encore virulent dans cette Slovaquie dont Hitler avait fait une république croupion, n'était pas suffisamment combattu par la propagande du Parti. Il soulevait la question de savoir si « le Parti ne devait pas faire davantage, dans sa tâche éducative, avant que l'antisémitisme ne s'infiltre dans ses rangs, avec la multiplication de ses membres ».

Il n'avait pas eu besoin de détruire la réponse de Slánský : elle ne vint jamais. Loin d'être un agent sioniste, Oskar était de ces communistes qui détestaient tellement leur condition de juifs qu'ils auraient volontiers supprimé un mendiant juif plutôt que de lui donner une miette de pain.

Par la suite, Slánský et mon mari se virent accuser d'autres crimes ignobles, qu'ils reconnurent. Mais à ce moment-là, c'était sur le sionisme, pièce de sa mosaïque bien construite, que s'acharnait le Parti. Oskar était une pierre nécessaire au motif de leur dessin. Son procès à lui, secret, devait avoir lieu plus d'un an après, alors que onze membres de la « bande à Slánský » avaient déjà été pendus depuis longtemps.

Quelques minutes après la pause-déjeuner, notre responsable aux cadres, le camarade Kafana, était entré dans la pièce où j'étais assise avec plusieurs autres employés. Il tenait l'édition spéciale de *Pravda* de Bratislava à la main. Après en avoir lu les titres, à voix haute, il pointa silencieusement du doigt le nom de mon mari imprimé au-dessus de ses aveux qui était intégralement reproduits sous forme d'un dialogue entre le président et l'accusé. J'avais reçu un tel choc que je ne peux absolument pas me rappeler quelle fut ma réaction, ni celle de mes collègues. Je me souviens seulement de mon sentiment brûlant d'humiliation quand Kafana m'ordonna de me lever et de me tenir à distance de mon bureau tandis qu'il fouillait mes tiroirs un à un. Après quoi il me dit que je pouvais prendre mes affaires et m'en aller. Personne n'osa me dire au revoir.

Le soir, une des filles et deux jeunes garçons du bureau vinrent me voir, et nous écoutâmes ensemble la retransmission de l'ouverture du procès. La voix de mon mari semblait normale, comme dans une conversation téléphonique, et ce qu'il disait était mot pour mot ce qui était imprimé dans le journal. Que pouvions-nous dire ? Mes amis cherchaient des paroles de consolation, et moi je n'avais aucune explication à donner. Alors, nous bûmes le café qu'ils avaient apporté et ils donnèrent libre cours à leur indignation à l'égard de Kafana et de sa conduite inqualifiable. Kafana était l'incarnation, à sa petite échelle, des forces maléfiques qui tiraient les ficelles dans les coulisses de l'horrible spectacle qui se déroulait sous nos yeux.

Le deuxième jour, le procès prit un tour encore plus absurde. Sur un coup de tête, j'allai rendre visite à une jeune femme qui avait été la secrétaire d'Oskar quand il travaillait au siège du Parti en 1947. Je n'en étais plus à chercher de l'aide. Tout ce que je voulais, c'était entendre ce qu'un individu de « l'intérieur » avait à m'offrir en guise d'explication. Ou alors peut-être avais-je grand besoin de m'asseoir à côté de quelqu'un qui s'indigne et pleure avec moi. Je savais combien elle admirait Oskar, elle était sa disciple en sciences politiques et sa confidente idéologique, rôle que je n'avais jamais réussi à tenir. Je crois qu'elle était « politiquement » amoureuse de lui.

Elle fut étonnée de me voir, mais me pria de m'asseoir. Comme une idiote, je m'attendais à ce qu'elle partage mon horreur et mon indignation quand je commençai à mettre en évidence les absurdités du témoignage d'Oskar. Elle répondit avec douceur et compassion, mais avec une grande fermeté.

« Vous savez très bien qu'Oskar et moi travailliions non seulement ensemble, mais que nous parlions aussi de tout ce que nous pensions et faisions. J'étais sa secrétaire personnelle, j'étais donc naturellement au courant de chacun de ses gestes. Je sais que c'est difficile pour vous d'en convenir avec moi, mais il faut bien que vous commenciez à voir les choses en face. S'il ne m'a pas parlé d'une chose aussi importante que sa visite personnelle à Prague au Premier Secrétaire, il devait avoir ses raisons pour garder la chose secrète. Croyez-moi, pour moi aussi c'est un coup terrible. Vous savez ce qu'il a été pour moi pendant toutes ces années, mais... »

Je fus d'abord pétrifiée. Puis il me vint à l'esprit que je parlais à une créature d'une autre planète, avec laquelle je n'avais pas de langage commun. Je lui demandai quand même : « Voulez-vous dire que pas un instant la pensée ne vous a effleurée que s'il ne vous avait pas parlé de son voyage à Prague, c'était tout simplement parce qu'il n'avait jamais eu lieu ? Trouvez-vous crédibles les autres accusés du procès ? »

Peut-être cette idée l'avait-elle effleurée, mais elle ne l'admettait pas. La confession de mon mari était publiée dans *Pravda* - et *Pravda*, comme son nom l'indique, n'imprime que la vérité.

Tant que dura le procès, la presse et la radio déversèrent sur le pays un flot de mensonges empoisonnés, soulevant une tempête de haine à la commande. Chaque jour, des lettres collectives, signées par tous les ouvriers d'une usine ou tous les employés d'une société, étaient publiées, exprimant colère et indignation et exigeant la peine de mort. Les journalistes les plus connus et beaucoup de nos éminents écrivains rivalisèrent de rhétorique barbare. Il fallait lire ces lignes pour croire que des siècles après l'invention de l'imprimerie, de si sanglantes idioties - dans le vrai sens du mot « sanglant » - pouvaient encore noircir le papier.

« Le chef du plus répugnant de tous les gangs d'agents de l'impérialisme a répondu à la Cour comme un serpent piétiné incapable de se dégager... »

« Sous la conduite du camarade Gottwald, le peuple va de l'avant, et rien ne pourra arrêter cette authentique brigade de choc stalinienne, résolue à couronner de succès la longue lutte pour la paix et le socialisme, au coude à coude avec la grande Union soviétique et tout le camp de la paix, aux côtés du camarade Staline. »

« Non, ces quatorze créatures accusées - ce ne sont pas des êtres humains ! »

« La clique de Tito a été démasquée. C'est une bande répugnante de laquais et d'espions au service de l'impérialisme, une bande de traîtres internationaux, qui servent pour une poignée de dollars les services secrets britanniques, la Gestapo et la CIA, avec la même bonne volonté. »

« La destruction du gang criminel a confirmé le message du camarade Gottwald prononcé en février 1951 : "Faites confiance au Parti, camarades !" Le Parti ne nous a pas trompés, car il a montré qu'il mérite l'immense confiance que notre peuple a placée en lui ! »

Et comme si cette prose démentielle ne suffisait pas, les accusés eux-mêmes employaient pour se charger un vocabulaire et un style qui surpassaient encore ceux des juges et des littérateurs commis d'office.

Des quatorze qui furent jugés, onze furent condamnés à mort et pendus au début de décembre 1952.

Trois furent condamnés à la prison à vie. L'un d'eux, un ami, Eugen Löbl, a essayé de rendre compte honnêtement de son procès et de ses dix années de prison, dans un livre publié lors de sa réhabilitation.

Le deuxième était Artur London. Comme sa femme (qui avait réclamé sa mort dans une lettre publique) était la belle-sœur d'un membre du Comité central du parti communiste français, il fut relâché bien avant les autres et autorisé à émigrer en France avec sa famille. Ce qu'il racontera peut-être un jour du procès et de son déroulement, et la manière dont il le fera, dépend sans doute du Parti français[1]. Quant au troisième survivant, je n'ai jamais rien su de lui.

Je crois préférable d'écourter la description des mois d'hiver qui suivirent le procès : ils furent si atroces que le risque est grand de dresser un mur des lamentations sur mon propre sort. Je vivais en traduisant les textes délirants que le Parti destinait à l'édification des Hongrois. Et puis, ayant envoyé à mots couverts un SOS aux cousins d'Amérique - je revendais ce que je pouvais des vêtements usagés, du café, des chewing-gums et de la laine à tricoter qu'ils m'envoyaient de temps en temps. N'ayant pas de travail déclaré, je n'avais pas de carte de rationnement, ce qui veut dire que j'achetais la nourriture au « marché libre » à des prix dix fois plus élevés. A un certain moment, un vieux monsieur qui avait connu mon mari enfant réunit un groupe d'amis qui cotiseraient un peu tous les mois pour mes filles et moi. Je n'avais pas le droit de savoir qui étaient les autres, et je devais venir prendre l'argent très discrètement, tard dans la soirée, à son appartement. Mais cela n'arriva qu'une fois, car le brave homme était juif et la police eut tôt fait de lui conseiller de cesser de tramer ce qui, à ses yeux, était un complot sioniste.

Je vivais dans la peur constante. Je redoutais, tout en le souhaitant désespérément, un premier signe de vie de mon mari.

---

1. Eugen Löbl a été libéré en 1960 ; Artur London a été libéré en 1956. Il a raconté son procès dans *l'Aveu* (*op.cit.*). Le troisième survivant est Vavro Hajdu. (N.d.T.)

J'étais terrifiée par la police, j'avais peur d'être arrêtée comme espionne au service de l'impérialisme quand j'allais à la poste chercher un paquet en provenance des États-Unis ; j'avais peur d'ouvrir le journal le matin, peur d'allumer la radio, peur quand Susie rentrait de l'école (chaque jour, je m'attendais à m'entendre dire qu'elle était renvoyée), peur que les traductions cessent, peur de la déportation quand les premières rumeurs d'« Opération B » commencèrent à circuler, et par-dessus tout peur pour la petite Tania, qui inévitablement subissait les effets de quelque chose qu'elle ne comprenait pas. Elle refusait de manger le peu de nourriture que nous avions, et devenait de jour en jour plus maigre et plus pâle. Un matin d'hiver, après un mauvais rhume, elle s'évanouit, le visage verdâtre, et la bouche ouverte. Elle fut prise de convulsions. Je dus la laisser ainsi pour courir à un café voisin téléphoner au docteur. J'étais persuadée que les secours arriveraient trop tard. Quand la doctoresse arriva elle lui fit une piqûre, et la petite reprit connaissance. Cette femme m'affirma que le malaise était symptomatique d'une sous-alimentation et d'un manque de calcium, auxquels venait s'ajouter mon influence malfaisante. De ce jour, je compris que je devais avoir peur également de moi-même, et en berçant le petit corps chaud et fragile contre ma poitrine, je décidai une fois pour toutes de ne plus avoir peur.

En y repensant, j'ignore dans quelle mesure je me suis blindée grâce à cette décision prise pour l'amour de mon enfant, ou si ce fut grâce à cette mystérieuse faculté qu'ont les humains de s'habituer pratiquement à n'importe quoi. Quoi qu'il en soit, après cette commotion, je me mis à prendre les choses comme elles venaient. Aussi gardai-je bonne contenance lorsque deux individus très peu loquaces se présentèrent pour faire un inventaire détaillé de nos effets, au cas où mon mari serait condamné à la confiscation de ses biens. J'essayai de protester, faisant valoir que son procès n'avait pas encore eu lieu ; ils firent la sourde oreille. La feuille que je dus signer précisait qu'aucun des articles recensés ne pouvait être vendu ou donné. Comme l'inventaire comprenait tout, depuis les sous-vêtements et les cuillers à café jusqu'au mobilier entassé au fond de la cour, lorsque plus tard notre tour vint pour l'« Opération B », il nous fallut trimbaler des choses inutiles, pour lesquelles nous n'avions pas de place ; et mettre nos étagères et nos livres là où ils allaient pourrir, dans le hangar, derrière la porcherie. Les hommes m'affirmèrent qu'au moment de la confiscation, nous aurions le droit de garder un minimum de meubles et d'équipement domestique dont les enfants et moi aurions besoin pour vivre dans une seule pièce. Je les en remerciai.

Deux semaines plus tard, je fus convoquée au Comité national où l'on me signifia l'arrêt d'expulsion. Nous devions déménager le 5 mars, et j'étais autorisée à choisir entre deux villages. L'employé prit soin de me faire remarquer à quel point j'avais de la chance d'avoir un préavis de trois semaines et la possibilité de choisir, alors que d'autres devaient souvent quitter la ville sans préavis aucun, et se rendre à l'endroit qu'on leur assignait. Le nom des villages m'était inconnu, mais comme on me permit de jeter un coup d'œil sur la carte, je choisis le plus proche. Je remerciai le fonctionnaire pour ce privilège.

La première lettre de mon mari nous parvint deux jours après. Elle était écrite en lettres capitales, sur une petite feuille de papier quadrillé et donnait une adresse codée à laquelle je pouvais envoyer ma réponse dans un nombre de mots limité. Rien n'indiquait où Oskar était détenu, et le contenu de la lettre semblait confirmer l'impression que j'avais eue en l'entendant à la radio : ils l'avaient certainement rendu fou. Quoi ! il s'était couvert d'autant de crimes que les accusés que l'on avait pendus, et voilà qu'il m'écrivait que tout allait bien et qu'il espérait nous retrouver bientôt ! Que pouvais-je répondre, sinon que nous étions heureux de savoir qu'il allait bien, que nous allions bien nous aussi et que nous espérions le voir bientôt ? Je lui donnai notre nouvelle adresse, sans autre explication.

Et pourtant, aussi inexplicable et inquiétante que fût cette lettre, elle me donna une lueur d'espoir et me poussa à l'action.

C'était plus qu'un signe de vie, c'était la preuve qu'il était encore en détention préventive, sans avoir été ni jugé ni condamné. J'écrivis à Prague pour demander à être reçue par Bacilek, ministre de la Sécurité nationale. Une réponse positive arriva dans les trois jours. Seulement, entre-temps, j'avais réfléchi et réalisé que c'était là une entreprise non seulement désespérée, mais surtout bien humiliante. Peu de temps auparavant, quelques jours avant les exécutions, le même Bacilek avait fait publiquement l'éloge des forces de sécurité de l'Etat pour avoir travaillé sans relâche, nuit et jour, à démasquer la conspiration, prouvant en cela leur loyauté à l'égard du Parti, du camarade Gottwald et de l'Union soviétique. Je ne croyais pas un seul mot du procès. Alors, pourquoi aller voir ce meurtrier couvert de sang de la tête aux pieds, que pouvais-je attendre de lui ? Etait-ce un désir pervers d'aller dans l'antre du lion pour y renifler sa puanteur ? Etait-ce par sens du devoir que j'écrivais, ou simplement par bravade ? Je ne voulais plus y aller. Mais il était trop tard et reculer maintenant était trop dangereux.

Je pris l'express de nuit ; je m'installai dans un compartiment vide, près de la fenêtre, suspendis mon manteau, me pelotonnai derrière comme sous une tente, et après avoir posé mes pieds sur la banquette d'en face, je m'endormis. Ce devait être le petit matin déjà lorsqu'un son m'éveilla doucement, sans brusquerie. Je restai immobile de peur qu'il ne s'arrête. Quelque chose en moi, que la peur, le surmenage et une fidélité compatissante à l'égard de mon mari avait paralysé, figé et réprimé, se mit à bouger, à fondre et à circuler dans tout mon corps, comme une vague de plaisir douloureux. Ce que j'entendais, c'était la respiration paisible et régulière d'un homme endormi - et cela, je ne l'avais plus entendu depuis des années. C'est alors que cette privation me sembla être la plus grande de toutes les injustices, une perte qui surpassait toutes celles que j'avais déjà subies. Dans la faible lumière de l'unique petite ampoule bleue au-dessus de la porte, je ne distinguai qu'une silhouette imprécise qui dormait, assise toute droite, faculté que j'ai toujours enviée aux hommes qui voyagent de nuit. J'écoutai la respiration et je respirais l'odeur d'homme de cet étranger. Tout honteuse, je me dissimulai de nouveau derrière mon manteau, mais je ne pouvais pas me rendormir vraiment. Dans une douce somnolence, bercée et excitée, je revivais tous les moments de désir et de plaisir que j'avais connus. J'avais désespérément besoin qu'on me touche.

Je ne sais pas s'il m'avait vue le regarder ou si l'intensité de mon silence pénétrait mystérieusement son sommeil ; je ne sais pas non plus si j'avais bougé mes pieds au point de le toucher, lui. Et à ce moment-là, ça m'était complètement égal. Tout ce que je sais, c'est que je sentis ses doigts entourer doucement mes chevilles ; je ne bougeai pas ; des mains douces et chaudes se mirent à caresser mes pieds et mes jambes. L'anonymat dans l'obscurité favorisait une entente tacite, qui aidait à la rencontre enivrante de nos seuls sens. Tout ce qui était enfoui et mort en moi depuis si longtemps jaillit alors à la rencontre des mains de cet étranger, et chacun de mes orteils répondait avec plus d'intensité et de passion à ce toucher que mon corps entier ne l'avait fait durant de longues nuits d'amour. Miraculeusement, je n'avais plus à penser avec ma tête, je m'abandonnais aux seuls gestes silencieux prodigués par une présence mystérieuse. Ce n'était plus la raison qui parlait. Pourtant, quand il attira fermement mes pieds entre ses jambes, je compris que le plaisir que je venais de ressentir n'était qu'un premier pas vers ce qu'un homme était normalement en droit d'attendre d'une femme qui était allée aussi loin. Lorsque je retirai mes pieds et m'extirpai de mon manteau, il était sur moi, il caressait mes cheveux, il essayait de m'embrasser, en déboutonnant mon corsage. J'eus le sentiment de me conduire comme une horrible garce en le repoussant, car tous ses gestes étaient d'une grande douceur. Par chance, le train s'arrêta dans une gare, un nouveau voyageur entra dans le compartiment et alluma la lumière. L'homme s'était rassis à sa place, un joli sourire plein d'espoir sur le visage ; il me proposa dans un murmure de prendre le petit déjeuner ensemble et de nous revoir l'après-midi. Certes, l'opportune irruption du nouveau voyageur m'avait soulagée ; mais je lui rendis son sourire. Il était très jeune, et son élégance exquise était rehaussée par ce qui met, malheureusement, si souvent en valeur la beauté masculine : un uniforme impeccable et très bien coupé. C'était un jeune officier de la Sécurité de l'Etat. J'envisageai quelques instants de le revoir ; quelques images atroces de ce qui pourrait se passer entre nous me traversèrent l'esprit. Cependant, un sentiment de tendresse et de gratitude l'emporta. Ses yeux me rappelaient ceux de Blackie, le cocker que j'avais dû abandonner à New York. Quand le train s'arrêta à Prague, il se joignit à deux collègues, et je disparus dans la foule.

L'audience ne dura pas plus de dix minutes, et fut aussi vaine que je le prévoyais. Après être entrée dans une immense pièce lambrissée, il me fallut marcher un bon moment avant d'arriver à proximité du bureau derrière lequel trônait Bacilek. Il ressemblait encore plus à un crapaud que sur les photos. Il était moins effrayant que répugnant. Je n'en revenais pas. Il connaissait mon mari, et il m'écouta poliment, hochant la tête et prenant des notes sur une grande feuille de papier. Un an auparavant environ, j'aurais interprété son comportement et l'audience qu'il m'accorda comme un immense succès, gros de promesses. Plus maintenant, et quand il me répondit qu'il étudierait l'affaire avec soin, qu'il ferait ce qu'il pourrait et me tiendrait au courant - je reconnaissais sur son visage ce masque de politesse dont les grands responsables savent si bien et si prudemment se servir. Il me serra même la main en me quittant, ce que Kafana n'avait jamais fait. Il va sans dire que je n'entendis plus jamais parler de lui.

En sortant, je croisai un groupe de quatre ou cinq jeunes officiers qui se mettaient en rang devant une porte. Peut-être allaient-ils se voir décerner des médailles pour avoir exceptionnellement bien travaillé. Le destin capricieux avait voulu que le dernier de la ligne fût l'homme du train.

Pauvre Blackie, pensai-je. La plupart des monstres cannibales qui rugissaient dans les camps de concentration et sur nos frontières seraient sûrement devenus des compagnons fidèles et adorables s'ils avaient grandi ailleurs.

J'ai beaucoup de mal à trouver les mots pour décrire la laideur, tant naturelle que rajoutée par la main de l'homme, qui caractérise un village hongrois type. Après tout, les paysans hongrois sont mondialement célèbres pour leurs costumes nationaux, superbement colorés et savamment brodés à la main, pour la richesse unique de leurs chants et danses traditionnels et pour les ravissants chefs-d'œuvre d'un art millénaire. Mais dès qu'il s'agit du paysage, leur sens esthétique et leur créativité semblent avoir perdu tout dynamisme. Le village dans lequel on nous avait attribué le logement d'une pièce-cuisine, récemment libéré par un célibataire déporté dans une mine, était situé sur une terre très fertile et avait connu la prospérité dans le passé. Avec ses quelques milliers d'habitants, ce n'était plus un village, ce n'était pas non plus une ville. On n'y trouvait rien de ce qui fait les avantages de la cité, ni les charmes de la campagne. Des rangées de maisons basses, autrefois blanchies à la chaux, ouvraient leurs petites fenêtres directement sur une route sans trottoir. Et la route, qu'on appelait la rue, se transformait en torrent de boue dans lequel on enfonçait jusqu'aux genoux ou en plage de poussière grise et aveuglante, selon la saison, la pluie ou le vent. Çà et là, un acacia squelettique, à peine plus haut qu'un homme, essayait de grandir. Pas la moindre touffe de gazon, pas un arbre pour donner de l'ombre dans la chaleur de l'été, pas une fleur, sauf celles qu'on trouvait sur les tombes du cimetière entre quelques buissons récemment plantés, et dont on découvrait en y regardant de plus près qu'elles étaient en cire. Les autres, les vraies, on en trouvait encore dans des jardinets, derrière les maisons et invi-

150

sibles de la rue. Mais il fallait fouiller dans les plans de pommes de terre et de légumes divers pour les distinguer, et leurs pétales, comme tout le reste, y compris les entrées et les vérandas, étaient maculés de crottes de poulets, d'oies et de canards. Il m'était arrivé de traverser ce genre de villages en voiture, et chaque fois je m'étais posé la même question : comment pouvait-on vivre dans un endroit pareil ? Et pourquoi dès qu'on entrait dans des villages slovaques, moraves ou tchèques, généralement bien plus pauvres, découvrait-on des maisons repeintes de couleurs vives, des pelouses vertes, quelques grands arbres et de minuscules jardins fleuris séparant les maisons de la rue ?

Je ne voudrais pas généraliser, je me bornerai donc à dire qu'en ce qui me concerne, l'état d'angoisse et de peur devant le désastre à venir a toujours été pire que celui dans lequel me met le désastre quand il arrive pour de bon. Si je veux m'expliquer l'apparente facilité avec laquelle je prenais maintenant les catastrophes, je suis bien obligée de me dire que je porte en moi une petite graine de l'arbre de Bouddha. Quelques années auparavant, j'aurais été très malheureuse si une bouteille d'encre s'était renversée sur un divan. La première fois qu'on m'avait renvoyée de mon travail, j'avais cru que c'était la fin de tout. Deux ans plus tôt encore, j'avais tremblé et je m'étais battue pour garder notre appartement, comme si c'était le seul endroit au monde où nous pouvions vivre. Et récemment, j'avais connu la douleur de perdre ce qui me restait de foi dans les idées et les gens. Maintenant qu'il me restait si peu d'espoirs et de biens, la vie devenait plus facile. Pour commencer, j'avais acquis la quasi-certitude que je ne présentais plus aucun intérêt pour la police. Finalement, je me sentais merveilleusement plus libre que toutes celles qui avaient encore à perdre leur mari, leur travail, leur appartement, leurs biens et leurs illusions. Elles demeuraient des esclaves muettes et tremblantes, alors que moi je pouvais parler.

Si j'avais pu abandonner Bratislava dans une sorte d'euphorie je-m'en-foutiste, c'était surtout parce qu'au moment où je bouclais les valises, une nouvelle était tombée. Elle était de taille : Staline était mort. C'était l'heure du déjeuner, la batterie de cuisine était emballée, je décidai de célébrer l'événement en emmenant les enfants au restaurant. C'est là que je tombai sur un vieux camarade d'avant la guerre, qui se cramponnait encore à quelque fonction dans la direction du syndicat. Il vint à notre table et me demanda à voix basse s'il était vrai que nous étions déportés. Il avait refusé de croire, disait-il, à ce bobard malveillant colporté par de mauvaises langues, et il avait eu bien raison, il n'y avait qu'à me voir, sereine et détendue, attablée au restaurant, pour en avoir la confirmation. Je l'écoutai jusqu'au bout, puis je lui dis que tout cela était pourtant bien vrai, que nous partions en déportation le lendemain matin, et que si j'avais si bonne mine, c'était parce que le vieux salaud avait enfin claqué. A l'époque, il y avait ceux qui pleuraient sincèrement et ceux qui dénonçaient les autres qui ne pleuraient pas assez fort ou pas assez ouvertement. Après avoir prononcé ces mots, j'eus le sentiment d'être la seule personne vraiment libre dans cette région du monde, et cette jubilation dura suffisamment longtemps pour rendre la déportation supportable, en en faisant une sorte d'aventure.

Le printemps était tardif cette année-là, et à notre arrivée dans le village, on pouvait voir ici et là des plaques de neige sale sur la boue gelée. Le temps que le camion soit déchargé, il faisait nuit, et tandis que la voiture s'éloignait, je m'aperçus qu'il me manquait deux valises de vêtements et un petit tapis d'Orient en soie. Le tapis était un souvenir de Budapest, la seule chose qui me soit restée de la maison de mon enfance, et en fait le seul objet du chargement qui eût de la valeur. D'un point de vue pratique, évidemment, la seule perte réelle était celle des vêtements. Moi, je ne pensai qu'au petit tapis, en fonction des explications qu'il me faudrait fournir pour justifier de la disparition d'un des articles figurant sur la liste des biens confisqués.

Notre propriétaire, M. Kovacs, était le seul membre de sa

famille à être resté au village. A en juger par la taille et la situation de la maison, il était évident que cette famille-là avait été l'un de ces clans de paysans prospères et malins en affaires. Les bâtiments, longs et bas, entouraient une très grande cour ; ils étaient faits de hangars, d'étables et de toutes sortes d'ateliers. Le frère de M. Kovacs, chez qui la police nous avait logées, avait été le propriétaire de la boucherie qui donnait sur la rue. Elle était maintenant désaffectée et verrouillée. Un autre de ses frères avait reçu le « ticket blanc » deux ans auparavant. Ça signifiait la déportation pour lui et toute sa famille dans les Sudètes où ils remplaceraient les Allemands expulsés. M. Kovacs lui-même était fiché comme koulak. Il faut dire qu'il y avait mis du sien en refusant catégoriquement d'adhérer à la coopérative agricole malgré les pressions qui avaient été énormes. La coopérative ne l'avait pas oublié, et elle ne pouvait décemment plus le laisser entrer si d'aventure il avait changé d'avis, ce qui n'était pas son cas d'ailleurs. Son refus d'adhérer à la coopérative lui avait valu huit jours de prison, au bout desquels on l'avait relâché. La coopérative lui avait pris ses terres et son bétail, et il s'était vu allouer quelques mètres carrés situés si loin qu'il lui fallait faire près de deux heures de trajet à cheval et en carriole pour travailler sa terre. Tous les matins je l'entendais partir vers trois heures et demie. Je n'ai jamais compris comment il se débrouillait en étant seul, et avec deux chevaux seulement. Koulak, il l'avait été, c'est sûr, mais en bon koulak, il savait ce que travailler veut dire. Sa femme restait à la maison avec deux petites filles ; elle attendait un troisième enfant et s'occupait des quelques poulets et canards et de la vache qu'on leur avait laissés. Il y avait bien aussi un cochon, mais lui était un passager clandestin, il était bien caché.

Citadine enracinée comme je l'étais, j'en savais à peu près aussi long en agriculture qu'en astronomie - encore que je sois quand même capable de distinguer la Grande Ourse de la Voie lactée. Là, en pleine campagne, j'étais incapable de reconnaître la betterave à sucre du tabac, le blé de l'avoine, ou les petits canards des petites oies. Cela faisait beaucoup rire les gens du village. Leur hostilité première, et bien compréhensible à l'égard d'étrangers qu'on leur collait sur le dos, se transforma vite en gentillesse. Alors ils m'emmenèrent dans les champs, où je pus constater ce miracle : en été les choses poussent, c'est vrai, je les ai vues.

J'aidais à isoler la betterave et à cueillir l'ail, qu'on entassait dans de grands paniers après avoir coupé les tiges à l'aide d'un couteau très aiguisé.

M. Kovacs était un irréductible. Il considérait le régime et ses bizarreries comme une guignolade passagère, à laquelle lui et ses semblables survivraient. Il devait dépenser beaucoup d'argent en pots-de-vin parce qu'il était le seul à être tout à fait à son aise devant les fonctionnaires locaux qui faisaient trembler tout le monde alentour. Nous venions d'arriver quand le président Gottwald mourut. Les Kovacs nous invitèrent à célébrer l'événement chez eux, de l'autre côté de l'immense cour. C'était un banquet. On nous servit des choses que nous n'avions plus goûtées ni même vues depuis des années : des saucisses épicées faites à la maison, du pain tout frais, du foie d'oie, du poulet frit, un gâteau avec de la vraie crème fouettée et une quantité de vins délicieux.

Ce qui réjouissait Kovacs par-dessus tout, on le comprend, c'était l'état dans lequel se retrouvait la coopérative agricole du village. Son unique vache donnait plus de lait en un jour que toutes les malheureuses vaches rachitiques collectivisées n'en donnaient en une semaine. Il faut dire qu'elles avaient des raisons. On découvrit un peu tardivement qu'elles étaient tuberculeuses, et elles furent toutes abattues. Son cerveau de paysan malin fonctionnait comme un ordinateur, il enregistrait toutes les courbes de la situation financière de la coopérative. Curieusement, ce n'était pas au système en tant que système qu'il attribuait les échecs de la coopérative, mais à l'incompétence et à la malhonnêteté des gens qui en étaient responsables. Et voilà comment il l'expliquait : d'un côté il y avait des paysans qui avaient su utiliser leur tête, leurs mains, sans économiser leur peine, et qui avaient peu à peu réussi à acquérir la prospérité qui leur valait aujourd'hui d'être traités de koulaks. Avec de la chance ils se retrouvaient ravalés au rang d'ouvriers sous-payés à la coopérative, et n'arrivaient à nourrir leurs familles qu'à coups de chapardages. D'un autre côté il y avait ceux qui, à

force de se saouler la gueule et de ne pas travailler du tout.
n'avaient rien acquis du tout non plus. Possesseurs de rien
quand la « révolution » arriva, ils avaient été automatiquement
étiquetés comme prolétaires, et par conséquent dignes de foi.
C'est donc à eux, et sous la supervision de la police, qu'on avait
confié la gestion des coopératives. M. Kovacs concluait en
affirmant que si on l'avait pris, lui, pour faire marcher cette
invention farfelue qu'on appelle une coopérative agricole, elle
aurait quand même marché, et ma foi, c'était bien possible.

Je n'avais pas attendu l'analyse financière et politique de
mon propriétaire pour constater que la coopérative s'en allait à
vau-l'eau. Il m'avait suffi de jeter un coup d'œil de ma fenêtre.
Au-delà du bâtiment principal et des étables, il y avait une cour
qui se trouvait de l'autre côté de la rue. C'était un cimetière de
machines agricoles rouillées. Elles étaient en pièces détachées
ou en panne. Elles attendaient une réparation qui ne venait
jamais. De temps en temps, on voyait quelqu'un charger ou
décharger un camion, c'était toujours fait dans la mauvaise
humeur, et avec une agressive nonchalance. Ça sentait l'abandon partout. Les coopérateurs se voyaient attribuer arbitraire-
ment des travaux qu'ils ne savaient pas ou n'aimaient pas faire,
contre des sommes dérisoires en argent liquide. Le reste leur
était payé en nature, le produit de leur récolte étant considéré
comme salaire. Si les récoltes étaient mauvaises, ils recevaient
peu ou rien. C'était un cercle vicieux. Comme ils gagnaient trop
peu, ils travaillaient mal, et comme ils travaillaient mal, ils ne
gagnaient rien ; et comme il fallait bien vivre, ils volaient. Du
fourrage, par exemple, pour leurs oies, ou de quoi gaver chez
eux, en cachette, un cochon ou deux, ce que tout le monde
savait mais dont personne ne se préoccupait. Pendant ce
temps-là, les vaches de la communauté tombaient malades et ne
donnaient plus de lait. Il y a une image d'épouvante qui me
revient parfois. Un jour que nous traversions la cour de la coopérative, Tania et moi, nous avions découvert derrière le hangar
deux chevaux étendus, les pattes raides. Je demandai au garçon
d'écurie ce qu'ils avaient, il se contenta de hausser les épaules.
Ils se lèveront quand ça leur chantera, dit-il. Le lendemain, les
chevaux étaient toujours dans la même position. J'en parlai à

M. Kovacs qui éclata de rire, et m'expliqua la situation. Ces bêtes-là étaient tout simplement en train de mourir de faim, mais comme personne ne s'en sentait responsable, personne non plus n'osait les achever. Elles resteraient là et mourraient de leur belle mort. Ce qu'elles firent, mais dix jours plus tard.

Cependant, dans l'ensemble, la vie à la campagne était plus agréable et plus facile qu'en ville. Les gens ici étaient tenaces et la terre de leurs potagers fertile. Il n'y avait que trois magasins : une épicerie, un marchand de légumes, vide la plupart du temps, et un marchand de chaussures. Alors qu'à Bratislava les femmes passaient leurs journées à courir de boutique en boutique et de file d'attente en file d'attente pour essayer de décrocher la livre de pommes ou la culotte de nylon dont la rumeur publique avait annoncé l'arrivage hypothétique, ici, en revanche, nous savions toujours et jour par jour ce qui était arrivé ou pas. Ce pouvait être du fromage, quelques kilos de citrons ou un tonneau de poisson salé, en venant à temps on avait sa part, en arrivant trop tard on la ratait, mais il n'y avait ni bousculade ni queue. Quant aux culottes en nylon et autres articles du même genre, personne ne semblait s'en soucier dans le village. Comme la population formait un bloc sans malice mais bien uni contre le régime, la peur de l'Indicateur était inconnue. Le gouvernement était représenté par quelques fonctionnaires, étrangers au village, qui étaient bien payés et très satisfaits de leur sinécure ; sans malice eux non plus, et moins compétents que leurs confrères des villes, ils avaient le zèle paresseux et se laissaient facilement acheter et circonvenir. Les déportations, la collectivisation forcée, la nationalisation des magasins, l'omniprésence de la police et des faiseurs de propagande, l'envoi des récalcitrants dans les mines — tout cela c'était le passé, celui de cinq ans auparavant. Aujourd'hui les choses s'étaient tassées, la vie était ce qu'elle était et les gens essayaient de la vivre et d'en tirer le maximum.

Finalement pour nous, et surtout pour Tania, la déportation tournait plus à la bénédiction qu'à la punition. La petite découvrait la saveur du lait fraîchement trait, elle allait le boire à l'étable, et quand elle revenait de chez ses petits amis elle apparaissait toujours en mâchonnant une énorme tartine de pain au saindoux et à l'oignon haché ou une cuisse de poulet à la main. Obéissant à une nouvelle ordonnance, on avait récemment ouvert une crèche. Mais les mères étaient vieux jeu ; on n'y trouvait donc jamais plus de cinq ou six enfants à la fois. J'y laissais Tania quelques heures par jour, surtout pour la nourriture. La crèche bénéficiait de rations supplémentaires, et les deux « Taties » qui s'en occupaient préparaient pour les gosses des repas dans lesquels on pouvait reconnaître tout le génie et la passion culinaires des femmes hongroises quand elles se mêlent de vous faire manger. Tania grossissait et ses joues devenaient roses.

Cette image idyllique n'est là que pour illustrer le bien-fondé de ce vieil adage qui veut que tout soit relatif en ce bas monde. Le village était quand même à trois quarts d'heure de la gare la plus proche, et il n'y avait pas de bus. Les hommes qui travaillaient dans les usines à Bratislava, et ils étaient nombreux, devaient se mettre en route à trois heures du matin pour attraper le train qui les menait à la ville la plus proche où ils devaient attendre une correspondance pour Bratislava. Là, de la gare, ils prenaient le tramway ou le bus qui les déposait enfin à l'endroit où ils devaient pointer à six heures pile. Susie avait dix-sept ans et il lui restait un an de lycée à faire avant l'examen terminal. Pour arriver au lycée le plus proche, elle aurait dû marcher jusqu'à la gare et voyager pendant une heure. Je dis « aurait », car elle n'eut jamais l'occasion de faire cette expérience. Lorsque nous étions allées l'inscrire à l'école, le directeur nous avait posé les questions d'usage sur son père et, après avoir passé quelques coups de fil dans la pièce d'à côté, il était revenu nous annoncer que, malheureusement, il n'y avait pas de place pour elle. Je décidai alors de la remettre à son lycée de Bratislava, c'était risqué et un peu illégal, mais le directeur m'assura qu'il la laisserait suivre les cours jusqu'à l'examen, en précisant toutefois qu'il ne pourrait en aucun cas patronner son accès aux Universités par la suite. Il lui fallait donc habiter en ville. Signe des temps que nous vivions, ce n'est pas chez la sœur ni chez le frère d'Oskar qu'elle trouva à se loger, mais dans la famille d'une de ses condisciples. Elle était pensionnaire, cela me coûtait très cher tous les mois et la nourriture

157

n'était pas comprise. A midi elle déjeunait chez ma belle-sœur, et le soir venu elle faisait des descentes dans la cuisine de la famille-logeuse, pour découvrir qu'avec un croûton de pain trempé dans la moutarde, on se cale très bien l'estomac.

L'eau de la pompe dans la cour des Kovacs n'était bonne que pour la lessive et le lavage du plancher. L'eau potable se trouvait au puits artésien commun, à quelques centaines de mètres de chez nous, mais au retour, chargée de deux seaux pleins suspendus à un joug qui pesait sur mes épaules, j'avais l'impression de faire des kilomètres. Il y avait la lumière électrique, mais le courant était régulièrement coupé pendant plusieurs heures toutes les nuits et on manquait toujours du pétrole et des verres sans lesquels on ne pouvait pas se servir des vieilles lampes. Les bougies étaient introuvables.

C'est avec joie que je vis le printemps succéder à l'hiver, mais en même temps je constatai qu'il était impossible de garder les fenêtres ouvertes. L'odeur du fumier entassé dans la cour était telle qu'elle pénétrait à travers les vitres, et quand elles étaient ouvertes des milliers de mouches à viande bleues et bourdonnantes envahissaient la maison. Au début, je me refusai à utiliser les bandes de papier tue-mouches que je voyais accrochées dans toutes les maisons, ces agonies engluées et interminables m'étaient insupportables. Et puis, peu à peu, je me mis à tellement les détester que je les aurais bien volontiers fait crever une à une en les torturant avec délectation. Non seulement je devins une grande acheteuse de l'horrible papier tue-mouches, mais les soirs d'été, quand il faisait bien chaud, j'allumais un grand feu dans la cuisinière ; quand le dessus était rouge je le saupoudrais de DDT comme me l'avaient enseigné mes voisins. Alors s'élevait un horrible nuage de fumée empoisonnée, et les cadavres des mouches s'abattaient sur le sol par dizaines. Ça nous faisait quelques nuits de vrai sommeil, paisible encore qu'un peu enfumé. Quand j'y repense, je frémis à l'idée que je ne me suis jamais inquiétée de savoir quels pouvaient être les effets de la fumée sur nos personnes.

Des lettres de mon mari arrivaient plus ou moins régulièrement, tous les mois. Jamais rien d'autre que quelques mots insignifiants et étrangement optimistes. Cependant son code postal avait changé. Bien entendu, il ne faisait aucun commentaire sur notre nouvelle adresse rurale. Mais ses lettres étaient autant de signes de vie, les miennes aussi.

Un ou deux mois après notre arrivée, une autre « épouse » déportée arriva au village. Nos maris étaient amis, mais alors que le mien occupait de hautes fonctions dans le domaine de l'économie, le sien était un grand responsable dans l'appareil même du Parti à un échelon très élevé. Elle recevait de lui le même genre de lettres que moi et elle en savait encore moins long que moi sur sa situation. Rien n'avait encore paru sur ses « crimes ». Comme moi maintenant, elle était endurcie, ça nous rapprochait, ça nous soulageait. Ce qui nous soulageait surtout, c'était de pouvoir nous raconter mutuellement ce que nous n'aurions jamais osé dire à d'autres : que nos sentiments pour nos maris n'étaient pas faits que d'amour, de nostalgie et de pitié. Il y avait tout cela, bien sûr, ainsi que de la fidélité, mais il y avait aussi de la colère, du ressentiment et du regret d'être devenues leurs compagnes. Elle avait un petit garçon et, pendant que les enfants jouaient ensemble, nous échangions avidement nos expériences communes de femmes mariées à des hommes inconditionnellement voués au Parti.

Nous nous accordions sur cette théorie que j'avais formulée depuis si longtemps et si souvent élaborée, malheureusement, à la faveur de disputes conjugales. A savoir que les membres du Parti étaient comme des moines. Décidés à mettre leur vie au service de leur foi, il leur fallait donc vivre comme des moines dans leur monastère. Là ils pourraient tenir leurs éternelles réunions, lire, discuter de leur Bible et s'excommunier ou se brûler mutuellement de temps à autre. Le principal intérêt d'un tel état résidait dans le fait qu'il leur serait absolument interdit de se marier et de faire des enfants.

L'entreprise pour laquelle mon amie avait travaillé comme comptable était plus humaniste que la mienne, si bien que pour le meilleur ou le pire, elle avait du travail alors que je n'en avais pas. Quelque part à mi-chemin entre le village et Bratislava, on l'avait acceptée comme secrétaire dans un entrepôt. Je dis « le pire » car son travail l'obligeait à se lever dans le noir et à aller à la gare à pied. Elle était jolie et menue, prenait grand soin de ses cheveux toujours parfaitement décolorés, je ne la vis jamais sans maquillage, même le dimanche, qu'elle passait généralement assise devant sa porte faute d'autres distractions. Sa porte donnait sur une cour dans laquelle guerroyaient bruyamment des bataillons d'oies méchantes et malodorantes. En semaine, très tôt le matin elle partait d'un bon pas vers la gare, juchée sur des talons aiguille. Souvent ils s'enfonçaient dans la neige épaisse, elle s'obstinait à les porter quand même, comme elle s'obstinait à porter des bas très fins qu'elle n'aurait pour rien au monde troqué contre des chaussettes de laine. Et ça, ça m'épatait. Nous avons tous besoin de nous raccrocher à quelque chose. D'une autre « épouse » que je connaissais, on disait qu'elle se prostituait un peu et buvait trop ; d'une autre encore, qu'elle travaillait pour la police pour conserver son emploi et son appartement ; certaines relisaient Marx. Mon amie, elle, avait ses mises en plis et ses talons hauts pour lui soutenir le moral.

Comme je n'ai jamais eu la passion des belles toilettes, j'étais plutôt contente d'être débarrassée des soucis vestimentaires. Je mettais n'importe quoi pourvu que ça me tienne bien chaud, quand il faisait froid, et bien frais quand il faisait chaud et, comme le remarqua Susie lors d'une de ses rares visites, j'avais une drôle de dégaine. Mon amie avait décidé pour des raisons pratiques de cacher qu'elle était juive, alors comme tout le monde, le dimanche, elle allait à l'église avec son petit garçon. Elle me conseilla d'en faire autant mais c'était trop tard. J'étais arrivée avant elle, et cette idée de mentir ne m'ayant jamais effleurée, j'étais déjà repérée comme « la dame juive ». Cela ne nous faisait d'ailleurs aucun tort. Au contraire ; être les seules juives parmi toute cette population nous conférait une qualité de rareté et d'exotisme. Des familles juives avaient vécu là avant la guerre, elles avaient en général laissé un bon souvenir. Quant à leur destin final, il était évoqué avec horreur. Peut-être que le vieil antisémitisme paysan se refusait à s'allier à celui que la propagande officielle assenait quotidiennement par voix de presse et de radio. Si elle s'était mise tout d'un coup à vanter les mérites des juifs, le village alors se serait peut-être retourné contre nous.

Au début, la traduction des brochures du Parti continuait à rapporter un peu d'argent ; on m'avait aussi commandé la traduction d'un livre sur les engrais artificiels. Mais cela ne suffisait pas à nous faire vivre, nous au village, et Susie en ville. Il me fallait payer sa pension et ses petits frais. Par chance, rares étaient les gens du village qui connaissaient suffisamment bien le slovaque pour s'y retrouver dans la paperasserie bureaucratique. Il y avait des pétitions à écrire et des formulaires à remplir pour la moindre tractation avec les autorités. Ceux qui ne s'en sortaient pas avaient pris l'habitude d'aller se faire aider à la ville la plus proche, jusqu'au jour où ils découvrirent que j'avais une machine à écrire, que je savais taper et que je parlais le slovaque. C'est une vieille employée du bureau du Comité national local qui me fournit mes premiers clients. Elle était petite, bossue et demoiselle et à elle seule elle symbolisait les caprices que le destin avait réservés à ce minuscule morceau de pays situé au cœur de l'Europe. Depuis plus de quarante ans, elle était assise derrière le même bureau. Elle servait maintenant son quatrième régime, elle avait débuté sous François-Joseph, continué avec Masaryk et les fascistes, et finissait aujourd'hui avec le socialisme. Je crois que rien ne l'avait jamais troublée, du moment qu'on la laissait classer ses dossiers à sa façon et qu'on la traitait avec respect. On disait que jamais personne n'avait osé la renvoyer, parce qu'elle en savait trop long sur tout le monde, à des kilomètres à la ronde. En échange de mes bons services, je recevais de la farine, des fruits, des légumes frais et quand on tuait les cochons à l'automne, du boudin noir, du boudin blanc, du lard et de la couenne. Et bien entendu du beurre et des œufs. Des œufs, des œufs... des œufs. Je n'ai jamais mangé autant d'œufs de ma vie. Comme le magasin manquait souvent de pain, les voisins m'apprirent à le faire ; on le portait au four communal, et les enfants en groupe allaient le chercher le lendemain matin. Tania se faisait une couronne par jour en menant la vache de M. Kovacs au puits, et comme l'épicerie n'avait pas de bonbons, elle dépensait sa couronne en levure, qu'elle venait de découvrir et adorait.

Moi, j'avais peur des vaches, et jamais je n'aurais osé en faire marcher une à la baguette, comme Tania le faisait. Je ne connaissais des vaches que celles que j'avais rencontrées pendant les randonnées d'été, dans mon enfance. Ma peur datait de ce temps-là. J'étais si petite et elles si grandes et si fortes que je ne comprenais pas comment elles pouvaient se laisser tripoter, battre et mener sans jamais broncher. Mais comme elles étaient très nombreuses dans un troupeau, j'imaginais dans mon cerveau d'enfant qu'un jour viendrait où elles sauraient fomenter la rébellion, et ensemble abattre leurs maîtres chétifs. Ce n'était plus qu'une question de communication et d'organisation pour une action commune. Quand une vache s'arrêtait pour me regarder, je voyais bien que derrière la bêtise légendaire de son regard, on pouvait lire les noirs desseins que je lui prêtais à elle et à sa sœur. Mais Tania, loin de ces rêves révolutionnaires, persistait dans sa tâche et je me gardais bien de lui communiquer mes idées fixes. Elle arrêta sa carrière de gardienne de vaches le jour où elle réapparut à la maison en sanglotant, et recouverte de la tête aux pieds d'une bouillie innommable de bouse et de boue.

De temps en temps, je la confiais aux voisins et j'allais à Bratislava rapporter mes traductions et en reprendre d'autres. J'en profitais pour voir le peu d'amis qui voulaient bien me voir et pour renouveler ma provision de lecture à la bibliothèque. C'était l'époque où chaque concierge était obligé de tenir le registre des noms de toute personne hébergée par un locataire. Cela compliquait singulièrement mes aller et retour. Surveillée comme je pensais l'être, je ne pouvais pas prendre une chambre à l'hôtel. Les parents ou les vieux amis se croyaient, à tort ou à raison, dans des situations trop précaires pour oser m'inscrire comme leur hôte pour la nuit. Je ne pouvais voir les gens qu'après leurs heures de travail, et il n'y avait plus de train tard le soir pour me ramener ; il m'arriva donc de passer quelques nuits sur un banc de la gare. Mais il m'arriva aussi d'avoir le bonheur de croiser des gens exceptionnels ; une fille qui avait travaillé avec moi au bureau de brosses à dents, un docteur et sa femme qui me connaissaient à peine, par exemple. Ceux-là, qui n'avaient jamais posé aux sauveurs de l'humanité tout entière, étaient cependant exceptionnels, puisqu'ils osaient prendre des risques ; ils savaient héberger et aider, ne serait-ce qu'une personne, mais justement celle qui en avait besoin. J'évitais de lire nos journaux et n'ouvrais jamais la radio avant tard le soir, quand je pouvais prendre la BBC. C'est comme cela que j'appris la libération des huit docteurs juifs de Leningrad accusés de complot d'assassinat contre Staline, et aussi que Beria avait été fusillé. Mais là où j'étais, ça ne changeait rien, et ça n'intéressait personne. Pourtant je regrettais de moins en moins Bratislava et je préférais écouter des vieilles histoires de fantômes et les cancans du village plutôt que de me livrer à des spéculations politiques.

Au début juin, cependant, la réalité politique s'abattit sur notre petit coin tranquille d'une façon qui ne pouvait pas passer inaperçue. Du jour au lendemain survint la dévaluation de la monnaie. D'un coup, 50 couronnes en liquide n'en valaient plus qu'une, et seuls les dépôts en banque inférieurs à 5 000 couronnes par compte conservaient une valeur réduite au dixième. Si les paysans gardent leurs économies dans leur matelas ou dans un vieux bas de laine, c'est généralement parce que la banque la plus proche est quand même très éloignée. Le change s'organisa donc au Comité national. La foule attendait en silence, elle était disciplinée et calme, personne ne protestait, mais les officiels mandatés par la capitale aboyaient leurs ordres comme s'ils s'adressaient à un cheptel de criminels. Personne, une fois l'opération achevée, ne commenta les pertes subies, parce qu'officiellement personne n'était censé posséder assez d'argent pour les avoir subies. Quand tout fut terminé, on entendit dire qu'un jeune couple s'était suicidé. Ils avaient mis patiemment de côté de quoi s'acheter des meubles de cuisine, avaient fait la queue pendant des heures pour savoir la date et le lieu de l'arrivage du mobilier de leur rêve dans la ville voisine. Avec la dévaluation, ils s'étaient retrouvés avec tout juste de quoi se payer un tabouret. Quant à moi, avec mes presque 200 couronnes, je n'étais pas la plus grosse perdante.

Mon refuge, c'était la lecture. A la bibliothèque, je découvris une vieille édition des œuvres complètes d'Anatole France en six volumes, merveilleusement reliés et illustrés. Je les lus de la première à la dernière ligne, y compris celles que je connaissais déjà. Je cherchais dans le dictionnaire tous les mots que je ne connaissais pas. Je crois que j'étais surtout fascinée par la beauté de la langue. Après cela, ce furent les œuvres complètes de Proust.

Et puis, miraculeusement, je me trouvai du travail. Il y avait une petite pharmacie tenue par son ancien propriétaire et sa femme, qui lui servait de préparatrice. A la fin de l'été, un nouveau décret gouvernemental fut publié, stipulant que les anciens propriétaires-pharmaciens n'avaient plus le droit d'exercer dans leurs propres pharmacies. Ce qui entraîna le déracinement et la migration de générations entières de pharmaciens et de leurs familles. Le couple expulsé fut muté dans une autre pharmacie, dont le propriétaire, expulsé et muté lui aussi, fut chargé de la nôtre. C'était un Hongrois d'un certain âge. Il avait l'air sympathique, mais aussi bien malheureux d'avoir dû abandonner une affaire qu'il avait créée et gérée depuis presque quarante ans. Comme il était célibataire, il lui fallait trouver une aide-préparatrice. Chaudement recommandée par le couple en partance, c'est moi qui obtins la place. Il s'agissait de donner trois ou quatre heures par jour, sans horaire fixe, selon les urgences. J'appris à mélanger des doses minuscules de poudres de toutes sortes, à les peser sur une balance miniature, puis à les répartir sur de petites feuilles de papier dont il fallait respecter le pliage très particulier. Il m'apprit à me servir d'un pilon de marbre pour broyer et mixer des ingrédients divers dans un petit mortier. Je préparais des baumes, des pommades et des crèmes dont je remplissais bien proprement des bocaux. Très vite je fus capable de déchiffrer la plupart des ordonnances du médecin et de servir moi-même les clients en médicaments courants. Il y avait un vieil instrument qui servait à mouler les pilules et les suppositoires. De belles étagères de bois ancien couraient tout le long des murs et soutenaient des rangées et des rangées de pots de porcelaine et de bouteilles de verre coloré, depuis longtemps inutilisés, mais dont les inscriptions latines étaient porteuses de senteurs exotiques et d'associations délicieuses avec la poésie classique. J'aimais bien cela.

Mon patron sortait de la vieille noblesse hongroise. C'était un mélomane passionné : il avait une très grande collection de disques, surtout des opéras. Tout en les écoutant il aimait bien montrer les albums de son autre collection : des lettres et des photos dédicacées par de célèbres ténors. C'était aussi un homme profondément religieux. Après le travail, il m'arrivait souvent de passer des soirées bien agréables à les écouter discuter, lui et son nouvel ami le curé du village. Ce vieux curé était en fait un ancien professeur de théologie ; on l'avait envoyé dans ce poste en manière de punition - bénigne - après une fouille de routine, au cours de laquelle la police avait trouvé quelques lettres et une carte de vœux d'un de ses vieux amis, qui par malchance se trouvait être le cardinal Mindszenty. Le pharmacien, le curé auxquels venait se joindre le docteur, presque tous les jours après la fermeture, aimaient bien ma compagnie et appréciaient beaucoup les biscuits que je leur confectionnais avec mon inépuisable provision d'œufs frais. Moi, j'aimais bien leur vin, un peu leur musique, et surtout l'aventure qui m'était offerte de pénétrer dans un monde qui m'était jusqu'alors inconnu. J'étais assise là, au milieu de mes ennemis de classe qui symbolisaient à eux trois tout ce que nous avions condamné, et étaient censés mépriser tout ce que je symbolisais. Moi, juive et femme de communiste, avec trois goyim réactionnaires, dont un réactionnaire de métier ! Paradoxalement, ils étaient bien plus tolérants que moi à l'égard du régime. Ce régime m'avait si terriblement déçue, il les avait agréablement surpris par rapport à ce qu'ils redoutaient autrefois du bolchevisme. Le professeur avait perdu sa chaire, mais il prêchait dans une église pleine à craquer, on ne l'avait pas encore passé à la broche pour le rôtir, ni fusillé, ni torturé, ni... ni, et là il énumérait tout ce qu'il croyait savoir d'une guerre d'Espagne qu'on lui avait racontée. Bien sûr, le docteur touchait un salaire fixe ridiculement bas pour ausculter des centaines de gens par jour, c'était scandaleux, mais il vivait quand même très bien avec les cadeaux qu'il recevait en nature des patients qui désiraient un véritable examen et un traitement sérieux. Dans l'ensemble, ils trouvaient que, même si les communistes commettaient de nombreuses injustices, même s'ils avaient mis en place un gouvernement d'imbéciles et même s'ils mentaient sans aucune vergogne, ils avaient au moins le mérite de ne pas massacrer en masse comme l'avaient fait les fascistes. Par ailleurs, quand ils tuaient, ils ne tuaient que les leurs, ce qui n'était déjà pas si mal.

Pendant un certain temps, ils firent des efforts généreux et insistants pour me convertir au catholicisme ; puis ils décidèrent d'un compromis, et finalement ils se seraient contentés du minimum : me convertir à ce qu'ils pensaient devoir être ma religion. De ma vie, je n'avais jamais eu autant besoin de foi qu'à cette époque-là et j'essayai désespérément et sincèrement de croire. Mais j'étais et je demeure un cas désespéré. J'étais tout à fait incapable de concevoir les absurdités intellectuelles qu'on essayait de m'inculquer. Je leur demandai leur pardon avec tristesse. Ils pardonnèrent et renoncèrent. Nous restâmes bons amis dans un étrange climat de curiosité et de tolérance réciproques.

Un dimanche d'été, M. Kovacs nous emmena dans ses champs lointains. Tandis que sa femme et moi nous nous occupions de l'ail, les enfants attrapaient de toutes petites grenouilles pour les rapporter à la maison. Dans un grand bocal avec une petite échelle de bois, elles nous prédiraient le temps. Nous étions en train de défaire le panier du pique-nique, lorsqu'un garçon arriva en courant et en criant mon nom. Un bizarre « oncle » était venu me voir et le père du garçon, qui savait où nous étions, avait proposé de l'amener. En regardant vers la route, abritant mes yeux du soleil, je vis la grande silhouette mince de mon mari surgir dans la lumière. Je bondis et, saisissant Tania au passage, je gravis la pente en courant. A cet instant précis, ma résignation qui avait tourné peu à peu à l'indifférence fit place à un jaillissement indicible de joie et d'amour. Sans la moindre surprise entre les deux. Rien ne semblait plus naturel et plus logique qu'il soit enfin venu.

Quelques secondes me suffirent pour voir que ce n'était pas Oskar mais son frère qui avait soudain décidé de nous rendre visite. En fait, ils ne se ressemblaient pas tellement, et en temps normal, je ne les aurais jamais pris l'un pour l'autre, même à une distance deux fois plus grande. Ce qui montre que, malgré tout, je l'aimais encore et ne croyais pas vraiment qu'ils le condamneraient.

Mais ils le condamnèrent.

L'ail séchait dans l'appentis, des prunes mûres cuisaient à gros bouillons dans un énorme chaudron au milieu de la cour, les oies, chaque jour plus grasses, se laissaient conduire, et la BBC en était à se réjouir de petits faits qu'elle croyait à l'évidence être des signes de destalinisation. Ce même jour, je signai à la poste le reçu d'une lettre recommandée.

> « Prague, le 29 septembre 1953,
> Premier greffe des publications judiciaires :
> Nous vous informons par la présente que le Dr Vorel, avocat près notre cour, a défendu ce jour votre mari devant la Cour suprême, à Prague. Votre mari, reconnu coupable de haute trahison et d'espionnage, a été condamné à vingt-deux ans de réclusion. Peines annexes : la confiscation de ses biens et sa déchéance de ses droits civils pour dix ans ont été prononcées.
> Au nom de la Paix !
> Dr Vorel. »

En hongrois, ainsi que dans quelques autres langues, le verbe principal est toujours précédé d'un auxiliaire-préfixe dans les formules de politesse interrogatives ou impératives. On pourrait approximativement traduire ce préfixe par la formule « *ne vous plairait-il pas ?* ». Mais une phrase ainsi tournée ne peut retrouver tout son sel ni en anglais ni en français. Il m'est donc impossible de vous faire ressentir, à votre tour, tout l'humour noir de la réplique de M. Kovàcs quand, sans y voir de mal et en toute candeur, il me dit en me croisant dans la cour le lendemain matin : « On n'a pas fermé l'œil de la nuit, ma femme et moi. On ne pensait qu'à vous. Vous m'en voudrez de vous le dire, mais ni elle ni moi, on comprend pas comment *il ne vous plairait pas* de vous suicider. »

Là-dessus arriva une lettre officielle m'indiquant la nouvelle adresse de mon mari et m'informant que je pourrais dorénavant solliciter la permission de lui rendre des visites. Deux mois plus tard environ, sa première lettre arriva. C'était en novembre. A la lire, je compris que plusieurs de mes lettres ne lui étaient jamais parvenues.

« La dernière lettre que tu m'as envoyée date du mois d'août. Cela fait longtemps. J'espère que tu as reçu la lettre que je t'ai envoyée après le procès. Sinon, je te rappelle que j'en ai pris pour vingt-deux ans et que mes biens sont confisqués. Je t'en supplie, ne craque pas. Tiens bon. Tâche de refaire ta vie pour que cela vous soit - à toi et aux enfants - le moins insupportable possible. Fais comme si je n'étais plus là. Divorce si on te le conseille. Ce n'est certes pas l'envie de te revoir qui me manque. Mais je crois que je dois renoncer à tes visites. Je suis trop loin de toi, et le voyage coûte trop cher pour des visites de quelques minutes seulement. A moins qu'en prenant les devants, tu n'obtiennes une permission spéciale qui nous autoriserait à nous voir plus longuement et à parler aussi de ce qui m'est arrivé. Une telle visite serait *tellement* importante. Jusqu'à ce que s'ouvre mon procès j'ignorais tout de ce qui s'était passé pendant les deux dernières années. J'aimerais écrire plus, noter mes réflexions philosophiques ou sentimentales, mais je n'en ai ni la place ni la possibilité. Tu occupes mes pensées à chaque instant : j'essaie de m'imaginer ce que deviennent les enfants, quelle est ta vie. Peut-être pire ou meilleure que ce que j'imagine. Partout, on rencontre des canailles et des gens bien, là comme ailleurs. Je vous aime toutes. Père. »

Officiellement, on pouvait écrire tous les quinze jours. Ce que je fis, bien évidemment. Mais sa deuxième lettre était datée du 10 décembre.

« Ta lettre du 18 novembre m'a bouleversé. C'étaient les premières nouvelles depuis août. Aucune photo ne m'est parvenue. Moi aussi de mon côté je vais faire une demande de visite. Ta demande était bien remplie, mais aucune date n'y figurait. Il faut que je te parle. J'en ai un besoin urgent. Pas seulement pour des raisons sentimentales. Je te le redis, ce n'est pas l'envie de te revoir qui me manque. Ce n'est pas pour moi d'abord que je veux te parler. Le plus important pour moi, c'est de te faire comprendre que ni toi ni les enfants ne devez, à cause de moi et de mon passé, courber la tête devant les gens honnêtes et surtout devant les communistes sincères. Ne t'en fais pas trop pour moi. Où je travaille et ce que je fais ? Je ne puis répondre à tes questions. Sache simplement que je suis en bonne forme. Ne crois pas que je me suis désintéressé de toi pendant tout ce temps. Mais on m'a toujours dit - et c'est aussi ce qu'on me répète ici - qu'en vertu des lois de notre pays ni toi ni les enfants ne pouvez faire l'objet de discrimination ni de persécutions au travail, à l'école et dans votre vie. Le procès s'est déroulé à huis clos, mais la condamnation a été rendue publique. Tu devrais essayer de te procurer la minute officielle des arrêtés du jugement. Quand la condamnation a été prononcée, j'étais trop écrasé sous le choc pour la demander et mon avocat ne me l'a pas rappelé. Ecris-moi tout - même les petites choses. Je ne sais même pas à quelle école va Susie. Essaie de quitter ce village. Sur ce point, ne sois pas trop modeste dans tes demandes. Je te répète que vous ne devez pas avoir, à cause de moi, le sentiment d'être diminuées. Essaie de me faire parvenir des photos. Mais rien d'autre. Quand vous serez en vacances, mes pensées vous accompagneront. Puisse cette nouvelle année vous apporter plus de bonheur ! Je vous aime, toi et les enfants, plus que tout au monde. »

Puis nous fûmes autorisés à nous écrire toutes les semaines. Mais la censure confisquait tellement de lettres que nous étions souvent sans nouvelles pendant des mois. La plupart de nos lettres s'enquéraient de nouvelles qui n'étaient jamais parvenues ni à l'un ni à l'autre et racontaient nos inquiétudes réciproques. Le classeur que je garde encore maintenant de cette correspondance échangée pendant près de dix ans pourrait à lui seul faire un livre. On parlait surtout des enfants. Notre amour et notre désir de nous revoir, répétés à longueur de lettres, ne furent peut-être jamais aussi réels, intenses et sincères que durant ces années-là. A part ces sentiments qui eux étaient bien réels, chacun de nous mentait bien évidemment dès qu'il s'agissait de parler de notre santé ou de notre situation respective.

Après quelque temps, Oskar reprit courage. Il commença à me donner des instructions et à me fixer des démarches à entreprendre pour une révision de son procès. J'avais trop d'exemples autour de moi pour ne pas savoir que les démarches étaient complètement inutiles, mais comme il semblait tout ignorer de la vraie conjoncture politique, je lui obéis et j'allai à Prague pour voir son avocat. Ce personnage écœurant me soutint que si Oskar l'avait écouté, il n'en aurait pris que pour dix ans. Mais voilà, il s'était entêté et il avait refusé de confesser ses crimes. Je découvris aussi à cette occasion qu'il n'avait rencontré Oskar pour la première fois que dix minutes avant l'ouverture du procès. Il insista sur le fait qu'il n'y avait absolument plus rien à faire, et pourtant je sortis extrêmement soulagée de cette entrevue. Puisque cet abominable salaud, cet homme de paille de notre inqualifiable système judiciaire accusait Oskar d'entêtement, c'était la première preuve irréfutable que mon mari avait bien gardé sa raison. J'écrivis aussi à la Cour suprême et rencontrai le juge qui avait présidé aux débats. Je fus alors ensevelie sous un tas de mensonges éhontés, tous plus incroyables les uns que les autres. L'avocat prétendait que les minutes n'étaient pas en sa possession, parce qu'elles avaient été déposées au tribunal de première instance où Oskar avait d'abord été jugé. Ce tribunal ne pouvait pas détenir ces documents pour la bonne raison qu'il n'y avait jamais eu de première instance !

Oskar avait été jugé et condamné à huis clos par la Cour suprême, un point c'était tout. Le juge me fit poireauter pendant des heures avant de me recevoir entre deux portes pour me jurer, dans un grand sourire cynique, qu'il n'avait jamais eu à juger une telle affaire à la Cour. J'écrivis au président, comme Oskar m'en priait, mais ne reçus aucune réponse. Oskar ne semblait pas comprendre pourquoi je m'arrêtais là, et il commença à m'en faire le reproche. Je ne pouvais pas lui expliquer. Nous vivions chacun sur deux planètes différentes, et bien que nous ayons pu correspondre à de multiples reprises, nous ne savions alors presque rien de la vie de l'autre : c'est ce que nous comprîmes seulement dix ans plus tard, quand nous nous revîmes.

De-ci, de-là, je tombais parfois sur une phrase qui avait échappé à l'attention des censeurs ou plutôt à leurs facultés intellectuelles. C'était comme si le sens passait en contrebande.

« 21 octobre 1953,
Ayant eu le temps d'y réfléchir longuement, j'en suis venu à considérer comme une tragique erreur les efforts tentés par certains pour se sentir assimilés. Heine échoua et Fast[1] connut le même sort. »

Ce qui l'avait conduit à s'interroger sur sa judéité ne m'apparut clairement que près de deux ans plus tard, quand me parvint sa première lettre sortie clandestinement de prison avec ordre de la recopier et de l'envoyer au président de la République, au Comité central et à plusieurs autres personnalités ou institutions de haut rang.

C'était, en une douzaine de pages, la description minutieuse de la manière dont la police lui avait arraché ses aveux. La seule différence avec la Gestapo n'était pas l'idéologie, mais les méthodes plus raffinées de notre police.

---

1. Il s'agit, semble-t-il, du romancier américain Howard Fast. Communiste, auteur des *Douze Frères,* ouvrage consacré aux Maccabées, et l'un des animateurs du « Joint Anti-Fascist Refugee Committee », Fast fut victime du maccarthysme : en 1952, sa célèbre biographie du publiciste radical de la guerre d'indépendance américaine Thomas Paine fut retirée de toutes les bibliothèques (cf. David Caute, *The Great Fear. The Anti-Communist Purge under Truman and Eisenhower,* Londres, Secker and Warburg, 1978). (N.d.T.)

Mais revenons à cette époque. De temps à autre, nous nous remontions mutuellement le moral avec quelques bons mots. En réponse à un récit minutieux et affriolant que je lui fis de la beauté croissante de la jeune fille en fleur que devenait Susie, Oskar m'écrivit qu'elle pouvait dormir tranquille, elle avait en prison tout un lot d'admirateurs, encore que... « plusieurs de mes collègues l'admireraient plus encore si elle avait choisi de téléphoner à Truman plutôt qu'à Staline ». Pour ma part, j'informai Oskar qu'après la naissance du dernier enfant Kovacs, Tania voulait absolument que j'aie un autre bébé moi aussi. Ce que je lui promis dès le retour de son père à la maison. « Non, maman, me répondit-elle, je le veux tout de suite, papa, en rentrant, sera tellement content de trouver un bébé tout neuf ! »

Dans une autre lettre, je lui racontais que Tania m'avait demandé un soir de lui apprendre à dire en hongrois « lèche mon cul », délicate interjection très usitée en slovaque ; elle avait absolument besoin de le savoir pour le lendemain lorsqu'elle reverrait les vilains garnements qui lui avaient couru après en lui criant : « On sait que ton père est en taule ! On sait que ton père est en taule ! »

Susie était seule à Bratislava et pour la première fois de sa vie elle était tombée amoureuse à s'en rendre malade. Son élu était un de ses condisciples, et un dimanche elle me l'amena. Ils avaient tous les deux dix-sept ans et ils formaient un beau couple. Mais lui, je le trouvai plutôt niais. Il semblait beaucoup s'inquiéter des résultats que donneraient les travaux de la « Brigade des moissons socialistes » qu'ils partaient accomplir ensemble. En 1954, ces brigades étaient déjà considérées comme une corvée nécessaire à laquelle chacun essayait d'échapper s'il en avait la possibilité, mais ces deux-là, au contraire, semblaient impatients d'y aller. Il ne me restait qu'à donner à ma fille une leçon rapide et résumée de physiologie, insistant plus sur la manière de s'y prendre que sur ce qu'il ne fallait pas faire. Les jours heureux de la pilule n'étaient pas à l'horizon, l'avortement n'était pas pratiqué et si on découvrait qu'on y avait eu recours, on prenait de trois à cinq ans de prison. Elle

173

eut la patience de m'écouter et j'eus la discrétion de ne pas lui demander si mes conseils avaient l'attrait de la nouveauté. Je les regardai partir tous les deux, main dans la main, je me sentis écrasée sous le poids des responsabilités, désarmée, seule, inquiète et un peu envieuse.

C'est à peu près à la même époque qu'un orchestre étudiant de l'université découvrit les talents de chanteuse de Susie. La principale occupation de ma fille avait été d'écouter tard dans la nuit, passionnément et sans jamais se lasser, les mêmes chansons retransmises par les radios étrangères, jusqu'à ce qu'elle les eût apprises par cœur et les ait transcrites en anglais. Ella Fitzgerald était son idole, et elle connaissait tout Gershwin, tout Cole Porter et la plupart des derniers « hits ». Les disques étaient bien entendu introuvables et les jeunes aimaient cette musique-là par-dessus tout. Au cours d'un bal, un soir, elle chanta au micro. Ce fut un triomphe. L'orchestre lui offrit sérieusement de l'engager. Mais son école le lui déconseilla, du moins tant qu'elle n'aurait pas décroché son examen terminal. Ils prenaient déjà un gros risque, disaient-ils, en l'envoyant s'y présenter.

Les brochures à traduire n'arrivaient plus. L'ouvrage sur les engrais fut enfin publié, mais la dévaluation ayant exercé ses ravages, la somme qui me revenait au terme de mon contrat et sur laquelle je comptais pour vivre pendant plusieurs mois suffisait à peine maintenant à nous faire subsister pendant quelques semaines. Je ne pouvais plus payer la pension de Susie. Elle emménagea chez des amis qui lui offrirent un lit pliant pour quelque temps. Elle finit son année scolaire avec d'excellentes notes, mais la poursuite d'études supérieures devint inenvisageable. Loin d'elle, je ne pouvais pas l'aider, je pouvais à peine subvenir à mes besoins et à ceux de Tania. Il devenait urgent de lui donner un foyer, de l'aider à préparer son avenir, bref de trouver du travail pour elle comme pour moi. Tout cela était impossible à réaliser tant que je demeurerais où j'étais.

Petit à petit, la rumeur se répandit que les personnes déportées lors de l'« Opération B » pourraient retourner en ville, où elles seraient tolérées à la condition qu'elle habitent chez des parents ou qu'elles trouvent elles-mêmes à se loger. Quelques exemples vinrent confirmer cette rumeur. Les déportés ne pouvaient prétendre retrouver leur appartement confisqué, mais presque deux ans après sa mise à exécution, il se murmurait ouvertement que l'« Opération » avait outrepassé la loi. Une amie, dont le mari avait été condamné entre-temps à quinze ans d'emprisonnement, se vit attribuer une chambre et une cuisine dans la petite ville où elle travaillait. Je commençai à répondre aux petites annonces dans les journaux, tâchant de trouver un travail et d'atterrir quelque part, n'importe où, du moment que l'entreprise me donnait une chambre. En vain. Jusqu'au jour où, grâce aux amis d'amis d'une dame que je n'avais jamais vue, on me signala quelque chose à Bratislava.

C'était l'adresse d'une vieille dame, veuve d'un homme de loi, qui habitait avec sa fille célibataire dans une très lointaine banlieue. La bâtisse devait avoir eu, avant la guerre, l'aspect d'une coquette villa, mais laissée à l'abandon comme elle l'était, elle avait tout de la masure.

La mère et la fille disposaient de deux pièces mais vivaient, cuisinaient et dormaient dans l'une des deux seulement, depuis que le toit s'était effondré sur l'autre. Dans la petite arrière-cour, quelques marches en bois donnaient à pic sur le palier de deux chambres en sous-sol, l'une minuscule, l'autre plus grande. Deux soupiraux laissaient passer la lumière du jour à travers d'épaisses barres de fer mais suffisamment larges toutefois pour offrir des passants une vue qui allait en remontant de leurs chaussures à leurs genoux. Il y avait l'électricité et un évier avec l'eau courante. Pour aller aux toilettes, c'était toute une expédition ; il fallait grimper l'escalier, sortir, escalader un petit talus derrière lequel on découvrait les vestiges d'une cabane en bois. Ma future propriétaire convint que les toilettes étaient inutilisables. Un avis, placardé sur la porte de la plus grande des deux pièces, indiquait que le Comité national après visite de ces locaux les avait déclarés inhabitables et par conséquent en interdisait la location. La veuve m'assura que cette inspection datait de si longtemps que personne ne s'en souvenait. Elle m'annonça un loyer que je trouvais plutôt cher, mais je passai outre : en fait, j'étais ravie. Enfin, j'avais un toit sous lequel nous allions nous retrouver, les deux filles et moi, et à Bratislava où je finirais bien par me trouver du travail.

Début juin, nous avions emménagé. A peine une semaine passa que deux membres du Comité national se présentaient, porteurs d'un avis. Ce papier timbré ne nous contestait pas le droit de vivre en ville, puisqu'en fait on ne nous l'avait jamais légalement retiré, il ne nous mettait pas en garde contre l'insalubrité déclarée des locaux, il nous informait plutôt du fait qu'ils avaient été officiellement attribués à quelqu'un d'autre, et qu'en conséquence nous devions vider les lieux sous huit jours. Pour aller où ? Ce n'est pas notre affaire, me répondirent-ils, non sans ajouter sur le pas de la porte que ce pourrait bien être en prison si je n'obtempérais pas.

Je préfère ne pas entrer dans le détail de ce que furent les jours suivants. J'étais paniquée mais je décidai de ne pas céder. J'écrivis au président, au Comité central, au Comité national et au commandant du camp où Oskar était détenu. J'allai voir un avocat, un juge, un vieil ami de mon mari qui travaillait encore au siège central du Parti, des journalistes, des écrivains et tous ceux dont je croyais qu'ils avaient quelque entregent. Les officiels ne promettaient rien, les lettres demeurèrent sans réponse, mais je notai un grand changement chez des membres du Parti que je n'avais pas revus depuis des années. Aucun d'entre eux ne me l'avoua en ces termes, mais il était évident que tous étaient convaincus, comme moi, que le procès Slánský avait été une énorme mascarade, et que les pendaisons étaient des crimes. En résumé, que nous pataugions tous dans un océan de merde. Je me débattais au fond tandis qu'ils faisaient du yachting en surface, mais l'odeur remontait, et à bord ça commençait à puer. Il allait leur falloir dix ans pour commencer à dire tout haut ce qu'ils pensaient tout bas en 1954. Mais déjà leur conscience était à ce point mauvaise qu'ils décidèrent d'essayer de m'aider. J'ignore ce qui fut décisif. Peut-être le coup de téléphone d'une femme écrivain à l'un de ses vieux camarades du Comité national qu'au paroxysme de la colère elle traîna dans la boue. Dans les ouvrages qui l'avaient rendue célèbre des années auparavant, elle avait toujours su trouver des mots plus chaleureux et plus passionnés pour traiter des mêmes sujets que ceux qu'abordaient ses collègues masculins. Et voilà qu'une fois encore, elle prouvait qu'elle était capable de laisser parler sa passion sans retenue, et comme peu d'hommes avaient osé le faire.

Quoi qu'il en soit, en partant, début juillet, rendre notre première visite à Oskar, nous ne savions toujours pas si nous retrouverions notre gîte au retour. Finalement, l'autorisation de rester nous fut délivrée en même temps que notre avis d'expulsion. Et puis, petit à petit, les choses se tassèrent, apparemment on nous oubliait et c'est ainsi que ce sous-sol devint notre foyer pour les six années à venir.

Nous devions nous présenter au camp à neuf heures le matin. C'était l'été et cette année-là il fut torride. Il nous avait fallu changer de train aux aurores, et rouler pendant deux heures dans la Bohême du Nord, là où se trouvent les mines d'uranium. Je n'avais pas fermé l'œil de la nuit. Tania était sur mes genoux et Susie, qui n'avait pas trouvé d'autre place, avait grimpé dans le filet à bagages où elle pouvait s'étendre et dormir un peu. Mais nous étions si énervées et si bouleversées que nous ne ressentions pas la fatigue, et c'est presque en courant que nous avons couvert la distance qui séparait la gare du camp. Etre à l'heure, surtout être à l'heure juste. Encore quelques minutes et on allait revoir papa pour la première fois depuis trois ans. Devant la prison, il y avait déjà une foule insolite, qui attendait en rang. Ils étaient plus de cent, des vieux paysans, des femmes aux jupes superposées, des familles entières avec des enfants endimanchés, des jeunes femmes seules et des groupes de gitans de tous âges — les seuls à ne pas être debout, indifférents à la poussière ils s'étaient assis par terre. Les portes étaient fermées et elles le demeurèrent trois heures encore. Le soleil tapait dur, il n'y avait rien pour se mettre à l'ombre, aucun point d'eau à proximité. Des enfants pleuraient, d'autres jouaient à cache-cache dans la foule, engueulés de loin par des parents qui avaient peur de perdre leur tour dans la queue en allant les rechercher. Quelques familles sortirent sandwiches et thermos. Devant nous, les gens discutaient normalement comme s'ils faisaient la queue pour acheter des pommes ou des patates. C'étaient des habitués. Mais nous, on était les nouvelles, sans thermos ni sandwiches. Et leur compor-

178

tement nous semblait complètement cynique. Nous ne savions pas encore que, la routine aidant, nous serions exactement comme eux au bout de quelques années de « visites ». Mais cette première fois-là, nous nous étions préparées avec un mélange de tristesse et d'exaltation à faire une entrée un peu solennelle, bien à l'heure, comme l'indiquait le papier officiel, bien soignées de nos personnes malgré la nuit de voyage, avec des sourires et des premiers mots bien préparés. Mais après trois heures passées à attendre sous un soleil de plomb, essayant, perdue dans une foule nerveuse mais affichant l'indifférence, de faire patienter une petite fille assoiffée qui devenait grognon, mon humeur solennelle s'était transformée en colère et ma fatigue en épuisement. Il était environ midi quand une porte s'ouvrit enfin. Elle s'ouvrait devant des gens qui tout comme moi pensaient d'abord à ne pas se faire marcher sur leurs pieds endoloris, dans la bousculade créée par ceux qui voulaient à tout prix passer les premiers, ensuite à l'eau qu'ils allaient peut-être trouver à l'intérieur et surtout aux toilettes dans lesquelles ils pourraient se soulager. Les vraies raisons de leur présence à cet endroit, toutes les charges émotionnelles qui les avaient poussés à faire la « visite » étaient reléguées au second plan, elles s'étaient usées pendant ces trois heures. Les trois heures insupportables qui faisaient probablement partie d'une mise en scène très soignée.

Un garde en uniforme ne laissa d'abord entrer qu'un petit groupe. On entendit des grondements de consternation et d'impatience et la foule poussa de l'avant. L'homme se planta, en écartant les jambes, en travers de la porte et nous cria que si c'était pour nous comporter comme des bestiaux nous n'avions qu'à reprendre le train et apprendre à mieux nous conduire pour la fois suivante. Ce fut le silence. J'avais peur. Mais rien ne se produisit ; groupes après groupes, en silence, on nous fit entrer, et à une heure de l'après-midi, ce fut notre tour. On nous conduisit, le long d'un couloir, dans une pièce mal éclairée où on avait aligné quelques cabines en bois, comme des boxes dans une écurie. On nous ordonna de rentrer dans l'une d'elles. Face à nous, il y avait une petite fenêtre recouverte d'un double grillage aux mailles serrées. Quelques minutes passèrent et

179

Oskar apparut derrière la fenêtre, avec un garde à ses côtés. On ne voyait que sa tête et ses épaules. Le garde sortit une montre et nous dit : « Dix minutes, pas de langues étrangères, rien que des affaires de famille. » Quoi dire ? Les larmes aux yeux, nous nous regardions et puis nous nous souriions. Il était très maigre, très pâle, il avait beaucoup vieilli, mais quand il souriait, c'était le même homme. Je lui dis qu'il avait bonne mine. Il me dit que j'avais l'air en forme. Il essaya de me parler de son procès mais le garde l'interrompit. Je reculai pour lui permettre de voir les enfants. Susie prit Tania dans ses bras car la fenêtre était placée trop haut. Elle eut juste assez de place pour passer à travers le grillage son petit doigt qu'il embrassa. Les dix minutes étaient écoulées. On l'emmena. Après cette visite, pas une seule lettre de lui n'arriva pendant cinq semaines. Un an après, je devais découvrir que pour avoir embrassé le petit doigt de Tania, Oskar avait été puni d'une semaine de détention, au secret et dans le noir, et interdit de correspondance pendant un mois. Il avait enfreint le règlement interdisant tout contact physique entre le prisonnier et ses visiteurs.

Après tant d'années, il m'est difficile de trouver les qualificatifs adéquats pour ma propriétaire et sa fille. Etaient-elles méchantes, fantasques, bizarres, ou complètement folles ? Maintenant qu'elles sont mortes toutes les deux, je préfère les décrire plutôt que les juger.

Au début, elles ne furent que sourires, sympathie et serviabilité. Mais à force de me voir paralysée par la peur chaque fois que j'entendais un camion remonter notre rue quasi piétonnière, elles comprirent que nous étions encore persécutées, et décidèrent de doubler le loyer. Durant les premiers mois de notre séjour, encore semi-clandestin, la fille, qui habituellement ne sortait presque jamais de la maison, se mit à descendre régulièrement en ville avec des airs mystérieux. A son retour, elle lâchait quelques allusions qui donnaient à penser que de mauvaises nouvelles nous menaçaient, c'était toujours vague et succinct. Mais c'était toujours le signe que, dans les jours suivants, le loyer allait à nouveau augmenter. Je leur proposai de payer la moitié de leur note de téléphone en échange de la possibilité de nous servir de temps à autre de l'appareil. Elles acceptèrent d'abord, puis refusèrent — pour des raisons de sécurité, prétendirent-elles.

Quand ma situation se stabilisa, les possibilités de chantage sentimental et financier se firent plus rares. Elles durent se contenter de quelques mesquines tracasseries. J'observais leur vie avec un mélange de colère et d'amusement. Et aujourd'hui encore, je ne puis dire si c'était une tragédie ou une comédie. Elles vivaient d'une petite pension qui avait été allouée à la mère à la mort de son mari, une somme qui était à peine supérieure à ce que je payais comme loyer. La pension et le loyer auraient à peine couvert, chaque mois, les très modestes besoins vitaux de deux personnes normales ; mais elles vivaient bien en deçà de ces besoins. La fille, qui avait entre vingt-cinq et trente ans, préparait — disait-elle — le concours d'entrée à l'université. Mais jamais on ne la vit avec un livre. Ni la mère ni la fille ne voulaient trouver du travail. Toutes les deux passaient la journée habillées de vieux survêtements qu'elles ne lavaient jamais et dans lesquels elles dormaient. Les rares fois où elles m'invitèrent à leur étage, la conversation roula sur la jeunesse révolutionnaire de la mère et ses études de médecine qu'elle avait interrompues. Je ne les vis jamais manger autre chose que du pain, du bouillon à l'ail et des pommes de terre. Elles n'allumaient le petit poêle que pour faire cuire les pommes de terre, jamais pour chauffer la pièce. Quand elles avaient froid, elles s'enfouissaient dans leur lit sous un tas de molletons, sans draps. Elles possédaient un grand verger, mais à une demi-heure de marche. Ça faisait loin. Comme la maison, il était à l'abandon, mais quelques pommiers donnaient encore des fruits et à la fin de l'été on voyait la mère, seule (la fille était trop grasse et trop paresseuse), redescendre la colline, tirant derrière elle de lourds sacs de petites pommes pas mûres qu'elle rapportait à la maison. Si elle ne les cueillait pas maintenant, disait-elle, quelqu'un les lui volerait. Puis elle déversait les pommes dans la baignoire de ce qui avait été, avant l'écroulement du toit, une jolie salle de bains, et les y laissait pourrir.

Dans ses rares moments d'exquise chaleur communicative, la mère m'invitait et me montrait une boîte où elle entassait des objets qu'elle destinait à sa fille. Il y avait de beaux bijoux avec des pierres précieuses, de vieilles montres en or, avec leurs lourdes chaînes, des étuis à cigarettes, des bagues et des pièces d'or. Chacune de ces pièces aurait à elle seule rapporté suffisamment d'argent pour retaper la maison, les toilettes et la porte d'entrée. Et rien qu'en vendant le verger en lotissements, elles auraient eu de quoi couler des jours heureux, jusqu'à la fin des temps, sous des molletons surbrodés de soie et dans une maison confortable. Mais jamais l'idée ne vint à la veuve de vendre ni de réparer quoi que ce soit. Elles continuaient à vivre de pommes de terre, dans leur pièce sans chauffage, où flottaient des relents divers. Cela sentait le moisi — ça, ça venait de la baignoire où pourrissait la dernière récolte de pommes si péniblement sauvegardée, le chat — c'était un trio, très noir et très sale —, l'ail de la soupe perpétuellement réchauffée, et surtout le seau hygiénique, toujours exposé, rarement vidé, et jamais récuré.

La porte d'entrée mérite, elle aussi, de passer dans la légende. Elle était faite de panneaux très épais et très lourds. Elle tenait à des gonds rouillés et n'avait plus de loquet. Au début, il y avait un crochet, mais quand il se dévissa la propriétaire agença un système de ficelle qui passait dans des trous laissés béants par la disparition de ce qui avait été un jour le verrou. Un soir d'hiver, après avoir grimpé la colline verglacée, chargée de mon cabas rempli des quelques victuailles que j'avais à grand-peine débusquées en ville ce jour-là, je me retrouvai devant la porte, confrontée avec un problème inextricable de nœuds. Après de vaines discussions sur la nécessité de la pose d'un nouveau verrou, je pris l'habitude d'emporter des ciseaux quand je sortais. En conséquence, nos relations se détériorèrent un peu plus. Tania avait commencé à aller à l'école. Et comme je me plaignais de ce que la porte fût trop lourde à ouvrir pour elle, même quand elle réussissait à dénouer la ficelle, on me répondit dans un grand rire que si elle était si faible, c'est que je ne la nourrissais pas correctement. Je crois qu'elles voulaient être drôles, d'ailleurs je m'aperçois que j'ai oublié de dire qu'elles n'arrêtaient pas de rire. A la réflexion, elles étaient quand même, à leur manière, les personnes les plus joyeuses qu'il me fut donné de rencontrer ces années-là.

Quelques années plus tard, la fille partit pour Prague où elle s'était trouvé du travail à l'agence de tourisme de l'Etat. Demeurée seule, la mère devint encore plus fantasque, plus bizarre et plus folle. La porte de sa chambre était faite de quatre panneaux vitrés. Un jour qu'elle ne retrouvait pas sa clé, elle cassa d'un coup de pied une des vitres et se glissa à travers l'ouverture. L'idée ne l'effleura pas de faire faire une nouvelle clé : pendant des mois elle continua d'entrer et de sortir par reptation, jusqu'au jour où elle découvrit la clé « perdue » au fond d'un sac. Des années plus tard, nous apprîmes que la fille était morte, bien avant sa mère. Elle se serait noyée dans la Volga, au cours d'un voyage qu'elle effectuait comme guide accompagnatrice de touristes. Follement amoureuse, et pour la première fois de sa vie, elle aurait plongé avec un de ses clients, en oubliant qu'elle ne savait pas nager.

Finalement, elles étaient ce qu'elles étaient, mais je les remercie quand même. En 1954, notre monde était si fou et si méchant qu'il fallait bien qu'elles fussent encore les plus folles et les moins méchantes pour oser nous héberger pendant des années comme elles le firent, dans cet endroit où il faut bien dire qu'en temps normal aucune personne saine d'esprit n'aurait accepté de passer une nuit.

Le parquet était pourri, le plafond moisi se fissurait régulièrement et sûrement, annonçant son écroulement prochain. Dans la cuisine, les murs se retapissaient régulièrement de grappes de petits champignons visqueux. D'ailleurs on appelait ça la cuisine parce qu'il y avait un évier, mais on n'y trouvait rien pour cuisiner. En automne on nous fit cadeau d'un poêle et il s'avéra que la fumée ne pouvait s'évacuer de la pièce. Je dus attendre deux ans pour m'offrir le luxe de faire construire un conduit de cheminée tout neuf, et aujourd'hui encore je me demande comment nous ne sommes pas mortes intoxiquées par la fumée ou statufiées par le gel. Et pourtant, dans la mémoire de Tania, ce sous-sol est resté comme un endroit plaisant où s'écoulait une enfance heureuse. Susie, elle, se le rappelle comme un endroit impossible mais où elle aimait revenir entre deux contrats, parce que c'était la maison et pas une chambre d'hôtel.

Quand nous en parlons aujourd'hui, c'est en riant comme on rit du bon vieux temps, le temps de la jeunesse. Je m'étais fait de nouveaux amis, qui ne reculaient pas devant la longue expédition en tram et l'ascension de notre colline pour venir passer leurs soirées avec nous. Assis autour d'une grande table ronde garnie de ce que chacun avait apporté pour manger et pour boire, on parlait de choses sérieuses, ou on jouait à des jeux. La table à elle seule occupait presque toute la pièce, laissant juste assez de place pour le grand lit où je dormais avec Tania, le buffet où je rangeais la vaisselle et mes livres, et un divan pour Susie les soirs où elle revenait. Tania mit des années à pouvoir s'endormir sans être bercée par le bruit des voix ou le martèlement des touches de la machine à écrire, que je faisais crépiter jusqu'aux aurores.

Susie avait fini sa terminale et les questions que posait son avenir étaient sérieuses. Sérieuses au point de paraître insolubles. C'est alors que, *deus ex machina*, apparut dans notre vie le chef d'un groupe de musique de danse. Il avait entendu Susie chanter avec l'orchestre d'étudiants et il vint me demander si je voulais bien la laisser travailler avec lui. Dans le groupe, c'est lui qui jouait les refrains populaires au piano, et il était sûr que Susie avait de la voix et du talent. Il était aussi parfaitement au courant de notre situation et il me conseilla d'accepter sa proposition. Parmi tous les rêves que nous avions faits, Oskar et moi, pour notre enfant, en fonction de ses penchants pour la littérature, ses dispositions pour les langues et ses succès scolaires, cette carrière-là n'était certes pas celle que nous lui aurions choisie. Juifs errants comme nous l'étions, nous n'avions jamais acheté de piano. Je savais bien que Susie pouvait encore fredonner des dizaines de chansons populaires slovaques apprises de la femme de ménage quand elle avait à

184

peine trois ans. Je me rappelai comme elle triomphait chez les voisins, à Chicago, avec son interprétation très personnelle de *God Bless America* et *Old Black Joe* à l'âge de cinq ans, mais ces performances m'avaient toujours paru s'apparenter à la catégorie des charmants petits talents de société, plutôt qu'à celle de la vocation artistique. C'est probablement parce que je n'ai jamais eu, et que je n'ai toujours pas de culture musicale. Quoi qu'il en soit, en ces temps-là, il aurait suffi qu'on m'assure qu'elle montrait toutes les qualités professionnelles d'un jockey pour que je la laisse partir sur le dos d'un cheval. Alors, à tout prendre, un orchestre, c'était moins dangereux.

Au début, par timidité sans doute, et malgré l'envie qu'elle avait de chanter, Susie refusa cette proposition. Puis elle l'accepta. Il fallait lui trouver un nom de scène qui empêche toute identification avec celui de son père ; elle avait besoin d'une robe du soir et il ne lui restait que quinze jours devant elle pour préparer l'audition, et surtout l'examen théorique de solfège qu'elle devait passer devant un jury officiel. Comme elle connaissait à peine ses notes, la théorie s'annonçait plutôt mal. Un heureux hasard voulut que Maria, avec qui je m'étais liée d'amitié, fût harpiste à l'Opéra et professeur au Conservatoire. Elle consacra tout son temps libre durant ces quinze jours, plus une nuit entièrement blanche, à faire entrer dans la tête de Susie quelques principes élémentaires de solfège ; grâce à quoi Susie décrocha son examen. On célébra l'événement chez nous avec deux ou trois autres amis du théâtre et une bouteille de gin, dont seule Susie refusa de boire une goutte. Elle tenait de son père un grand dégoût de l'alcool qui allait d'ailleurs s'avérer salutaire dans son futur milieu professionnel. Bientôt des affiches avec son nouveau nom apparurent sur les murs de Bratislava. Dans un métrage de satin noir reçu d'Amérique, une amie lui tailla en une nuit un spectaculaire fourreau sans bretelles. Sa carrière pouvait commencer.

A cette époque, les chanteurs - à l'exception de quelques grands noms - passaient d'un orchestre à l'autre, de ville en ville, décrochant des contrats pour quelques semaines, ou pour un mois ou deux. Les chefs d'orchestre, les musiciens et les chanteurs s'arrangeaient entre eux, mais les contrats étaient officiellement passés et validés par une agence artistique d'Etat qui prenait un pourcentage au passage. Les cadres qui dirigeaient cette agence montraient plus de compétence et de goût pour les intrigues politiques et pour la bureaucratie que pour les muses. Ils étaient toutefois moins regardants que ne l'étaient leurs collègues des autres professions pour ce qui concernait les origines de classe et les positions politiques des artistes. Ils avaient raison. En y regardant d'un peu plus près, ils se seraient vite aperçu que pratiquement personne ne pouvait plus faire danser personne. Susie eut quelques ennuis au début : on lui reprochait son accent américain, son vibrato, sa tessiture décadente et son répertoire occidental, qu'elle dut contrebalancer chaque soir en chantant quelques chansons en russe. Mais comme, rapidement, elle avait gagné l'estime des musiciens, des compositeurs et du public, elle fut invitée à la radio et sous son faux nom elle devint une vraie professionnelle.

Un professeur de chant, qui l'avait entendue dans un cabaret, se proposa pour lui donner des leçons qui affermiraient sa technique. En cours d'enseignement, il découvrit qu'en travaillant sa voix elle pourrait très bien chanter l'opéra à la condition qu'elle cesse de se produire dans les cafés. Mais nous avions besoin d'argent, et surtout elle aimait tant le jazz qu'elle cessa rapidement de fréquenter ses cours. Pour gagner sa vie, il lui fallait voyager et elle trouvait enfin dans les chambres d'hôtel l'espace et l'eau chaude qui manquaient si cruellement à la maison. Elle chanta pendant quelques mois à Bratislava, et en été elle partit en tournée chanter pour les vacanciers de Slovaquie et de Bohême. A l'automne, elle se retrouva chanteuse d'orchestre dans une grande formation à Prague.

Pendant ce temps-là, je cherchais désespérément du travail que je ne trouvais pas. « Divorcez », me disait-on.

Dans le passé, nous avions - Oskar et moi - souvent prononcé ce mot de divorce. Parfois en le criant dans la colère d'une dispute, parfois en le murmurant comme pour mettre un point d'orgue à des périodes de bouderie dérisoire, souvent calmement et presque scientifiquement quand nous tentions de faire le bilan de nos différences. Ça finissait toujours de la même façon, dans les larmes, les serments de réconciliation et, pour un temps, un regain d'affection. En me penchant sur notre passé, je sais exactement quand nous aurions dû nous séparer.

J'aurais dû divorcer trois semaines après notre mariage, le jour où il me fit une scène pour un pichet en céramique. Nous venions de nous installer dans notre première maison. Je voulais lui faire une surprise, le pichet trônait au centre de la nappe blanche, ses rondeurs vernies étincelaient de toutes les couleurs de l'arc-en-ciel, et, placé comme il l'était, au cœur de la maison, ce petit joyau de beauté gaie serait désormais le compagnon de nos repas en amoureux. Il est vrai que nous avions besoin d'un pichet, dit-il, mais une simple cruche en verre aurait fait l'affaire et aurait coûté moitié prix. Mais au fond, ce n'était pas tant la question d'argent qui importait. Non, mais savais-je qu'il y avait des millions de gens qui n'avaient même pas d'eau potable ? A quoi et à qui cela servait-il qu'un objet utilitaire soit beau ? Je gaspillais l'argent, et si je ne comprenais pas cela, c'est que je n'avais rien compris à la façon dont il concevait la vie.

J'aurais dû divorcer au matin qui suivit la nuit pendant laquelle il éteignit précipitamment la lumière que je venais d'allumer, comme si se voir faire l'amour était quelque chose de honteux. Pourtant il en avait honte, non par pruderie mais parce que c'était bon et qu'il était immoral de prendre visiblement du plaisir alors que le monde était plein de souffrance et de misère.

J'aurais dû divorcer à partir du moment où il m'enjoignit de faire montre d'un plus grand enthousiasme à l'égard de l'Union soviétique, alors que les Ukrainiens, pour survivre, se nourrissaient de vers de terre et auraient été jusqu'à se manger entre eux pour ne pas crever par millions. Mais dans ce temps-là à la maison, la seule misère et la seule oppression dignes d'être dénoncées étaient celles qui terrassaient le Coolie chinois. J'aurais dû divorcer dès la première apparition du Coolie chinois. Il était partout, dans notre lit, assis avec nous à table, dans l'armoire aux livres, il plaquait ses mains jaunes et décharnées sur les recueils de poésies, ma musique à moi, pour censurer les vers qui se permettaient de n'être que poésie, pas engagement. Il ne disparaissait de notre vie que lorsque nous nous disputions.

Oskar aurait dû divorcer quand j'étais dure et quand je lui tenais tête au lieu d'être aimante, compréhensive et patiente. Quand je tournais sa foi en ridicule. Ou quand, fuyant le Coolie, je rencontrais d'autres hommes qui, eux, n'éteignaient pas la lumière...

Mais divorcer justement maintenant ? Maintenant qu'il était la victime innocente, maintenant qu'il avait besoin de moi, que nous nous languissions l'un de l'autre, oublieux de ce que nous étions devenus l'un et l'autre pour ne nous souvenir que de ce que nous avions été l'un pour l'autre autrefois ? Divorcer pour obéir à l'ennemi ? Non, jamais ! A aucun prix, et surtout pas celui d'un boulot décroché de cette façon.

Je me trouvai quelques leçons d'anglais et des traductions, et surtout des travaux de dactylographie qui aboutissaient chez moi après que tout le monde les eut refusés - non pas en raison de leur difficulté, mais parce que, du fait du relâchement général, ils étaient livrés tellement en retard qu'ils devaient être tapés en un temps record. J'y passais mes jours et mes nuits, et c'est sans surprise que je retrouve aujourd'hui en PS à une lettre que Tania avait écrite à six ans : « Cher papa, j'espère que tu vas bien ; mais maman n'arrête pas de taper à la machine et il fait toujours froid à la maison. Alors, je t'écris du Savoy. »

Le Savoy était un vieux café près de l'arrêt du tramway que nous prenions à Bratislava pour remonter chez nous. A quelques mètres seulement du Théâtre national, le Savoy était le rendez-vous des musiciens et du corps de ballet qui y venaient entre deux répétitions. Grâce à Maria, j'avais fini par faire la connaissance de tous ces gens qui avaient de l'humour, et un apolitisme bien reposant. Et c'est comme ça que certains d'entre eux étaient devenus des habitués de notre grande table ronde. Pour Susie, quand elle était de passage, c'étaient des amis et des conseillers artistiques. Pour la petite Tania, c'étaient des oncles, des tantes, des copains de jeu et en un mot une famille. Quand je descendais en ville pour rendre mes copies, en chercher de nouvelles et, les jours fastes, prendre un bain dans une maison amie, j'emmenais toujours Tania avec moi, et avant de retrouver le cul-de-basse-fosse glacé de notre dongeon, nous nous arrêtions toujours au Savoy pour y emmagasiner un peu de chaleur humaine et de chaleur tout court. Parfois, on nous donnait des exos pour des matinées lyriques ou des ballets. Les petites ballerines étaient friandes des défroques exotiques qui m'arrivaient d'Amérique, elles étaient tellement excentriques qu'il fallait être danseuse pour oser les porter.

Mais ce que je vais raconter maintenant se déroula pendant notre premier hiver à Bratislava, à l'époque où je venais de connaître Maria et où elle venait aider Susie à préparer son examen. C'était un soir de décembre. Noël approchait, il faisait anormalement froid et la neige ne se décidait pas à tomber. Après avoir dit bonsoir à tout le monde, nous marchions vers l'arrêt du tram, quand une brusque tempête de neige se déclencha. Il n'y avait pas d'abri à la station, le vent nous giflait et les cristaux de glace nous crevaient les yeux comme de petits couteaux. En quelques secondes les rails furent ensevelis sous la neige. Aucun tramway ne s'annonçait. Il nous aurait fallu un équipement d'explorateur polaire pour nous protéger contre cette tourmente. Alors, vêtue comme je l'étais, je fus immédiatement paralysée par le froid. De mon corps engourdi, je ne sentais plus rien qu'une insupportable douleur aux orteils et aux extrémités des doigts. J'essayai de prendre Tania dans mes bras : je n'en eus pas la force. Elle pleurait. D'abord silencieusement, et puis tout d'un coup elle se mit à hurler comme un bébé. La rue était vide, mais en levant la tête on pouvait voir des rangées de fenêtres allumées, derrière lesquelles on imaginait des familles calfeutrées bien au chaud.

Je les détestais, je détestais la terre entière. Même le tramway hypothétique devenait l'ennemi, puisqu'il était incapable de nous mener plus loin qu'au pied de notre colline. De là il nous faudrait encore grimper. Notre cave inchauffable semblait inaccessible.

« Maman, restons pas là ! Maman, s'il te plaît, je veux pas qu'on rentre à la maison », supplia Tania entre deux sanglots.

C'était insupportable. Alors la tirant, la portant à moitié, je revins au café. On m'offrit deux verres de cognac que j'avalai coup sur coup. Tania but un thé chaud avec des biscuits. Quelqu'un lui ôta ses chaussures et lui frictionna les pieds. J'essayais de refaire l'inventaire des endroits où nous pourrions passer la nuit. Tout redéfilait dans ma tête. La belle-famille, les amis d'avant-guerre, les vieilles connaissances. Tous ceux qui ne voulaient ou ne pouvaient pas nous recevoir, ceux qui étaient en prison ou en passe d'y entrer, mon beau-frère, exclu du Parti, et qui venait d'échapper au pire (son chef direct avait été pendu à Prague), quelques autres qui s'entassaient dans des locaux déjà surpeuplés. Je restais là, assise, muette et complètement perdue. Tania, elle, s'était déjà endormie sur les genoux de quelqu'un. Il allait falloir la réveiller et repartir dans la tempête.

C'est alors que Maria, qui habitait seule à deux pas du théâtre, dans un appartement dont elle occupait une chambre et partageait la cuisine avec une famille, se leva et de sa voix la plus claironnante me dit : « Bon, alors, il se fait tard, qu'est-ce que tu attends ? Si c'est un cognac de plus, tu le prendras chez moi. »

Quiconque n'a pas vécu la situation qui était la mienne à cette époque ne peut comprendre la signification à un tel moment d'une offre de cette sorte, et formulée de façon aussi directe. Moi, je ne trouve qu'une formule ampoulée pour dire qu'en cette minute, les murs du café Savoy disparurent, que je crus voir le ciel, et dans le bleu la main d'un Dieu auquel je n'avais jamais cru.

Bien sûr, j'en avais déjà trouvé sur mon chemin, des gens gentils (j'emploie exprès cet adjectif « gentil » pour désigner ceux qui ne nous avaient pas fait de mal, en comparaison de

ceux qui nous en avaient fait, souvent pour sauver leur peau).
Mais ceux qui s'étaient montrés gentils avaient généralement
une raison. Par exemple, c'était la souffrance commune qui
nous avait rapprochées, les autres femmes d'emprisonnés et
moi, pas l'attirance réciproque qui fait l'amitié. La gentillesse
de quelques hommes s'expliquait par le fait que j'étais une
femme. L'aide secrète d'un petit nombre de membres du Parti
venait de ce qu'ils aimaient et respectaient Oskar, mais chez
beaucoup d'autres, c'était le besoin de soulager leur conscience.
Au village, j'avais rencontré la compassion et la générosité,
mais aussi beaucoup de naïve indiscrétion. Ceux qui m'avaient
donné du travail me faisaient toujours sentir qu'en me le donnant ils prenaient de grands risques. On m'aida, c'est vrai, on
fut gentil, mais toujours avec la condescendance humiliante de
la bonne dame de charité qui donne sa pièce au clochard avec
une nuance de réprobation pour l'état dans lequel il s'est mis
lui-même.

Peut-être était-il difficile de sympathiser avec moi, et l'expérience des autres personnes dans ma situation a peut-être été
différente ? Mais enfin, pour moi, c'était comme ça.

Maria et ses amis ne connaissaient pas Oskar. Leur amitié
pour moi ne dépendait pas de lui et ils n'avaient aucun sentiment de culpabilité à son égard. Ils étaient relativement à l'abri
politiquement et financièrement, ils n'étaient donc pas des
compagnons de peine. Ils ne me devaient rien. Ils n'étaient
pas de ma famille. L'invitation de Maria n'était donc rien
d'autre qu'un réflexe de bonté et de chaleur humaine. C'était
un petit geste, il prit pour moi la grandeur d'un événement. Ma
conception de la vie et de tout ce qui s'y rattachait en fut
changée.

Sa chambre était froide, mais le poêle était bourré de charbon et de petit bois et n'attendait qu'une allumette pour que sa
bonne chaleur se répandît. Le temps de déshabiller Tania et de
l'enfourner sous un édredon, elle était complètement réveillée et
réclama une histoire comme tous les soirs. Maria m'enfourna
à ses côtés, se coucha, et décida de nous lire une histoire à
toutes les deux. Elle venait justement de recevoir une nouvelle
traduction en tchèque des contes d'Andersen et elle choisit

l'histoire du vilain petit canard. Je me payai une bonne petite pinte de larmes libératrices, il y avait longtemps que j'en avais envie. Et quand, à la fin, le vilain petit canard s'envole enfin avec ses frères les cygnes, Tania et moi nous dormions à poings fermés.

1955 commençait. Je n'avais pas encore de travail fixe mais je gagnais assez pour survivre. Susie m'aidait et, grâce à ses premiers salaires de débutante, je pouvais offrir quelques petits plaisirs à Tania et aussi faire face à certains imprévus, comme la maladie par exemple. Et j'étais malade. Souvent. Comme je ne pouvais pas me permettre de refuser du travail, il m'arrivait de passer trois jours et trois nuits d'affilée à la machine, de m'arrêter vingt-quatre heures, et d'attaquer à nouveau la traduction de documents technologiques très difficiles. La nuit, je me sentais seule et isolée du monde, sans téléphone. Le docteur trouvait ma pression artérielle un jour trop basse, un jour trop élevée. Il conseillait le repos, une habitation salubre, des distractions et une meilleure alimentation. Toutes choses introuvables en pharmacie. Rassurée par ce diagnostic qui ne signalait aucune vraie maladie, j'en conclus que j'étais malade de ma seule misère et je continuai à travailler la nuit, à geler dans mon trou, à ne pas me distraire et à mal me nourrir.

Mais tout cela mis à part, notre situation s'était quand même beaucoup améliorée. Je n'avais plus peur de la police. Au début, et surtout lors des interrogatoires mystérieux et absurdes, j'avais toujours à l'esprit les dizaines de raisons pour lesquelles ils auraient pu m'arrêter. Je me rappelais où et quand j'avais, à de multiples reprises, fait des plaisanteries sur Staline et autres idoles moins prestigieuses, je me rappelais qui était là quand je les avais faites, et qui était là quand j'avais tenu des propos pour lesquels j'en aurais pris pour cent ans si jamais ils avaient été répétés par des indics, étant donné que ceux qui n'avaient jamais rien profané en prenaient pour dix ou vingt

193

ans. Mais rien ne m'arriva, et la preuve était maintenant faite que l'on allait en prison pour des raisons indépendantes de son comportement. Ils auraient pu me faire passer sans difficulté pour un agent au service de l'étranger : après tout j'avais travaillé chez le consul des États-Unis. Mais ils préférèrent consacrer des années de dur labeur à fabriquer des soi-disant espions en séries, en les choisissant parmi ceux qui leur étaient dévoués corps et âmes.

Mon amie Fritzi Löbl, dont le mari avait été condamné à la réclusion à perpétuité, avait été emprisonnée un an à la prison de Ruzyn. Et son expérience personnelle m'aida énormément à ne plus appréhender la venue de la police. Quand elle fut arrêtée, nos policiers étaient encore dans leur période scolaire, ils apprenaient les règles complexes du savoir-faire-un-procès-spectacle, c'est pourquoi ce furent des conseillers russes qui menèrent son interrogatoire, au cours duquel entre autre choses on la força à se mettre à quatre pattes toute nue, tandis qu'on la traitait de « pute youtre puante ». Elle était gravement malade lorsqu'ils la relâchèrent, après une détention qui avait été un véritable cauchemar. Ni jugée ni condamnée, elle resta sous surveillance policière, et on l'envoya travailler un an dans une usine quelque part en Bohême. Maintenant, elle était de retour à Bratislava, où elle partageait une chambre avec son fils interdit de scolarité. Fritzi venait d'une riche famille de Vienne qui l'aidait financièrement par le canal détourné de la Tuzex. La Tuzex, c'était ainsi qu'on appelait chez nous les magasins spéciaux pour devises fortes. Les touristes étrangers et ceux qui avaient la chance de recevoir de leur famille à l'Ouest des bons d'achats de la Tuzex pouvaient y acheter tout ce qui était introuvable ailleurs : du cacao, des chocolats fins, du thé, des biscuits pas rassis, des tissus d'importation, de la laine à tricoter, des voitures délivrées à la commande, du matériau de construction, du Nescafé, et parfois, en grande vedette... des pommes. Le trafic de bons d'achats était prospère - autant qu'illégal - et Fritzi, comme bien d'autres, en vivait. C'est comme ça qu'elle réussit à mettre suffisamment d'argent de côté pour verser les pots-de-vin nécessaires à la réinscription de son fils à l'école où il obtint son diplôme.

C'était donc grâce à ses parents que Fritzi s'en sortait, alors que c'était bel et bien à cause d'eux qu'elle avait été arrêtée peu après son mari. Parce qu'elle était la fille de ces gens riches, Fritzi tenait d'eux des bijoux, quelques beaux manteaux de fourrure, des tableaux et des tapis de valeur. A sa sortie de prison, elle ne retrouva rien. Tout avait disparu et elle dut se faire prêter des bas et un soutien-gorge par une amie. (Elle ne récupéra d'ailleurs jamais rien, même pas des années plus tard, après la réhabilitation de son mari.) Fritzi est une femme courageuse, intelligente et pourvue d'un grand sens de l'humour. Elle avait compris parfaitement, et elle me le prouva, que ce n'était pas à elle que la police en voulait, mais à ses biens. Maintenant qu'elle avait été dépouillée, elle ne risquait plus rien. Et puisque moi je n'avais jamais rien possédé, je n'avais donc rien à craindre. C'est ainsi que je cessai d'avoir peur. Mon cœur ne s'arrêtait plus de battre quand j'entendais le moteur d'un camion qui montait la colline, c'était bien soulageant !

Et puis, malgré son absence de chauffage, ses conduites d'eau qui gelaient, ses toilettes inexistantes et la présence d'une colonie de souris, cet endroit était quand même un chez-nous. Susie aimait son travail qui marchait bien et, dès qu'elle le pouvait, entre deux contrats, elle revenait vers nous. L'été, Tania et moi campions dans les chambres d'hôtel, c'était toujours dans une station thermale, et nous partagions les portions de ses repas, compris dans son salaire ! Ça nous faisait donc des vacances. Et surtout, il y avait maintenant les amis. Mes propres amis, ceux que je m'étais faits. Les autres, ceux d'avant, je ne les voyais plus, et par conséquent ils ne pouvaient plus m'humilier. Mes amis à moi ne connaissaient pas Marx par cœur, mais ils avaient du cœur. Et moi, je ne demandais pas beaucoup. Un bain chaud chez Jucka, un plat sortant d'un vrai four et offert avec le sourire dans une pièce chauffée, où il faisait bon bavarder pendant des heures - et j'étais comblée...

Tania travaillait bien à l'école et passait le plus clair de son temps avec son amie Renka dont les parents habitaient une maison avec un grand jardin près de chez nous. Ils lui faisaient toujours bon accueil.

L'hiver, les deux petites faisaient de la luge ; l'été, elles promenaient ensemble leurs poupées, ou grimpaient dans des arbres où elles se gavaient de fruits introuvables sur le marché. Nous avions gardé une petite chatte qui nous avait suivies un jour jusqu'à la maison. Bientôt, à la place des souris, il y eut des chatons, nous les gardâmes aussi. Somme toute, Tania était une petite fille heureuse, en bonne santé et apparemment acclimatée aux étranges conditions de notre vie.

Cependant, toutes ces petites améliorations ne changeaient rien au problème de fond que je ressentais de plus en plus gravement. Les problèmes matériels étaient en partie réglés à leur façon, je ne vivais plus dans la panique du début, mais en revanche, je devenais chaque jour plus attentive à la tournure que prenait la situation politique dans le pays. La perception que j'avais de cette situation et celle qu'en avait mon mari, de sa prison, étaient si opposées, que de là date la mise en place de tous les éléments du désaccord tragique qui devait être le nôtre cinq ans plus tard, après sa libération, pendant les quelques années qui nous restèrent à vivre ensemble.

Avec le temps, nous étions autorisés à correspondre plus souvent et nos lettres étaient moins épluchées par la censure. Ses lettres à lui semblaient révéler qu'il en savait très peu et de moins en moins sur la réalité extérieure. Je dis « semblaient » parce que j'avais l'impression tenace que bien qu'il fût coupé de tout contact direct, il en savait beaucoup plus long sur certains sujets qu'il avait délibérément choisi d'ignorer. Il s'obstinait à me fixer des tâches absurdes et impossibles, puis à me reprocher de n'avoir rien entrepris alors que j'avais suivi ses instructions à la lettre. Il m'enrôla dans son combat pour le réexamen de son cas avec une admirable persévérance, teintée d'une naïveté qui commençait à m'irriter. Il parlait de son arrestation comme d'une erreur terrible mais exceptionnelle commise dans un Etat où, par ailleurs, tout fonctionnait normalement, y compris une justice à laquelle on pouvait faire confiance. Il me disait d'aller voir le camarade Untel, « lui était un communiste honnête » et « lui saurait faire bouger les choses », quant à moi il était temps de « réviser mon cynisme pessimiste ». J'allai donc voir un par un tous ceux qu'il me demandait de voir, aucun d'entre eux ne fit jamais rien. En fait, ils ne pouvaient rien faire, quand bien même ils auraient voulu faire quelque chose. Les procès-spectacles étaient des châteaux de cartes sur lesquels reposait tout le système et si quelqu'un s'était permis d'effleurer une seule carte de l'édifice, tout se serait écroulé.

Je n'arrivais pas à concevoir que cela ne soit pas évident pour Oskar. Il me dit de demander une nouvelle audience à Bacilek. Ce que je fis, sans obtenir de réponse. Il m'ordonna de prendre un avocat. Ce que je fis. L'avocat ne pouvait refuser d'entreprendre les démarches pour lesquelles je le payais, mais il ne fit même pas l'effort de me cacher son opinion quant à leur totale inutilité. Mon mari me pressait de ne pas supporter passivement la discrimination, d'exiger un logement salubre, le recouvrement de notre livret de compte bancaire, un travail correspondant à ma qualification et tout ce à quoi j'avais droit du fait de mon innocence. Il me reprochait de laisser Susie chanter dans les bars, au lieu de la forcer à étudier pour devenir soprano ; il me reprochait le rouge à lèvres qu'elle portait le jour de la visite. Peu à peu, sans le vouloir, nous étions arrivés à mettre au point une espèce de code qui nous permettait de reprendre le cours de nos vieilles disputes. A la relecture de toutes nos lettres, je sens pointer d'abord et croître ensuite l'irritation et l'incompréhension mutuelle, et j'y vois aussi la preuve que les censeurs étaient de plus en plus bêtes et de moins en moins assidus au travail, comme tout un chacun dans le pays.

Je pouvais maintenant me permettre des phrases comme celle-ci : « Les personnes que tu me dis d'aller voir et que je vais voir savent parfaitement bien ce que nous savons, mais personne ne peut ni ne veut faire quelque chose. Je t'en prie, comprends-le. » Ou bien encore : « Je ne conçois plus les sacrifices nécessaires dont tu me parles comme les effets accompagnant inévitablement les périodes de développement, mais bien plutôt comme la condition *sine qua non* de tout le système. J'espère que tu le comprendras toi aussi. »

Oskar énumérait les requêtes qu'on l'autorisait à écrire aux différentes autorités du Parti et de l'Etat pour le réexamen de

197

son cas. Il me révéla aussi qu'à certaines occasions on l'autorisait à lire les journaux. Ce qui explique pourquoi il paraissait si bien informé sur l'affaire Rosenberg, tragédie à laquelle il consacra toute une lettre. Il m'enjoignait de renouer avec les vieux amis, insinuant que c'était moi qui avait rompu avec eux. C'était exaspérant.

À la mi-février, quelqu'un que je ne connaissais pas m'apporta une lettre d'Oskar, tapée à la machine, qui lui avait été remise par une personne dont il refusa de me donner le nom. C'était un droit-commun, récemment libéré du camp, qui l'avait sortie clandestinement. Aux treize pages adressées au président de la République, Antonin Zapotocky, Oskar avait accroché un petit mot manuscrit me demandant de taper les doubles de la lettre, d'envoyer l'original au président et des copies au Premier secrétaire Antonin Novotný, aux divers membres du Comité central, à Karol Bacilek et au procureur général. Je devais remettre un exemplaire en main propre à Julius Lörincz. Julius Lörincz était un ami personnel de Viliam Siroky, le ministre des Affaires étrangères, et il s'était distingué d'entre les dirigeants pour avoir été, après Novotný, le partisan le plus acharné des campagnes qui devaient aboutir aux grands procès. Ce Lörincz était originaire d'un village hongrois en Slovaquie et il avait été peintre et artiste dessinateur. Avant-guerre, nous avions été amis. Quand il revint de Hongrie, en 1946, avec une femme et un enfant, il n'avait ni logement ni travail. C'était l'époque où nous habitions encore les deux pièces et demie des bureaux désaffectés du journal. Oskar avait insisté pour que nous les hébergions, et il dénicha pour Lörincz un emploi dans une agence de publicité. L'existence de la minorité hongroise commençait à être admise et reconnue, c'est alors que l'ascension de Julius Lörincz dans le Parti commença. Il cessa de peindre, il devint rédacteur en chef puis président de l'Association culturelle tchécoslovaco-hongroise et enfin membre du Comité central. On le croisait rarement dans la rue, parce que, bien avant la plupart des gens, il eut sa propre voiture qu'il conduisait très vite ; mais si par hasard cela arrivait, ni lui ni sa femme ne semblaient se rappeler que nous nous connaissions. Je me voyais mal lui rendant visite pour lui demander de transmettre une lettre à son excellent ami Siroky. Mais après avoir lu la lettre d'Oskar, qui m'atterra et me donna honte d'avoir pu me prendre pour une victime, je décidai de tout faire selon la volonté de mon mari quoi qu'il m'en coutât, et en sachant très bien que ma démarche resterait vaine. Le contenu de cette lettre eut sur moi deux effets : d'une part j'étais horrifiée, mais en même temps bouleversée par un nouvel espoir. Cette lettre passée en fraude était la preuve que tout ce qu'il écrivait dans celles qui passaient par la censure était justement écrit pour les censeurs. Donc, ce fossé que j'imaginais entre nous n'existait peut-être pas. Il ne pouvait pas écrire ce que je lisais et être en même temps de leur côté.

Je ne donne ici qu'un résumé de la lettre, ne citant que les passages les plus à même d'en restituer le sens et la forme.

Après avoir rappelé la lettre demeurée sans réponse qu'il avait écrite au Politburo en octobre 1954, Oskar poursuivait en ces termes :

« Maintenant que je ne subis plus la contrainte physique et psychologique des organes de sécurité, je considère de mon devoir politique et humain d'aider la direction du Parti à démasquer les crimes atroces perpétrés à la prison de Ruzyn où l'on extorque aux détenus des signatures en bas de procès-verbaux qui ne sont que des tissus de mensonges, par des méthodes en parfaite violation de la loi. Ces méthodes illégales mises au service d'accusations fabriquées de toutes pièces ont permis d'obtenir de fausses preuves, d'arracher des aveux concernant des crimes qui ne furent jamais commis, et d'arrêter et de condamner en conséquence des innocents qui vivent des situations dont le tragique a rarement été atteint dans toute l'histoire du monde. Ces méthodes, en condamnant des gens dévoués à la cause de notre démocratie populaire et en les amalgamant à ceux qui avaient perpétré d'horribles mais réels forfaits, n'ont fait que discréditer notre justice par des

199

mensonges auxquels personne ne peut croire. Tout cela - c'était inéluctable - a créé dans toute la population une terreur et une panique comme elle n'en avait jamais connu, causant d'irréparables préjudices à la construction du socialisme dans notre patrie. Autant des condamnations justes et convaincantes renforcent notre régime, autant ces méthodes, qui commencent à être connues, le sapent. Au procès du centre de comploteurs contre notre État, j'ai témoigné contre Rudolf Slánský et Josef Frank. Le texte de ce témoignage a été écrit de la première ligne à la dernière ligne par les organes de la sécurité à Ruzyn et j'ai dû l'apprendre par cœur. »

Oskar continuait alors en rappelant les grands thèmes de son témoignage au procès Slánský, que *Pravda* de Bratislava avait reproduit et dont la radio avait largement rendu compte. Oskar le présentait en dix points, tous soigneusement analysés : pour chacun d'entre eux suivait la démonstration de leur absurdité délibérée.

Selon sa déposition, il aurait, par exemple, accordé des licences d'exportation de machines à des émigrants juifs. L'accusation y vit un acte conscient de sabotage. Mais Oskar démontrait que ces juifs étaient des juifs imaginaires, tout comme ces "agents sionistes" qu'il avait avoué avoir contactés lors de voyages clandestins à Vienne. Parmi ces agents il avait donné le nom d'une femme, Emma Lazarus, morte depuis fort longtemps, auteur célèbre d'un poème qu'on peut lire sur la statue de la liberté. Il avait précisé dans sa déclaration qu'Emma et lui avaient eu une aventure. Tous ceux qu'il avait accusés de lui avoir graissé la patte étaient déjà morts, d'autres - tel un ministre - étaient alors en poste. Il avait finalement "avoué" sur le conseil de "messages" reçus après plusieurs mois de détention dans l'isolement le plus absolu, durant lesquels il avait refusé de signer quoi que ce soit. Les "messages" lui avaient été transmis par un compagnon de cellule, un certain Kovarik, qui se prétendait technicien du bâtiment condamné pour des peccadilles fiscales. Ce Kovarik bénéficiait de fréquentes permissions, accordées sous le prétexte qu'il devait mettre au courant celui qui l'avait remplacé au travail. Cela rendait plausible sa version des faits : à savoir que nous - un avocat du nom de Dr Loescher (qui, évidemment, n'a jamais existé) et moi - l'avions contacté. Que dictaient ces conseils, émanant soi-disant de moi, et ramenés par cet indicateur ? Que la seule chose à faire sous la torture était de signer des procès-verbaux absurdes, leur incohérence même pourrait facilement être démontrée quand il se trouverait devant un tribunal. Alors les sombres machinations de la clique fasciste qui écrasait Ruzyn de sa botte et qui sapait le socialisme en s'attaquant à ses meilleurs éléments apparaîtraient au grand jour et le Parti prendrait immédiatement les mesures nécessaires.

« Pourquoi ai-je fait un faux témoignage contre Rudolf Slánský ? Pourquoi ai-je confessé des crimes que je n'avais jamais commis ? Pourquoi ai-je signé de fausses dépositions ? Pourquoi ai-je été si crédule ? Parce que ces aveux me furent extorqués par d'insupportables méthodes, parce que j'étais soumis à une violence physique et morale savamment combinée au mensonge, parce qu'on utilisait à ces fins de faux témoignages et des aveux imaginaires, mon amour du Parti, mon affection pour les miens. Ma crédulité était, bien évidemment, renforcée par mes longues périodes d'isolement carcéral.

Après avoir été arrêté, je fus soumis à d'incessants interrogatoires pendant vingt-cinq mois, dont neuf passés isolé dans une cellule. Pendant onze autres mois, je partageai ma cellule avec des agents provocateurs. Trente-huit jours de cachot, dont vingt au pain sec et à l'eau. Chaque semaine, on me menaçait de me refourrer au cachot, et à la veille du procès Slánský, on m'y remit pour deux jours. Quand on me sortit à ce moment-là, je déclarai que toutes mes dépositions contre Slánský n'étaient que des mensonges. Celui qui m'interrogeait me répondit avec flegme que j'en avouerais beaucoup plus encore. Et les interrogatoires dans des conditions inhumaines reprirent, bientôt entrelardés de messages démoralisateurs transmis par mon prétendu avocat. Ce qui devait arriver arriva : un an

201

et un jour après mon arrestation, je signai le premier procès-verbal accusant Slánský ; c'était le premier procès-verbal qui pouvait nuire à quelqu'un d'autre que moi, quelqu'un qui - autant que je sache - était innocent. On m'extorqua de faux aveux par le froid et la faim insupportables, par des gifles et des coups, en me faisant mettre à genoux pendant les interrogatoires. Après ma deuxième tentative de suicide, on me passa à plusieurs reprises une camisole de force - une fois, pour treize jours et treize nuits d'affilée. Je fis mes aveux après une privation de sommeil de plusieurs semaines et après que l'on m'eut humilié, moi, ma femme, mes frères, mes amis, tous honnêtes gens. "Y avait combien de nez crochus autour de toi ? Au cas où tu le saurais pas, c'est le moment d'ouvrir tes esgourdes : 50 000 youpins ont travaillé pour la Gestapo pendant que les Boches nous occupaient", "Salope sioniste fils de pute bourgeoise, t'es complètement bouffé par la syphilis !" "Espèce de porc, espèce de merde !" Il y eut de pires injures que je ne peux pas répéter ici. Et cela, tous les jours, mois après mois. Quand ils voulurent me faire avouer que j'étais de nationalité juive pour qu'ils puissent ensuite me faire passer pour un nationaliste bourgeois, je refusai. Je leur disais la vérité : mes parents étaient juifs, mais j'étais né en Slovaquie et je m'étais toujours considéré comme un Slovaque. J'étais interrogé à tour de rôle par deux officiers, chacun se relayant au bout de huit heures. L'un des deux m'écrasait les pieds chaque fois que je ne répondais pas ce qu'il voulait m'entendre dire. Pour finir, j'avouai que j'étais de nationalité juive. Cela, on allait me le faire répéter des centaines de fois, les bras en l'air, puis à genoux.

Depuis ce jour, à mon nom, ils accolèrent sur leurs documents l'étiquette "détenu en cours d'interrogatoire, de nationalité juive". Monsieur le Président de la République, permettez-moi une question. À chaque fois que *Pravda* de Bratislava parle des camps de concentration, où périrent mon père, ma sœur et ses enfants, et cinq autres de mes parents proches, pourquoi affirme-t-elle que ce furent 150 000 Tchèques et Slovaques qui périrent à Auschwitz, Sachsenhausen, etc ?

On me répéta que, si je refusais de signer, ma femme subirait le même sort, que mes enfants seraient jetées à la rue. Parce que je subissais ces tortures bien qu'étant innocent, ces menaces me semblaient plausibles et j'en connaissais le danger. Je mesure un mètre quatre-vingts, je pesais à l'époque cinquante-quatre kilos. Le médecin de la prison savait que j'avais une faim supérieure à la normale. Il savait que mon état de dénutrition me poussait à aller uriner huit à dix fois par nuit. (J'en profitais alors pour manger une partie du papier de toilette.) En dépit de tout cela, je n'eus le droit d'acheter du pain avec mon propre argent qu'après mes dix premiers mois de détention et après le premier aveu. Quand je revins sur cet aveu, ils revinrent sur la permission d'acheter du pain. Après sept mois d'isolement, le 7 mars 1952, un nouvel officier, plus élevé en grade, se joignit à mes deux interrogateurs habituels. Il me secoua, me jeta contre le mur, me donna des coups de pied en hurlant : "Maintenant, ça suffit comme ça !" Il dicta le procès-verbal qu'ils voulaient avoir de ma propre main : "Je reconnais que je suis un élément de liaison important dans la conspiration contre notre État organisée par les nationalistes bourgeois juifs et sionistes. Je ferai ultérieurement une déposition détaillée et véridique de mes activités et de mes forfaits." Ces méthodes et beaucoup d'autres que je préfère ne pas décrire me conduisirent à un état mental qui ne peut être considéré comme celui d'une personne jouissant de toutes ses facultés. C'est ce qui explique également mes deux tentatives de suicide (le 7 octobre 1951 et le 9 mai 1952). À partir du 2 janvier 1953, et pour des périodes pouvant aller de trois à quinze jours, je commençai une grève de la faim. Elle dura au total cinquante-quatre jours. On me nourrit artificiellement par le nez, en me faisant volontairement très mal. À chaque intervention de ce type, je perdais beaucoup de sang. »

Les premières « nouvelles » que Kovarik apprit à Oskar étaient que j'étais sous surveillance constante, que l'on m'interrogeait tous les jours, que les services de la sécurité avaient réussi à empêcher d'extrême justesse notre tentative de suicide aux enfants et à moi.

Puis vinrent les conseils de « l'avocat » l'engageant à avouer les crimes dont on pourrait faire la démonstration qu'ils avaient été imaginés par la police et authentifiés par de fausses preuves extorquées contre lui aux autres détenus. Selon l'imaginaire Dr Loescher, le procureur général était au courant, et il avait l'intention de se servir du cas d'Oskar pour démasquer les activités illégales de la Sécurité d'État. En agissant comme on le lui conseillait, mon mari aiderait à débarrasser notre système de ces mauvais éléments, et il aiderait ainsi le Parti. Sa déposition mensongère contre d'autres accusés ne leur faisait qu'un tort provisoire, puisque tous ceux - une vingtaine - qui étaient impliqués seraient jugés en même temps. D'ailleurs, comme il pouvait lui-même s'en rendre compte à la lecture des documents qui lui étaient soumis, les autres agissaient de même, dans les mêmes conditions. Il serait jugé avec d'autres, dont son frère qui était impliqué dans une prétendue conspiration militaire mais qui, lui aussi, serait innocenté - le « Dr Loescher » le tenait du procureur général lui-même - dès l'ouverture de son procès. Il promettait à Oskar que le procès Slánský ne se tiendrait - c'était sûr - pas avant le Nouvel An, pour que lui, Oskar, ait la possibilité de revenir à son procès sur les fausses accusations contre Slánský qu'il aurait proférées dans ses aveux. Oskar devait donc passer rapidement aux aveux pour que son procès puisse s'ouvrir avant Noël.

La collaboration entre l'agent provocateur et les interrogateurs était si bien réglée dans le temps et les formes que tout semblait plausible, du moins pour quelqu'un dans la situation d'Oskar avec sa conception du Parti. Et le « Dr Loescher » prenait soin de souligner avec empressement qu'au cas où Oskar ne suivrait pas ce plan à la lettre, les conséquences en seraient terribles pour lui, mais aussi pour son frère et pour moi.

Au bout de quelque temps, Kovarik cessa de partager la cellule d'Oskar. On lui colla un remplaçant moins raffiné, celui-là. Il n'arrêtait pas de critiquer lourdement le régime. Oskar reconnut tout de suite en lui l'agent provocateur, mais avec le soupçon atroce que ce n'était peut-être par le premier agent provocateur qu'on lui collait dans sa cellule. Après quelques nuits d'insomnie, il chassa ces mauvaises pensées en se tenant le raisonnement suivant : « L'absurdité de l'idée que des officiers supérieurs de la Sécurité, dont la coopération et le consentement sont nécessaires à la mise en œuvre de ce plan compliqué, puissent ainsi s'avilir au nom du Parti, du prolétariat et des idéaux les plus justes que l'humanité ait jamais nourris, cette absurdité est telle que je ne peux pas y croire. »

Il décida de suivre les conseils de « l'avocat ». Quand il devint évident que le procès Slánský était imminent et qu'il aurait donc lieu avant le sien, et quand on lui donna à apprendre par cœur le texte de sa déposition contre Slánský, il refusa. On le menaça : s'il n'obéissait pas, il ne sortirait jamais vivant. Un ou deux jours avant le procès, il envisagea à nouveau de se suicider, mais ne trouva rien qui pût l'y aider, même pour une tentative. Le jour du procès, il dit à son interrogateur qu'il ne déposerait pas au tribunal, parce que chaque mot de son témoignage à charge contre Slánský et les autres accusés était un mensonge. Il demanda à être confronté avec Slánský qu'il n'avait jamais rencontré et qui n'avait certainement jamais entendu parler d'Oskar. Sa demande fut repoussée. Son codétenu lui fit une description détaillée de ce qui l'attendait s'il refusait de se rendre au tribunal : la mort, mais auparavant, pire que la mort. D'un autre côté, dit-il, si Oskar témoignait maintenant, il pourrait espérer vivre et entreprendre un jour, qui sait, des démarches pour faire éclater la vérité.

Quand Oskar vit entrer le coiffeur qui venait le raser et lui faire une coupe de cheveux, il comprit qu'il n'y avait aucune issue. Il s'accrochait encore à l'espoir qu'une fois devant le tribunal, il trouverait bien un moyen de faire comprendre à tout le monde qu'il mentait. Mais l'occasion ne se présenta pas.

205

Slánský ne lui posa aucune question, il ne déclara pas non plus qu'il ne l'avait jamais rencontré.

Dans l'attente de son propre procès, Oskar demanda à rencontrer le procureur général et, pour appuyer sa requête, il entreprit une nouvelle grève de la faim, le 2 janvier 1953. L'entrevue n'eut jamais lieu, le procès commença en septembre. Il fut jugé seul, et non pas avec une vingtaine d'autres accusés comme on le lui avait fait croire. A la place du fameur Dr Loescher, un avocat dont le nom même lui était inconnu débarqua dix minutes avant l'audience. Il réclama pour son client une peine supérieure à celle requise par le ministère public. Langer, il avait le regret de le souligner, avait commis tous les crimes dont on l'accusait et n'avait cessé de récidiver.

« J'avais préféré accorder foi aux propos de Kovarik plutôt que de croire que notre Etat pouvait recourir à de tels stratagèmes. En y repensant, je ne puis m'empêcher de ressentir la même impression que celle qui m'avait effleurée à Ruzyn et que j'avais immédiatement écartée en raison de son absurdité. Mais aujourd'hui, fort de l'expérience acquise, je me demande vraiment si la Police secrète n'est pas en fait l'organisme le plus puissant de l'Etat, et par conséquent placée au-dessus du Parti. C'est pour avoir une réponse à cette question que je vous écris. Je veux aussi répéter ce que j'ai déjà déclaré dans ma lettre du 10 octobre 1954 : je n'ai jamais appartenu à une quelconque organisation sioniste, société juive, communauté religieuse ou tout autre groupe de ce type. Je n'en tire aucun mérite, pas plus que je n'ai honte de mes ascendances. Je ne répète ma déclaration que parce qu'elle reflète la vérité. En conclusion, j'aimerais souligner que je ne prétends pas — et n'ai jamais prétendu — que Rudolf Slánský et ses associés étaient innocents quand ils furent condamnés. Je ne puis rien prétendre parce que j'ignore tout de leurs activités criminelles, et de ce dont on les accusait. Mais ce que je sais en revanche, c'est qu'ils étaient innocents de ce dont je les ai accusés moi, dans ma déposition à leur procès. Je sais aussi, et je peux le prouver, que c'est par des promesses et des menaces que l'on a contraint des gens à collaborer avec la police et à agir comme des agents provocateurs. Ce que j'ai vécu à Ruzyn, et que je n'ai décrit ici qu'en partie et en surface, me revient à l'esprit jour et nuit. Il m'est impossible de concilier les tortures que j'ai subies et les principes qui sont à la base du socialisme, et sur lesquels notre société devrait être fondée. »

Oskar terminait en exprimant sa conviction qu'en agissant ainsi il faisait son devoir et qu'il rendait service au Parti et au gouvernement en portant ces faits à la connaissance de la magistrature suprême, avec l'espoir que le président, en possession de ces renseignements, ouvrirait une enquête et prendrait immédiatement les mesures nécessaires au réexamen de son cas.

Les gens de la famille et les quelques proches auxquels je fis lire la lettre furent horrifiés par son contenu mais pas aussi stupéfiés que je l'aurais pensé. Tous, les uns après les autres, me dissuadèrent de me conformer aux instructions d'Oskar. Il était évident que la lettre ne contenait rien que ses destinataires ne sachent déjà. Elle ne serait pas une révélation. Son envoi ne changerait rien à la situation si ce n'est qu'il risquait de la faire empirer pour Oskar et pour moi. On me conseilla de brûler la lettre. J'acquiesçai, mais ne pus m'y résoudre. Je tapai la lettre en plusieurs exemplaires que j'expédiai, par sens du devoir mais aussi par masochisme, comme pour me punir de m'être apitoyée sur mon sort et pour exorciser l'agacement que m'avait procuré la correspondance d'Oskar avant la lecture de cette lettre.

Lörincz me reçut et nous eûmes une conversation idiote de dix minutes sur la pluie, le beau temps et nos enfants. Il prit la lettre sans même la regarder et me promit qu'il la transmettrait à son ami Siroky. Je n'en croyais rien. J'avais gardé un exemplaire de plus que je décidai de mettre en sécurité quelque part, au cas où je viendrais à être arrêtée — maintenant que j'en savais trop. Personne, même pas la famille, n'accepta de garder cet exemplaire. Finalement, ce fut Maria, une fois de plus, qui me rendit ce service. Elle ouvrit son armoire à linge et le plus simplement du monde plaça la lettre entre deux paires de draps propres. Il fallait être restée aussi incorrigiblement naïve que moi, et non pas héroïque comme je le pensais, pour attendre quoi que ce soit de ces démarches. La suite des événements me le prouva. Ou plutôt la suite sans événements me le prouva. Il n'y eut, de la part des instances suprêmes, ni signe d'indignation ou de remords, ni répression immédiate. Il ne se passa rien — ou presque. Les lettres avaient certainement atteint leurs destinataires tout-puissants, la bombe était sûrement bien arrivée, mais elle n'avait pas éclaté. Elle n'avait fait qu'un peu de dégât : Oskar fut transféré dans une prison de Slovaquie réputée plus dure encore et dont plus jamais aucune lettre ne put sortir clandestinement.

Le 10 avril 1955, *Rude Pravo* publia à la une un éditorial du ministre de la Justice, le Dr Bartoska, qui faisait référence, au détour d'une phrase, à des spéculations sur les procès politiques des dernières années. Bartoska affirmait avec emphase qu'en la matière, la notion d'amnistie était tout à fait inenvisageable. Dans le même temps, Siroky affirmait à des correspondants étrangers qu'il n'y avait pas de prisonniers politiques en Tchécoslovaquie. Cette affirmation fut reprise avec ironie par la plupart des journaux occidentaux, mais fit l'objet de commentaires détaillés et enthousiastes dans *l'Huma*, la *Volkstimme, l'Unita*, et autres journaux de cet acabit.

En Tchécoslovaquie, tout le monde savait, du sommet à la base. Mais rien ne se passa. Rien ne changea. Pas un seul message de vérité ne passa pendant les dix ans qui suivirent. Pas de journalisme d'enquête. Personne ne fut arrêté pour protestation. Silence, et rues mortes, réveillées à dates fixes pour la célébration claironnante de nos incomparables succès et progrès dans tous les domaines. Puis vint l'année 1956, et avec elle, la seconde mort de Staline, les soulèvements en Pologne et en Hongrie suivis d'une intense répression, et c'est alors seulement qu'on entendit un discret gargouillement du côté de l'intelligentsia. Mais après tout, c'était peut-être plus leurs estomacs qui se révoltaient enfin que leurs cerveaux, ou leurs cœurs qui parlaient.

Il y a aujourd'hui plus de dix ans que j'ai recopié et envoyé à nos dirigeants la lettre clandestine d'Oskar. Au moment où j'écris ces lignes, Novotný, pour des raisons économiques et non pas morales, vient de céder la place à Dubček.

Dubček est un homme relativement honnête. Je dis « relative-ment » parce que tout enfant, emmené par son grand-père, un fanatique de la vieille garde, il a séjourné longtemps en Russie, et aussi parce que sa carrière s'est développée dans le Parti pen-dant l'ère stalinienne et sous Novotný — ce qui limite singuliè-rement ses aptitudes à l'honnêteté et à la subtilité. Il se peut qu'il ait le désir sincère de faire mieux que ses prédécesseurs, mais je ne vois pas où il puiserait sa perspicacité et je doute de la validité de sa mémoire. Tous ces prophètes du « socialisme à visage humain » ont une grande élasticité de la mémoire qui est propre à tous les bons communistes. Exemple : ils ont appa-remment oublié que l'inventeur de cette formule est un autre bon communiste, Imre Nagy (je crois qu'il avait dit un « socia-lisme qui n'oublie pas l'être humain »), et qu'Imre Nagy condamné en 1956 fut exécuté avec leur bénédiction en 1958, sur ordre soviétique. Il ne semble pas leur être venu à l'esprit non plus qu'en proclamant « notre socialisme est à visage humain » ils affirment à Brejnev que le sien ne l'est pas. Est-ce que, par hasard, ils s'attendent que les Russes leur répondent : « Comme vous avez raison ! continuez et bonne route ! »

Tout cela m'amène à poser des questions aux Occidentaux qui, révoltés par les injustices du monde capitaliste, placent leurs seuls espoirs dans une révolution prolétarienne, qui mène-rait immanquablement au socialisme. Il y a déjà mené — dit-on — dans certains pays. Mais la question primordiale presque jamais soulevée et demeurée presque toujours sans réponse est : « Qu'y gagne-t-on et à quel prix ? »

Le niveau de vie des ouvriers soviétiques s'est amélioré. C'est vrai. Et je suis prête à me rallier à l'affirmation commune qu'un tel progrès passe par la révolution et que celle-ci exige de grands sacrifices. Admettons, encore que cela reste à prouver, que les millions de morts victimes de la guerre civile en Russie, victimes de la terrible famine généralisée et déclenchée de sang-froid, et victimes des camps, totalisent le prix à payer nécessairement pour le triomphe d'une cause juste. Laissons même en suspens la question de savoir si la vie des Russes se serait améliorée ou pas en un demi-siècle de régime parlemen-taire, même déficient. Acceptons que tous ces sacrifices étaient requis pour la création du premier État socialiste du monde et concédons que l'Union soviétique a réellement connu un développement miraculeusement rapide, vu son point de départ et tous les obstacles qu'elle a dû franchir.

Aujourd'hui, c'est une puissance industrielle : on a sorti le moujik de son trou ; le niveau de vie est à la hauteur de celui des pays européens les plus pauvres ; Spoutnik a été lancé ; l'analphabétisme a été éliminé au point que des semi-lettrés ont pouvoir de vie et de mort sur les esprits et l'existence même de leurs concitoyens. La faim a disparu, tout le monde boit, et l'importance de l'URSS sur la carte du monde est au sommet. C'est aujourd'hui une puissance impérialiste comme les autres super-puissances, mais au lieu d'avoir des démêlés avec des colonies sous-développées, elle a réussi à coloniser bon nombre de pays depuis longtemps civilisés et développés, ce qui *a priori* n'était pas une tâche facile. Elle est aussi devenue productrice, détentrice et distributrice des machines à tuer les plus modernes, et son pouvoir militaire menace tout le monde et partout. Les robinets des cuisines ne marchent pas, les tracteurs rouillent faute de pièces de rechange. Qu'importe ! Les bombes atomiques, elles, sont bien entretenues. Voilà pour le développement matériel.

Passons à la deuxième question : « A quel prix ? » Je ne la pose pas aux membres des partis communistes d'Occident, mais à vous qui êtes les plus dangereux, parce que les plus intelligents et donc les plus influents — vous, les compagnons de route. Hypnotisés comme vous l'êtes encore par la mystique de la Grande Révolution d'Octobre, avez-vous jamais regardé vraiment et compris ce qu'elle avait fait de ceux qui n'en étaient pas morts, et de leurs enfants ? Quand vous veniez nous rendre visite, et qu'après avoir copieusement banqueté avec la Brigade Potemkine vous croisiez dans la rue les immenses files d'attente serpentant devant les magasins d'alimentation, et quand, par hasard, vous entriez dans nos appartements surpeuplés, que pensiez-vous exactement ? Sans doute que ce n'était pas gai, mais qu'après tout, l'homme ne vit pas seulement de pain. Que ces inconvénients mineurs ne sont rien au regard d'un ordre social équitable : juste quelques désagréments négligeables et passagers. Puisque vous-mêmes, avec votre viande, vos fruits, votre papier toilette au kilomètre, ne trouviez pas le bonheur dans votre monde corrompu, immoral, injuste et condamné, vous alliez sans doute jusqu'à nous envier notre rigueur morale et nous respecter de la maintenir. Mais avez-vous jamais honnêtement essayé d'envisager la réalité de ce que les régimes socialistes en place ont apporté tout particulièrement à ceux qui, justement, ne se nourrissent pas seulement de pain ?

D'innombrables jeunes gens, dont le destin eût été normalement de devenir des ouvriers, des employés de bureau, des scientifiques, d'inoffensifs spectateurs de matches de football, des écrivains, des peintres, des docteurs, des vagabonds, des tyranneaux domestiques et même des criminels, en raison de leurs aptitudes, de leurs talents divers et des caprices du sort, sont tombés entre leurs mains. Ils en ont fait des Kafana par millions, et de temps en temps des Novotný. Ils ont doté ces hommes de pouvoirs illimités qu'ils exercent avec brutalité et maladresse sur des nations entières et, dans certains cas, sur l'Univers. Ils ont transformé une grande partie de leur population en indics, qui sont prêts à tout pour sauver leur peau, y compris à vendre la liberté et souvent la vie de leurs voisins pour acquérir quelques mètres carrés de plus d'espace vital. De citoyens honnêtes à l'origine, ils ont fait des trafiquants permanents, le pot-de-vin étant la seule monnaie ayant cours pour l'obtention des menus objets et des petits riens qui sont à la portée de tous dans les autres pays. L'objet en question n'est souvent rien de plus qu'un rouleau de papier toilette, et le petit rien, la réparation d'un évier bouché. Ils ont poussé des auteurs de talent à la prostitution, quoique le terme de prostitution ne convienne pas. Il y a des prostituées qui sont d'honnêtes professionnelles et qui, elles, savent donner du plaisir. Avec eux au pouvoir, les syndicats sont devenus les patrons tout-puissants des entreprises déshumanisées, pratiquant l'intimidation organisée, les esclaves du Parti, mais les gardes-chiourme des travailleurs, ayant devoir de dénoncer tout gréviste potentiel comme un ennemi de l'Etat. Les scientifiques, entraînés à suivre heure par heure des télex en provenance de Moscou, n'ont plus le temps d'être des chercheurs et sont devenus des scribouillards. Nos enfants ont pris goût au mensonge et à la dissimulation, en tout cas à l'extérieur, si plus rarement au sein de la famille. Des nations entières sont devenues un ramassis d'individus apeurés et pitoyables entre lesquels la seule communication encore possible est celle qui s'établit à travers les rumeurs, les plaisanteries et les insinuations chuchotées de bouche à oreille, une fois le téléphone bien enfoui sous les oreillers et la radio poussée au maximum. Les intellectuels sont devenus de frénétiques chasseurs de privilèges et de biens de consommation, qu'ils collectionnent et s'échangent comme les gamins leurs billes.

Je ne suis pas près d'oublier ce long moment passé au café entre un excellent traducteur et un poète célèbre, qui revenaient tous deux de l'étranger, et dont la conversation roula pendant des heures sur les différents mérites des imperméables en plastique, des produits de beauté et des pull-overs qu'ils avaient acquis au cours de leurs voyages.

Le socialisme a beaucoup assassiné physiquement, mais il bat tous ses records dans l'assassinat des âmes et des consciences, et il continue de le faire, hors ses frontières, dans des endroits où les gens sont pourtant libres de décider de ce qu'ils veulent faire de leurs âmes et de leurs consciences. Mais qui pourra faire comprendre à un compagnon de route occidental que les Russes vivent depuis plus d'un quart de siècle sous des McCarthy tout-puissants, intouchables, irrévocables et dont dépend leur vie et leur mort ? Que la corruption et l'incompétence qu'il condamne dans son régime sont les normes du nôtre ? Que ce qu'il dénonce comme les privilèges injustes chez les riches de son pays sont relativement beaucoup plus petits que ceux dont jouissent les classes dirigeantes des nôtres ? Comment lui faire comprendre que la course à la promotion sociale et à la panoplie qui l'accompagne est aussi condamnable, qu'il s'agisse d'une brosse de toilette en plastique rose, d'un disque de mauvaise musique pop et d'un transistor piaillard d'un côté, ou d'une voiture de sport et d'un divan de daim pleine peau de l'autre côté ?

Tout au long de l'année 1955, nous continuâmes, Oskar et moi, à envoyer des lettres au Parti et aux autorités du gouvernement et de la justice. Une seule lettre obtint réponse. J'avais entendu dire qu'une commission composée de membres du Parti allait se tenir à Prague, en vue de réexaminer la validité de certaines condamnations dont on avait le mauvais goût de suggérer qu'elles étaient consécutives à des erreurs possibles... Cela m'encouragea à solliciter une entrevue qui me fut accordée très rapidement. Je reçus une convocation dans laquelle on m'indiquait le jour et l'heure où je devais me présenter dans un bureau du Comité central, où une camarade du nom de Kunstadt serait prête à m'entendre. Ce qui se passa ensuite restera pour moi la plus humiliante de toutes les humiliations que le Parti m'ait fait subir. Je pris donc mon train pour Prague, toujours grâce à de l'argent emprunté, et à l'instant où je pénétrai dans le somptueux immeuble, sans être transportée par l'espérance, j'avais quand même dans le cœur une petite étincelle d'espoir. Dans un gigantesque hall, tout en marbre, derrière une table géante, siégeait un homme ; je lui montrai mes papiers d'identité et la convocation ; il me remit une liasse de formulaires à remplir, et me dit de m'asseoir et d'attendre. Puis il téléphona à la Dame-camarade. Je m'attendais à être dirigée vers l'étage et le bureau où je croyais être attendue, mais il m'intima à nouveau l'ordre — je dis bien m'intima — de rester assise et d'attendre. Une bonne demi-heure s'était écoulée, lorsque enfin apparut, descendant le grand escalier, une dame, genre vieille fille entre deux âges, trop bien habillée, mais pas très soignée. Elle se dirigeait de mon côté. Dans ma lettre, j'avais si minutieusement raconté l'histoire d'Oskar, que lorsqu'elle me demanda abruptement ce que je faisais là et ce que je désirais, je n'en crus pas mes oreilles. J'étais si déconcertée d'être abordée dans un lieu de passage et questionnée si brusquement par quelqu'un d'aussi manifestement pressé que je ne pus que bredouiller quelques mots. La Dame-camarade les écouta, en affichant la lassitude, le dégoût et le mépris des gens très occupés par des tâches sérieuses, et qui n'ont que quelques secondes à vous consacrer, quelques secondes d'ailleurs déjà écoulées... Et puis, elle parla :

j'avais eu tort, dit la Dame-camarade, de penser que la Commission allait se réunir pour traiter d'un cas aussi clair que celui de mon mari. La cause avait été jugée et ne nécessitait aucun réexamen. Elle formula le souhait que les folles et les intrigantes s'abstiennent à l'avenir de lui faire perdre son temps alors qu'elle avait tant de travail, puis elle tourna les talons et me laissa plantée là.

Vint l'été 1955, et comme Oskar insistait, je pris un avocat. Comme tous ses confrères dans notre pays, il était l'employé du Centre du Conseil juridique. Il était cynique, sceptique et le montrait. Moi aussi d'ailleurs. Mais il entreprit les démarches que je le payais pour effectuer. Il exigea le réexamen du cas, sollicita l'annulation officielle des décrets de déportation et de confiscation des biens ainsi que la restitution de la moitié au moins de l'argent figurant sur le livret de notre compte bancaire saisi lors de la perquisition. Tout cela ne servit à rien. De toute façon, pour ce qui est des décrets concernant la déportation et la confiscation des biens, la démarche était sans but. Notre présence à Bratislava était maintenant tacitement tolérée et je ne possédais rien que l'on pût me confisquer. Cela ne me servit même pas à obtenir une autorisation pour envoyer des colis à Oskar. On les accordait de temps à autre, à moi on les refusa toujours. Je tentai ma chance un jour et j'expédiai un paquet, espérant qu'il passerait quand même. Il me revint deux mois plus tard. A l'intérieur, je découvris une bouillie qui sentait le moisi : c'était mon gâteau, d'inestimables citrons et quelques barres de chocolat que j'avais eu tant de mal à me procurer. Aucun des premiers disques enregistrés par Susie ne lui parvint jamais non plus.

Et pourtant, tout d'un coup, en août, nous reçûmes une autorisation pour une seconde visite. Cette fois c'était à la prison Leopoldov, où il avait été transféré. Paradoxalement, son transfert dont j'attendais le pire lui procura certains avantages. Il n'y avait pas de mines d'uranium à Leopoldov, il était en Slovaquie, à deux heures de Bratislava, et si les colis ne passaient pas, le courrier, lui, était autorisé de façon plus régulière. Nous échangions de longues lettres, et la censure s'était apparemment relâchée. Mais cinq années de séparation s'étaient écoulées. Elles étaient difficiles à combler.

« Moi aussi, je vois les erreurs — écrivait-il — mais je sais qu'elles ne sont que passagères, que le Parti les corrigera et qu'elles ne pèsent guère dans le bilan positif de l'oeuvre du Parti. Je comprends que tu te sentes seule ce premier mai, au milieu d'une foule heureuse et en fête. Je t'en prie, cesse d'employer ces expressions grossières qui abaissent le niveau de tes lettres et qui sonnent pire en slovaque que tu ne les penses en argot hongrois. »

Il faisait référence à une lettre dans laquelle j'avais écrit : « Tu as probablement raison en disant que le meilleur moyen de ne pas se tromper, c'est de ne rien faire. Mais dans certains cas, quoi qu'on nous ait enseigné, la quantité ne remplace pas la qualité, elle vient simplement grossir le tas de merde déjà existant. J'ai pris un avocat et nous sommes toujours en plein dedans... J'ai beaucoup d'admiration pour ta force morale et ton sens politique quand, par exemple, tu consacres la moitié de ta lettre à décrire la joie que tu éprouves en sachant qu'on vient d'établir le nouveau projet de construction de logements pour les ouvriers des mines. Mais, tu comprendras que, les choses étant ce qu'elles sont, mon immaturité idéologique m'empêche de partager entièrement ton enthousiasme. »

Les grossièretés qu'il me reprochait n'étaient pas typiquement hongroises, elles étaient le reflet de mes pensées dans toutes les langues. D'ailleurs il faut dire que j'en usais rarement, aussi rarement qu'il me donnait lui ses leçons d'idéologie. La plupart du temps, nous faisions de grands efforts pour nous redonner du courage l'un à l'autre, avec nos assurances mutuelles d'amour et d'espoir toujours répétées et un peu monotones avec le temps, et puis je lui racontais les enfants et lui me racontait et me décrivait ses compagnons de détention et c'était souvent très drôle, ou bien, puisqu'il avait accès maintenant à une bibliothèque, on se recommandait des livres qu'on discutait ensuite. Mais en dépit de toute cette bonne volonté, nous étions séparés par bien d'autres choses que seulement l'espace et le temps.

La prison Leopoldov était une prison comme il n'en existe que dans les mauvais rêves. C'était une forteresse géante aux murs aveugles qui se dressait seule au milieu d'un désert. Cette fois, les visiteurs étaient peu nombreux, ils attendaient sur la route poussiéreuse, à cent mètres à peu près d'une première rangée de barbelés protégeant l'accès à une sorte de terrain vague, lui-même entièrement cerné d'une double rangée de barbelés qui, eux, protégeaient l'entrée de la prison : une gigantesque porte blindée. Deux gardiens en uniforme parcouraient au pas la distance qui nous séparait de cette porte pour venir chercher chaque visiteur quand son tour arrivait. Il n'y avait ni banc pour s'asseoir, ni abri pour se protéger en cas de pluie ou de grand soleil. Comme maintenant nous avions de l'expérience, nous avions apporté une thermos et quelques sandwiches en prévision d'une longue attente. Elle ne dura que deux heures et les provisions restèrent intactes. Les gardes vinrent nous chercher, et après avoir franchi la première barrière de barbelés, le terrain vague et les deux barrières de barbelés, nous nous trouvâmes devant la porte blindée ; elle s'ouvrit, et à peine étions-nous entrées qu'elle se referma derrière nous avec un grand bruit de serrures. Nous étions dans une immense pièce voûtée, sombre et moyenâgeuse. On nous fit décliner notre identité et on nous donna l'ordre, à Susie et à moi, de déposer nos sacs, et à Tania son ours en peluche sur une tablette. Dans nos sacs, il y avait nos mouchoirs pour peut-être pleurer, et aussi les photos de famille et les friandises que nous avions espéré pouvoir glisser à travers le grillage. Mais — premier signe de déstalinisation et d'humanisation du socialisme — nous devions découvrir qu'il n'y avait plus de grillage.

On nous conduisit dans une grande pièce bien éclairée, on nous fit asseoir sur un long banc placé devant une longue table.

aux côtés d'autres visiteurs. On introduisit Oskar qui s'assit en face de nous avec un garde derrière lui.

C'était la première fois depuis cinq ans que nous pouvions nous voir de si près. Il avait beaucoup maigri, il était pâle et ses cheveux grisonnaient. Il était rasé de frais et il nous souriait. Alors, comme la première fois, à cause de ce sourire un peu timide, un peu de guingois, qui découvrait ses belles dents miraculeusement intactes, je retrouvai à nouveau devant moi le jeune homme qui attendait dans le hall de cet hôtel de Vienne où nous avions pris notre premier rendez-vous secret après deux ans de correspondance et qui s'était approché de moi pour me demander si j'étais bien la fille qu'il aimait.

Je m'étais préparée à cette seconde visite sans la fièvre épuisante qui avait précédé la première. Sans larmes, sans nervosité, sans joie débordante, raisonnablement en somme. J'avais pris la route de la prison parce que tel était mon devoir, et surtout pour lui montrer les enfants, pas vraiment pour des retrouvailles. Et puis, tout d'un coup, il était là, si proche qu'il pouvait prendre mes mains dans les siennes par-dessous la table. Il était là, le jeune homme du hall de l'hôtel de Vienne, et à ça je ne m'étais pas préparée. Il n'y avait plus rien de raisonnable. Ce que je croyais être nos différends et nos différences fondait. Je n'étais plus que compassion, submergée par un besoin fou de l'aimer et de le comprendre à nouveau. Des larmes plein les yeux, je disais merci à ce miracle qui voulait qu'en dépit de tout il soit encore vivant. Vivant, amaigri, pâle, grisonnant, mais ni fou ni malade. Le père de mes enfants, mon mari. Dans cet instant-là, j'aurais pu penser que tout était encore possible entre nous. Il aurait suffi que le miracle continuât, qu'on nous permît de revivre ensemble, de nous toucher, de nous parler. Alors lui, enrichi de son horrible expérience, et moi, chargée à nouveau d'amour et de compréhension, nous serions repartis de zéro. Et la vie se serait écoulée plus paisible qu'avant, jusqu'à nous mener vers la vieillesse partagée dans une tendre tolérance.

Bratislava, 1968.

Je me demande si la chute de Novotný et ce qui se passe en ce moment sous Dubček correspondent bien à ce qu'Oskar avait toujours souhaité. J'ai ma propre opinion et mes propres doutes sur la suite à attendre des nouveaux événements, mais ce qui est insupportable, c'est l'absence d'Oskar. Pourquoi faut-il que la mort l'ait emporté avant qu'il puisse vivre et partager tout ce bouleversement ? Il y a quelques semaines, j'ai retrouvé le double d'une lettre qu'il écrivait deux ans avant sa mort à Dubček. Elle est datée d'avril 1963 — et Dubček venait d'être élu premier secrétaire du Parti communiste de Slovaquie[1]. J'ai envoyé la lettre à un rédacteur en chef de mes amis. Une façon de faire contribuer Oskar, au moins à titre posthume, à ce qu'il soutiendrait certainement aujourd'hui avec enthousiasme. Des extraits de cette lettre ont paru dans un article intitulé « Une voix qui nous touche d'au-delà de la mort ».

« En cette année 1968, nous souhaitons évoquer, pour ceux qui ne l'ont pas connu ou qui l'ont oublié, cet homme admirable, ce communiste de la première heure, célébré dans un premier temps comme un de nos plus brillants économistes, et qui devait par la suite devenir par les soins de notre Etat "un sioniste, un cosmopolite, un révision-

1. Après avoir occupé différentes fonctions dans l'appareil du Parti en Slovaquie (notamment comme secrétaire du Comité central slovaque de 1960 à 1962), Alexander Dubček fut premier secrétaire du PC slovaque de 1963 au 5 janvier 1968, date à laquelle il devint premier secrétaire du Parti communiste tchécoslovaque. (N.d.T.)

niste, un conspirateur et un espion", ce qui lui valut de passer dix ans dans les prisons de Novotný. Il n'est pas là aujourd'hui pour voir notre renaissance et pour y participer. Après toutes les souffrances qu'on lui a fait endurer, il nous a quittés il y a trois ans. Voici un passage d'une lettre qu'il écrivit il y a maintenant cinq ans : "Cher camarade Dubček ! Le bruit court — si la radio autrichienne ne ment pas — que vous avez été nommé premier secrétaire du Comité central du Parti communiste de Slovaquie. Bien que nous ne nous connaissions pas personnellement, permettez-moi de vous transmettre mes vœux de bonne santé et de grand succès dans vos nouvelles fonctions. Je serais sincèrement heureux — et des millions d'autres avec moi — si votre entrée en fonction pouvait signifier une rupture avec le passé, c'est-à-dire que les gens honnêtes puissent se sentir à l'abri de tout arbitraire et de toute persécution. C'est indispensable pour l'avenir de notre patrie et du socialisme. Si je parle ainsi, c'est que j'appartiens à ceux qui ont payé d'un prix effroyable l'absence de ce sentiment de sécurité dans le passé. Je crois de mon devoir d'exprimer ma conviction que l'initiative et le potentiel du peuple tout entier ne peuvent être réellement mis au profit d'une pleine coopération que si on le libère définitivement de la peur et si on le laisse se refaire une santé. Veuillez pardonner mon ton peu conventionnel, mais je vous prie d'accepter mes vœux que lorsque vous quitterez vos fonctions, vous puissiez le faire en sachant que les gens vous respectent, ne vous évitent pas, n'hésitent pas à vous inviter chez eux et qu'ils vous tiennent pour quelqu'un qui n'a pas abusé de leur confiance, qui n'a jamais bluffé, qui n'avait rien à cacher ou à embellir au cours de sa vie publique."
Nous sommes convaincus qu'Oskar Langer serait aujourd'hui satisfait de Dubček. En vérité, c'était là une vision prophétique de l'homme que nous, nations sœurs, maintenant unies comme les doigts de la main, savons qu'est le camarade Dubček. »

L'article parut en juillet. Nous sommes maintenant début août. Je ne doute guère de l'intégrité de Dubček, et comme le reste de la nation j'ai été soulevée par la lame de fond qui charrie tous nos espoirs. Je vogue sur les vaguelettes de l'honnêteté à la surface de notre vie publique et pourtant je suis plus souvent inquiète qu'heureuse. Pourquoi en parlant des prisons qu'Oskar a connues dit-on « les prisons de Novotný », pourquoi pas « les prisons de Gottwald », pourquoi pas « les prisons des conseillers soviétiques » ? Dubček a fait carrière dans le Parti de Staline et de Gottwald, et quand tout a commencé, Novotný n'était rien encore. A-t-on besoin de nouveaux mensonges pour nous débarrasser des vieilles menteries ? Husak[1], qui est revenu au premier plan, aux côtés de Dubček, est un vieux renard stalinien doublé d'un patriotard. Quant aux victimes innocentes, il n'en aurait rien eu à foutre si le malheur n'avait voulu qu'il ait été lui-même dans le tas. Dubček est probablement honnête, et il a certainement du charme. Mais l'honnêteté et le charme suffisent-ils pour sortir un pays désespéré du bourbier dans lequel on l'a mis ? Et le sortir pour le mener où, entouré qu'il est par des bourbiers plus profonds et plus menaçants ?

La vérité est qu'Oskar vivant, aujourd'hui, mettrait tout son coeur à combattre aux côtés des partisans de Dubček, même s'il devait retrouver dans leurs rangs beaucoup de ceux qui, quelques années auparavant, l'auraient pendu avec bonne conscience pour le bien du Parti. Quant à l'autre combat, l'ancien, celui entre lui et moi, il serait en train de se livrer ici, comme d'habitude, à la maison.

1. Gustav Husak, président du Conseil des ministres délégués slovaques et membre du Comité central du PCT, arrêté en 1951 pour « nationalisme bourgeois », fut condamné à la réclusion à perpétuité en 1954. Libéré en 1960, réhabilité en 1963, il fut vice-président du Conseil des ministres pendant le Printemps de Prague, puis premier secrétaire du parti slovaque après l'occupation soviétique, enfin premier secrétaire du PCT après la démission forcée de Dubček en avril 1969. Depuis 1975, il est le président de la République normalisée. (N.d.T.)

Västëras, Suède, décembre 1978.

Ici, il fait froid, il fait noir, c'est le début de la journée, c'est décembre en Suède. Il me faut faire un grand voyage de vingt ans en arrière pour me retrouver dans le soleil et la chaleur de ce jour d'été tchécoslovaque où je retrouvai enfin un vrai travail après des années passées à besogner clandestinement. Comme il est difficile de faire comprendre, aujourd'hui et d'ici, l'importance phénoménale que prenaient, à l'époque et là-bas, le moindre événement ou la plus dérisoire amélioration. Et pourtant ! Quand mon mari totalement innocent vit sa peine de vingt-deux ans réduite à douze, je crus vivre un miracle de justice. Et quand j'inaugurai le nouveau conduit de cheminée qui allait nous éviter la mort par le gel ou par asphyxie, je célébrai le triomphe du confort moderne. Et quand nous fut accordé le droit de visite à Oskar tous les deux mois, et quand je découvris qu'au lieu d'attendre sur la route nous pouvions maintenant nous abriter dans une petite baraque où l'on trouvait de l'eau courante, un évier et des toilettes, je saluai avec reconnaissance les progrès accomplis par la déstalinisation. La baraque était abondamment décorée d'affiches. Elles représentaient des bébés rieurs pleins de fossettes, tendus à bout de bras (vers quoi ?) par leurs mamans en bleus de travail, ouvrant tout grands leurs yeux extasiés (vers qui ?), et des enfants plus grands assis sur les genoux de leurs pères tractoristes qui leur avaient permis de poser un instant leur menottes dodues sur le volant. Ils souriaient à l'avenir radieux que leur désignait le regard résolument révolutionnaire de leurs papas.

Ces chefs-d'oeuvre du réalisme socialiste étaient audacieuse-ment légendés : « Les enfants sont notre avenir, chéris-sons-les ! », ou bien « Notre amour pour nos enfants peut se concrétiser à travers l'amour éternel qui nous lie à la Grande Union soviétique ! ». La petite baraque était toujours pleine de vrais enfants en chair et en os, et l'exposition de ces affiches était proprement insupportable. En revanche, le toit et les toi-lettes étaient dûment appréciés.

C'est difficile d'expliquer ce qu'il y a de merveilleux à être saluée dans la rue par quelqu'un dont vous avez été l'amie dans le bon vieux temps, mais qui au cours des cinq dernières années avait pris l'habitude de changer de trottoir dès que vous appa-raissiez. C'est difficile mais je vais essayer.

Ce jour-là, ce jour d'été, j'avais enfin trouvé du travail dans un journal récemment créé. Officiellement je n'étais que dactylo (sans doute pour ne pas effaroucher les cadres) mais bien sou-vent il m'arrivait de rédiger aussi. C'est-à-dire que je travaillais avec un groupe de gens en compagnie de qui je pouvais rire ouvertement des sottises et des mensonges qui atterrissaient sur leurs bureaux, en provenance de la censure et en partance pour l'imprimerie, et parmi lesquels on avait la joie folle de glisser en douce et en vitesse, ici ou là, le mot de vérité ou le soupçon d'humour qu'on retrouverait imprimé dans le journal.

De ma fenêtre, ici en Suède, je peux voir les maisons alignées comme des boîtes, au cordeau, les parkings bien éclairés et le centre commercial adossé à un bout de forêt non entaillé, avec son éboulis de roches primitives, le paysage typique qu'offre la banlieue d'une ville suédoise moderne. La neige recouvre rapi-dement de son silence le silence de la ville et immobilise ce qui ne bougeait déjà plus. Si la paix, le bien-être et la liberté sont des bénédictions, nous sommes vraiment bénis, n'était-ce pas ce que disait Jésus ? Sommes-nous bénis pour ce que nous sommes, ou est-ce le contraire ? L'homme mérite-t-il d'être châtié pour naître au monde et penser ? L'oppression est-elle nécessaire pour connaître le prix de la liberté ?

Ici, dans cette petite banlieue, la librairie du centre commercial renferme plus de nourritures spirituelles et d'informations utiles que nous n'en eûmes là-bas pendant vingt ans. On y rencontre des adolescents assis parmi les rangées de livres et les longs présentoirs couverts de journaux et de revues venant du monde entier. Ils sont là, des piles de bandes dessinées sur les genoux. Je me vois mal essayant de leur expliquer qu'un des grands moments de ma vie d'avant fut celui où on me remit une petite carte qui m'autorisait à entrer à l'institut spécial des journalistes pour y lire le *Times* ou *le Monde*.

Ce journal qui m'employait était novateur dans plusieurs domaines. Le rédacteur en chef, au courage civique duquel je devais mon engagement, n'était pas membre du Parti, c'était un journaliste expérimenté et efficace, ce qui était déjà en soi une innovation pour la profession. Ce nouveau quotidien slovaque paraissait le soir et, après accord tacite avec les sphères dirigeantes, il arborait un ton un peu plus léger et un rien boulevardier qui contrastait avec celui des très officiels journaux du matin. Notre rubrique la plus populaire était une colonne qui s'ouvrait aux citoyens désireux d'exposer leurs griefs, qui étaient toujours les mêmes : manquements dans les services publics, pénurie dans les biens de consommation, ou dénonciation de faux arrivages. Les tout premiers bulletins d'information du matin, des radios de Vienne, Londres, Paris ou Rome étaient enregistrés au magnétophone, je les traduisais et j'en faisais des résumés dans lesquels les journalistes trouvaient des nouvelles et des potins qui ne leur étaient jamais fournis par l'Agence télégraphique tchécoslovaque et encore moins par TASS. Sans être contestataire le moins du monde, le journal était plus chatoyant et un peu moins indigeste et pompeux que ceux du Parti. Il y avait des queues devant les kiosques comme on n'en voyait que pour les oranges ou la viande. Comme nous cherchions constamment à faire passer de l'information en douce, il y avait des heurts avec les censeurs, il y eut même quelques sérieux rappels à l'ordre émanant des hautes autorités du Parti, mais le journal ne cessa jamais de paraître. C'était un énorme succès.

Pourquoi des gens qui n'étaient pas tous fous faisaient-ils la queue pour acheter un journal qui leur donnait au compte-gouttes le genre de littérature qui submerge les kiosques d'ici ? Il faut avoir fait une cure de plusieurs années de *Pravda* pour redécouvrir la saveur du fait divers ; un petit écho sur Lollobrigida, l'aventure du chien fidèle allongé sur la tombe de son maître, ou bien encore le meurtre d'un homme qui n'était ni un impérialiste ni un trotskiste, mais seulement l'amant de la femme de l'homme qui a tiré. Il faut en avoir jusque-là des photographies représentant des hommes d'Etat s'embrassant sur la bouche à l'aéroport, ou des ouvriers transportés de joie derrière leurs machines, pour trouver que la photo d'une jolie fille au décolleté plongeant est un cadeau-symbole d'une liberté nouvelle.

Liberté ? Il ne faudrait rien exagérer ! Les censeurs eux-mêmes n'arrivaient pas toujours à suivre les méandres de la pensée imprévisible de nos grosses têtes du Parti. Ainsi, à l'occasion d'une foire industrielle, un petit voilier avait été monté sur pilotis sur la place en face du Théâtre national. Dans la nuit, un orage éclata brusquement, et le petit bateau chavira. Grâce à la présence d'esprit de notre photographe, nous avions une photo du naufrage. Elle passa à la une avec une brève légende stigmatisant les caprices du vent. Bref, un articulet d'intérêt local. Les réactions furent immédiates et effrayantes : dès le début de l'après-midi, la diffusion du journal était suspendue, le rédacteur en chef convoqué au siège du Parti pour s'expliquer et le censeur saqué pour manquement. Tout cela pourquoi ? On ne me croira jamais. Parce que la photo du bateau retourné était à la même page que l'annonce officielle de l'arrivée le même jour à Bratislava du ministre Siroky, en provenance de Prague.

Une fille, jeune et intelligente, qui était entrée à la rédaction du journal fraîche émoulue de l'Université où elle avait étudié le journalisme pendant cinq ans, fut virée du jour au lendemain après une année de très bon travail à la rubrique culturelle. En l'absence du chef de rubrique terrassé chez lui par la grippe, elle avait eu le tort de rédiger une critique peu louangeuse sur une piécette radiophonique dont l'auteur était soviétique. Le papier était passé sans que personne n'y ait trouvé à redire - ni la rédaction ni la censure. Mais quelque part, dans les hautes sphères, probablement à l'initiative du consulat soviétique, la machine s'était mise en marche qui allait la broyer. Et chez nous, broyer ça voulait dire broyer. Il était inutile qu'elle se cherche un autre journal, sa carrière de journaliste était terminée.

Et pourtant en 1956, il y avait quelque chose de nouveau dans l'air. Khrouchtchev avait révélé ce que - en Tchécoslovaquie du moins - tout citoyen sain d'esprit savait depuis des années, et bien que son rapport ne fût pas officiellement diffusé, tout le monde en parlait et formulait les hypothèses les plus optimistes sur les suites qu'il ne manquerait pas d'avoir. A Prague, au congrès des écrivains, quelques voix s'étaient fait entendre, elles parlaient de désenchantement et d'écœurement. Même les plus orthodoxes et les mieux nantis devaient se résigner à admettre que les choses n'avaient pas toujours tourné aussi rond qu'on l'aurait voulu. C'était, bien entendu, la faute à Staline, et ça n'allait pas tarder à devenir la faute à Novotný.

Oskar, lui aussi, fondait de grands espoirs sur Khrouchtchev. « Cet homme qui s'est enfin dressé pour parler est honnête et humain. Fini le temps et les circonstances qui transformèrent en lâches des individus honnêtes », écrivait-il de prison. Moi, pour ne pas changer, je restais sceptique, et pensant à l'œil vigilant du censeur, je lui glissai une phrase de réponse, entre deux banalités sur la famille et le beau temps : « Si ceux dont tu parles sont aussi honnêtes et humains que tu le dis, pourquoi viennent-ils si tard ? L'honnêteté foncière d'un homme se manifeste généralement peu après sa puberté, il est rare qu'elle le fasse au seuil de sa vieillesse. »

Nous n'allions pas tarder à être à même d'apprécier à leurs justes valeurs les capacités d'honneur et d'humanisme du remplaçant de Staline. Les premiers soubresauts de la contestation se faisaient sentir en Pologne et ensuite en Hongrie. La presse tchèque les ignora totalement. Tout comme elle ignora le mémorandum qu'Imre Nagy envoya au début de février 1956 à Khrouchtchev et aux dirigeants du parti hongrois. Dans ce texte, il exposait ses idées de réforme du régime communiste, il insistait sur le fait que ce qui était moralement ignoble ne pouvait être politiquement juste, et c'est là qu'on trouve la phrase « un socialisme qui n'oublie pas l'être humain » dont je parlais plus haut. Quand vint le temps de la vengeance, c'est cet homme honnête et humain qui fit pendre Nagy.

L'insurrection hongroise a été décrite, beaucoup mieux que je ne saurais le faire, par ceux qui la vécurent sur place. Je voudrais simplement dire quelles en furent les répercussions en Tchécoslovaquie. Quand les événements eurent pris l'ampleur que l'on sait, les journaux ne pouvaient plus les passer sous silence. Tout se précipitait. Moscou, qui ne savait plus sur quel pied danser, était avare en commentaires officiels. Alors on vit la panique et la débandade s'installer pour un temps dans l'officine des manipulateurs en information. J'ai dit « on » vit, je devrais dire je vis, et même je « vécus » cette brève période, j'étais aux premières loges, et c'était délectable. Voici comment les choses se passaient.

Les informations, ou plutôt ce qu'on jugeait bon d'en retenir pour les déformer, étaient publiées dans les journaux du matin, et déjà à midi elles n'étaient plus valables. On savait évidemment au siège du Parti que le journal possédait un télex, et aussi que nous enregistriions les dernières nouvelles diffusées par les stations étrangères. Je ne sais pas comment les choses se passaient à Prague, mais à Bratislava c'est notre rédaction qui devint la source la plus rapide d'informations pour le Parti. Moi je courais du télex au magnéto et du magnéto au télex, et je rédigeais nos petits communiqués toutes les heures. Comme j'étais la seule Hongroise du journal, je passais le plus clair de mon temps à maintenir la liaison télex avec Budapest. J'ignorerai toujours qui était mon interlocuteur à l'autre bout du télex, mais les dialogues que nous échangeâmes par la grâce de cette machine, dont le fonctionnement miraculeux est un mystère pour moi encore aujourd'hui, resteront parmi les plus beaux moments de ma vie. Son cœur dictait à l'inconnu un flot ininterrompu d'informations si extraordinaires qu'elles devaient à l'époque bouleverser le monde entier, et l'inconnu y ajoutait ses commentaires personnels, sans retenue émotionnelle. Je répondais sur le même ton de fervente admiration pour ce qui se passait là-bas. Là-bas s'élevait la grande clameur pour l'amour de la vérité et pour la dignité de l'homme. Et cet amour-là, il passait entre nos mots. Là-bas on avait pris les armes, et c'était pour nous sauver tous. Entre deux questions, deux réponses, deux nouvelles, nous échangions des vœux, des plaisanteries, d'affectueuses bourrades et des kilomètres de points d'exclamation.

Les responsables du Parti étaient si impatients de connaître les toutes dernières nouvelles qu'on ne me laissait plus le temps de les rédiger. Alors on m'envoya une limousine noire qui me conduisit au siège du Parti où je fis mon compte rendu oralement. Pour la première fois, je me retrouvai devant, et même assise devant deux personnages tout-puissants, mais pour une fois c'était eux qui tremblaient de peur, pas moi. Je leur racontai le défilé solennel commémorant la mort de Rajk et les aveux officiels des dirigeants du parti hongrois qui s'accusaient d'avoir truqué ignominieusement son procès. C'est moi qui leur appris comment la statue géante de Staline avait été déboulonnée ; et c'est de ma bouche qu'ils reçurent le discours de Kadar dans lequel il parlait du « vaste mouvement populaire » et s'engageait à travailler main dans la main avec Nagy. Nous étions en novembre, et je pouvais encore citer Kadar, parlant de la « glorieuse insurrection ».

Ces fonctionnaires aux regards angoissés savaient parfaitement de qui j'étais la femme et ils mirent un étrange empressement à me communiquer leur intime conviction qu'ici aussi les choses allaient se clarifier... et dans pas longtemps.

Pas un mot de mes petits communiqués ne parut dans notre journal, ni dans un autre d'ailleurs. Puis le télex se tut. Cela me parut long ; et les quelques mots qui, de temps à autre, apparaissaient en réponse à mes appels étaient énigmatiques ou tristes. Grâce à la radio je commençais à comprendre. Après un silence de vingt-quatre heures, le dernier message me parvint : c'était de l'humour typiquement hongrois, la plaisanterie avait dû se répandre comme une traînée de poudre à travers la ville bâillonnée : « Prolétaires de tous les pays, unissez-vous, mais pas plus de trois par trois. »

Quand le télex retrouva la parole, il avait aussi retrouvé le vocabulaire habituel de la langue de bois : « ignoble contre-révolution, éléments fascistes et réactionnaires qui ont fomenté une attaque armée contre les forces de la loi et de l'ordre avec l'aide des agents de l'impérialisme, CIA et autres ». Alors mes clients au siège du Parti retrouvèrent leur bonne mine et se dispensèrent de mes services : à nouveau les informations nous arrivaient directement de Moscou, et nous commençâmes la publication d'articles sur la contre-révolution. Quant à mon mari et aux autres criminels de son acabit, ils en avaient pour quatre ans encore à moisir en prison, et pour huit à obtenir enfin leur réhabilitation.

Après l'écrasement sanglant de l'insurrection hongroise, notre première réaction avait été l'horreur et la déception. Peu à peu ces sentiments firent place à une espèce de résignation et en fin de compte, l'opinion quasi générale était qu'après tout, nous avions eu bien de la chance que toute l'histoire se soit passée ailleurs qu'ici. Les services de propagande nous pilonnaient de photos effroyables représentant des agents de la sécurité d'État lynchés et pendus de façon répugnante, ou de révélations sur les agissements d'une petite bande fort active de vrais fascistes qui avait émergé à la fin de l'insurrection. Et c'est comme ça qu'ils réussirent plus ou moins à extirper des consciences ce qui avait été la véritable origine, les idéaux et les buts de l'insurrection.

Pour Novotný, ce qui venait de se passer en Hongrie était un don du ciel. On s'était très faiblement engagé dans la voie de la révision des procès truqués. Maintenant, on allait faire demi-tour, et ceux qui en avaient été les organisateurs pouvaient relever la tête ; la vie reprenait son cours. Les visites à la prison et la vie conjugale par correspondance ne nous apportaient plus grand-chose, c'était la routine. Routine, aussi vide de sens elle aussi, les soi-disant démarches de l'avocat et notre constante correspondance unilatérale avec les autorités judiciaires, politiques ou autres. Après l'écrasement de la Hongrie, ils pouvaient se permettre de ne jamais nous répondre, et même de nous ignorer totalement.

Tout au sommet de notre colline, à une bonne demi-heure d'escalade, se dressait une petite maison. C'était un charpentier, maintenant très vieux et cloué au lit par des rhumatismes, qui l'avait construite de ses mains, il y avait bien longtemps. Sa femme n'était pas beaucoup plus jeune, mais elle était en bonne santé, grande et forte, elle se déplaçait avec grâce, et son beau visage n'avait pas de rides. Je la voyais passer presque tous les jours devant la maison, descendant la petite route escarpée, puis la remontant tard la nuit. Intriguée par son courage et son allure, ses allées et venues régulières par tous les temps, je demandai qui elle était à des voisins.

J'appris qu'elle était seule à faire vivre son ménage, et en partie celui de sa fille, qui habitait en ville avec ses deux enfants et un mari alcoolique. Elle allait de maison en maison donner des heures de lavage, raccommodage, astiquage et repassage. Si j'avais besoin d'elle, elle viendrait sûrement volontiers chez moi. Autant par curiosité que par envie de parler à quelqu'un, j'ouvris mon soupirail un soir d'hiver et l'invitai à entrer prendre une tasse de thé. C'est ainsi que commença un compagnonnage entre deux femmes aussi différentes l'une de l'autre qu'il est possible de l'être. Il dura des années et se transforma peu à peu en amitié réelle. Elle est morte maintenant depuis bien longtemps mais je ne l'oublierai jamais, ni elle ni tout ce que je lui dois.

Très vite je devais découvrir que les soirs où je la voyais se diriger vers l'arrêt du tramway à heure fixe, ce n'était pas pour aller travailler en ville, mais pour répéter avec une petite troupe de théâtre amateur hongroise dont elle était membre. A l'époque, ils étudiaient une pièce de Bernard Shaw. Elle parlait beaucoup, elle parlait trop, elle adorait cancaner et souvent me cassait les oreilles, mais, en fin de compte, il sortait de sa bouche plus de sagesse et de savoir que de celles de la plupart de mes amis instruits. Elle avait une intelligence naturelle, un regard réaliste sur les choses de la vie publique, un amour passionné pour le théâtre et pour le peu de livres qu'elle avait lus, une foi totale en Dieu, une vitalité inépuisable et le sens pratique qui me faisait complètement défaut. Bien qu'elle ne fût pas encore en âge d'être ma mère, c'était tout comme. Elle nous demanda de l'appeler « Tatie » et persista jusqu'au bout à m'appeler « Madame ». Son arrivée chez nous se situe à l'époque où je n'avais pas de vrai travail et où je ne pouvais pas la payer. Cela ne l'empêcha pas de prendre en main l'entretien de cet intérieur que j'étais incapable d'assumer. Elle inventoria et empila soigneusement valises et cartons abandonnés dans le bûcher, elle sortit, aéra et brossa les vêtements d'Oskar. Elle coupait le bois, cirait le parquet et nous rapportait du cidre fabriqué avec ses pommes. Pour converser, elle était prête à faire n'importe quoi. A la fin de l'été, elle disparaissait une journée entière pour réapparaître dans la soirée les bras chargés de cabas débordants de fruits et de certaines sortes de fleurs qu'elle savait faire sécher, et qu'elle revendait ensuite à un herboriste. C'est elle aussi qui m'apprit tout ce qu'il faut savoir sur les souris. Je n'avais jamais rencontré de souris ailleurs que dans les livres d'images. La première fois que je m'étais trouvée devant une souris vivante, je l'avais trouvée ravissante avec ses petits yeux noirs, brillant de candeur. Mais rapidement elles furent légion à trottiner au-dessus de nos têtes et à nous réveiller la nuit. Quant à leurs crottes, j'en retrouvais partout. Alors j'achetai une espèce de piège qui attrape-sans-tuer, et tous les matins je les emmenais dans les bois de l'autre côté de la route et je les relâchais. Tout cela ne servait à rien. Ce fut « Tatie » qui m'expliqua que non seulement elles retrouvaient leur chemin à travers bois pour venir s'engraisser de notre fromage, mais qu'elles refilaient le tuyau à leurs copines. Heureusement elle prit, là aussi, la situation en main. Elle déploya d'abord tout un arsenal de vrais pièges à guillotines et fit disparaître ensuite toutes les traces d'un carnage que je n'aurais jamais pu supporter. Sa récompense était assurée par le succès qu'elle rencontrait partout où elle passait, en faisant le récit détaillé de ma méthode personnelle de dératisation. C'est à elle aussi que revient l'idée de l'opération dite « arrosage des champignons ». Il s'agissait de ceux qui proliféraient sur les murs de la cuisine. Dans l'espoir d'être admise à m'inscrire sur une liste d'attente pour l'obtention d'un appartement, je m'étais servie de la rubrique « bureau des pleurs » du journal, pour demander au service d'hygiène du Logement d'envoyer deux inspecteurs à notre adresse. Une semaine avant leur passage, Tatie entreprit d'arroser les champignons sur les murs. Quand ils se présentèrent dans la cuisine, ils découvrirent une superbe récolte. L'idée avait payé, les deux inspecteurs rédigèrent sur place un rapport concluant à l'insalubrité totale des lieux et ils nous quittèrent nantis chacun d'une bouteille d'eau-de-vie de prunes. Je n'entendis jamais parler d'une possible inscription sur quelque liste d'attente que ce soit, mais on avait quand même bien ri. Notre chatte continuait d'avoir des chatons et c'était Tatie qui leur trouvait des maîtres. Bien sûr, dès que je commençai à gagner ma vie, je lui versai son salaire pour les heures de lavage, de repassage et de ménage. Mais ce que je ne lui payais pas, parce que ça n'avait pas de prix, c'était les leçons de savoir-vivre et le réconfort qu'elle savait m'apporter quand j'étais au bout du rouleau. Je ne pouvais pas partager ses convictions religieuses, mais j'acceptais volontiers les bénéfices qu'elle en tirait, et qu'elle savait partager de si bon coeur avec moi.

J'aimais mon travail, et désormais je pouvais faire des traductions sous mon nom. Je pus même m'offrir quelques aménagements qui rendirent notre trou un peu plus habitable. Enfin, suprême marque de confiance tacitement accordée, on m'installa le téléphone ! Tania travaillait bien en classe, elle avait la fragilité et la joliesse d'une miniature. A vivre à deux dans une seule pièce, elle en savait et comprenait beaucoup plus que les autres enfants de son âge, et trop tôt peut-être notre couple était plus que celui que forment d'habitude une mère et sa fille. Indispensables l'une à l'autre, nous étions des amies. Comment pouvait-il en être autrement ? La plupart du temps nous étions seules le soir, isolées dans notre cambrousse. Quand Maria et sa suite débarquaient avec quelques bouteilles de vin pour passer la soirée, c'était autant pour la passer avec Tania qu'avec moi. La petite restait un bon moment à table avec nous, et puis les uns et les autres se succédaient pour les cérémonies du déshabillage, de la toilette, de la lecture à haute voix, et du dernier câlin.

En hiver je ne pouvais allumer le feu que le soir en rentrant. Au sortir de l'école, Tania venait me retrouver au journal. Elle s'installait dans le petit bureau de la standardiste pour faire ses devoirs ou dessiner, et les gens de l'équipe lui confiaient des petites missions d'un bureau à l'autre, et lui apprenaient l'usage du télex. Tout ça dans la bonne chaleur ambiante lui donnait le sentiment d'être utile et elle se sentait parfaitement chez elle. Après le travail, elle m'accompagnait, où que j'aille en ville : chez Jucka où nous attendaient un bain, beaucoup d'affection, un bon dîner, un pousse-café pour moi et des bonbons pour elle ; chez Magda qui tenait la bibliothèque - Magda la fidèle, fidèle à son camarade de Parti Oskar, et fidèle à moi, ce qui était encore plus exceptionnel. Ou chez Bronia, le temps d'une petite conversation, et de me faire prêter un livre en anglais. Bref, nous ne nous quittions jamais parce que nous ne pouvions pas nous passer l'une de l'autre. C'était peut-être excessif. Quand elle fut plus grande, je lui donnai la liberté d'être avec ses amies plus qu'avec moi, alors elle ramenait ses amies chez moi. Une conseillère en psychologie familiale dirait aujourd'hui que nous devrions être bourrées de complexes. Peut-être le sommes-nous. Mais alors la cause n'en serait pas l'amour excessif qui nous unit, mais plutôt les circonstances qui nous poussèrent à nous réfugier dans un tel amour.

Les seules fois où Tania n'était pas avec moi, c'était pendant les vacances scolaires. Susie et son futur mari chantaient maintenant dans les villes d'eaux comme Carlsbad, ou dans la région des Tatras, et emmenaient la petite avec eux. Susie avait quitté Prague et tous les avantages qui s'attachaient à la grande ville. La raison de ce départ tient du roman policier.

Je ne connais personne au monde qui mente aussi mal que ma fille Susie. Quand ses lettres, habituellement si gaies et si futilement bavardes, commencèrent à changer brutalement de ton, je compris qu'elle me cachait quelque chose. Au téléphone, elle disait toujours que tout allait bien, et que je n'avais aucun souci à me faire, mais sa voix n'était pas convaincante. Les placards publicitaires et quelques petits papiers dans les journaux de Prague prouvaient que sa vie professionnelle allait bon train, et les quelques mots d'amitié qui venaient s'ajouter au bas de ses lettres, signés de la main de son futur mari, me rassuraient sur sa condition de femme amoureuse. Amoureuse elle l'était, et follement, d'un musicien de l'orchestre que j'avais rencontré une fois. En apparence donc, tout allait bien. Et pourtant, je savais que quelque chose n'allait pas. J'envisageai toutes les hypothèses pour finalement, au terme d'une nuit d'insomnie, n'en retenir qu'une : elle était probablement enceinte et n'osait pas me le dire. Je n'avais personnellement rien contre son amant, mais je n'étais guère enthousiaste à l'idée de la voir contrainte au mariage si jeune et alors que sa carrière ne faisait que commencer. Je décidai d'aller voir sur place. Une fois devant moi elle verrait que j'étais prête à encaisser la vérité, plutôt que des mensonges qui se voulaient rassurants.

Quand j'arrivai à Prague, je découvris que mes intuitions étaient à la fois fausses et bien fondées. Elle avait bien de gros ennuis mais ils étaient d'une nature autrement plus grave et exceptionnelle que ceux qui tourmentent une jeune femme enceinte de l'homme qu'elle aime. Elle était livide et nerveuse quand elle m'accueillit. Je dus attendre que nous soyons seules dans sa petite chambre pour qu'elle me raconte, en parlant tout bas, ce qu'elle n'avait jamais osé écrire ou dire au téléphone. Depuis un mois, la Police secrète essayait de la recruter. Cela avait commencé par une convocation au ministère de l'Intérieur - événement déjà terrifiant en lui-même. Là, sur un ton amical, on l'avait fait parler de sa famille et d'elle-même, de ses sentiments à l'égard de son père, de son travail de chanteuse, de tout et de rien. Elle n'avait pu repartir qu'après avoir signé un papier l'informant des très lourdes conséquences qu'aurait pour elle la moindre allusion à sa visite au ministère. Elle avait signé et était rentrée chez elle sans comprendre pourquoi on l'avait convoquée. Peu de temps après, on la convoqua à nouveau. Cette fois-ci ils jouèrent cartes sur table. Nous étions en 1957, le virus hongrois n'était pas mort et le renforcement de la vigilance était à l'ordre du jour. Tout étranger, touriste ou homme d'affaires, était tenu pour un ennemi potentiel. Ils demandèrent à Susie, ou plutôt lui ordonnèrent, d'aller s'installer les après-midi dans le hall du très sélect hôtel Alkron. Là elle nouerait facilement la conversation avec les clients, de ses conversations sortiraient des informations qu'elle devrait communiquer à un « contact » avec lequel elle aurait rendez-vous une fois par semaine, toujours à la même heure et dans un café donné. Comme elle essayait de refuser, arguant que ni son caractère ni son éducation ne la destinaient à bien jouer ce rôle, ils produisirent un gros dossier qu'ils lui mirent sous le nez. Tous ses faits et gestes y étaient consignés. Ils lui lirent la liste de tous les étrangers qui lui avaient demandé de chanter une chanson de leur choix, ils connaissaient l'identité de tous ceux qui lui avaient envoyé des fleurs et l'heure et le jour où elles avaient été livrées. Ils savaient de qui elle tenait le petit flacon de parfum français dont on lui avait fait cadeau. En conclusion, vu les endroits où elle chantait, son physique et sa connaissance des langues étrangères, à qui ferait-elle croire qu'elle n'était pas douée pour attirer l'attention et par conséquent les confidences des voyageurs auxquels ils s'intéressaient ? Ce qu'ils venaient de lui lire tenait en quelques feuillets pris au hasard dans l'énorme volume, qu'ils tapotaient en insinuant que le pire se trouvait là-dedans. Ils poursuivirent en alternant le chantage sentimentalo-patriotique et les menaces de répression. Ils l'affolèrent par leur omniscience et leur omnipotence. Quand, à bout d'argument, elle leur dit qu'elle était fiancée et qu'elle ne se déplaçait jamais sans son futur époux, ils lui répondirent que de ça aussi ils se chargeaient, et qu'au fait le divorce de son fiancé n'ayant pas encore été prononcé à leur connaissance, rien ne s'opposait donc à ce qu'elle fût poursuivie pour atteinte aux bonnes moeurs, et incitation à l'adultère.

La pression était d'une telle violence, qu'elle avait fini par signer, mais en se jurant bien qu'elle trouverait le moyen de ne rien faire de ce qu'on lui demanderait. La récompense pour avoir signé cet engagement à collaborer dans le secret le plus absolu ne se fit pas attendre. Quelques jours plus tard, son « contact » l'appelait pour l'informer qu'Oskar était à Prague, momentanément transféré à la prison de Pankrác, qu'elle pouvait le voir le jour même et lui apporter autant de nourriture qu'elle le voulait. Evidemment, elle y était allée. Et c'est ce jour-là qu'Oskar reçut son premier et unique cadeau en six ans.

Tout ça, elle n'avait osé ni me le dire ni me l'écrire, elle l'avait finalement raconté à son amant. Ou plus exactement, ce fut lui qui parla le premier. Il était exactement dans la même situation, sous la même surveillance, et obligé aux mêmes rendez-vous avec son « contact », à lui. Ils rencontrèrent leur « ami » respectif une ou deux fois sans fournir aucune information, alors la Sécurité d'Etat essaya de les séparer l'un de l'autre. Ils lui montrèrent à lui des photos truquées de Susie, surprise dans des situations compromettantes. Ils dressèrent pour elle une liste de personnes avec lesquelles il avait des rendez-vous secrets. Mais étant donné qu'ils ne se quittaient pas une seconde, ni le jour ni la nuit, ce genre de chantage fit rapidement son temps et la Sécurité jugea bientôt qu'elle ferait mieux de se passer de leurs services. Il y eut bien encore quelques convocations au cours desquelles alternaient menaces et promesses. Et puis plus rien, le silence. Ils avaient eu chaud ! si chaud qu'ils décidèrent d'abandonner et l'orchestre et Prague. Et voilà comment, maintenant, ils promenaient un numéro de duettistes de ville d'eaux en ville d'eaux. Un soir, dans les Tatras, ils aperçurent un agent de la Sécurité. Il passa, puis disparut, et ils n'entendirent plus jamais parler de rien.

L'aventure de Susie avec la police secrète m'avait brusquement replongée dans l'état d'angoisse dont j'avais eu tant de mal à me tirer. Il dura plusieurs mois, tous les mois qui suivirent son départ de Prague et pendant lesquels je ne trouvais jamais dans ses lettres la preuve que l'affaire était terminée. Il me fallut attendre longtemps pour être complètement rassurée en entendant de sa bouche même comment finalement « tout est bien qui finit bien ». D'autre part, j'avais de bonnes raisons de m'inquiéter à nouveau de la sécurité de mon emploi. Peu de temps après ce qu'il était de bon ton d'appeler maintenant « les événements de Hongrie », un nouveau rédacteur en chef fit son entrée au journal. Cet apparatchik de niveau local avait des compétences journalistiques sensiblement égales aux miennes pour dessiner au pinceau des idéogrammes chinois. Mais il savait combler son manque de culture et de métier par le zèle infatigable qu'il mettait à tout surveiller et à tout régenter. L'atmosphère ne tarda pas à changer et notre divertissant petit journal du soir devint rapidement le ramassis en condensé des austères nouvelles qu'on avait déjà pu lire le matin dans la presse du Parti. Notre équipe s'enrichit d'un nouveau collègue qui filait chaque week-end à Vienne au volant de sa propre voiture et dont tout le monde savait qu'il était un indic. Le magnétophone fut définitivement remisé au grenier, et deux membres de l'équipe, apparemment touchés par une grâce tardive, demandèrent conjointement leur carte du Parti. Mais nous avions aussi un très jeune reporter. Il était juif, nous étions donc lui et moi les seuls juifs de l'équipe. Personne ne savait qu'il était juif, sauf moi, et il ne savait pas que je le savais. Ses efforts pour dissimuler cette tare le poussaient à écrire des papiers d'une servilité totale à la ligne du Parti et des commentaires tendancieux et mensongers sur la situation au Proche-Orient. Il en devenait pathétique. Toute son histoire, moi je la connaissais, je la tenais d'un vieil ami de sa mère ; c'était celle d'un miraculé, et elle s'était passée quelque part en Slovaquie orientale. Il était tout petit quand, avec son père, sa mère et quelques autres, il tomba dans la fosse que les Allemands les avaient obligés à creuser avant de les fusiller en masse. Enfoui vivant sous les cadavres, il avait réussi à s'échapper en rampant. Ce n'était pas par grati-

237

tude envers le goy dont la balle l'avait raté que ce jeune homme était si désireux de passer lui-même pour un goy. C'était beaucoup plus simple que ça ; dans notre genre de socialisme, être juif, en début de carrière, ce n'était pas recommandé.

Dans le monde de ma jeunesse à Budapest, le fait d'être juif n'entraînait ni honte ni fierté. C'était si peu important que ma génération ne lisait plus l'histoire du peuple juif, nous ne savions même pas que les juifs d'Autriche-Hongrie n'avaient obtenu leur émancipation qu'à peine cinquante ans plus tôt. Il avait fallu le grand massacre nazi et nos grands procès socialistes pour que je commence à ressentir ma judéité. Avec les grands procès, il était évident que les premiers qu'on envoya à la potence étaient justement ceux qui avaient renié leurs origines, et qu'en les pendant eux, on pendait surtout le juif qu'ils avaient si désespérément essayé de ne plus être.

Aussi, est-ce dans un grand mépris que je tenais cet ambitieux jeune homme et ses manipulations. J'essayai pendant un temps de lui trouver des excuses, sans jamais cependant lui souffler un mot de ce que je savais de lui. Et puis au bout d'un moment je décidai qu'il ne valait pas mieux que les assassins de ses parents. Hitler était passé, le socialisme devenait ce qu'il devenait, un renégat restait un renégat.

Je ne sais pas l'hébreu, je n'ai pas besoin d'une synagogue pour parler à un Dieu, je ne parle pas yiddish, et je crois que si les juifs fanatiques sont dans l'ensemble assez inoffensifs - que leur Dieu soit ici remercié - c'est bien parce qu'ils n'eurent jamais les moyens de s'offrir un pape ou un Torquemada. Pourtant je me suis trouvé mon identité juive. C'est en allant en Israël pour la première fois de ma vie, au printemps dernier, que je l'ai trouvée. De la terrasse d'un café de Tel-Aviv, je regardais passer les gens. J'examinais leurs visages, et devant cette foule mouvante et incroyablement disparate, je n'arrivais pas à me sentir parmi les miens. Que pouvais-je avoir en commun avec des gens qui eux-mêmes semblaient ne rien avoir de commun ? C'est alors que vint ma réponse. Ce que nous avions en commun, c'était les chambres à gaz des camps d'extermination. Au cours de l'histoire du monde, les pays se sont haïs, battus, entre-tués, et néanmoins, ils avaient, eux aussi, quelque chose en commun : leur façon de traiter leurs juifs. Israël était l'enfant de deux millénaires de martyre et de haine, il avait représenté le salut pour des centaines de milliers de Russes, de Polonais, de Hongrois et d'Allemands qui auraient bien volontiers fait de bons patriotes russes, polonais, hongrois et allemands. Et s'ils faisaient aujourd'hui de bons patriotes juifs, c'est qu'ils avaient été rejetés par les nationalistes de leurs propres pays. Et s'ils étaient devenus des soldats, c'est au nom de l'autodéfense et de la survie. Et cette survie, contre toute attente, s'était imposée, miraculeusement. Si miraculeusement qu'il m'aurait suffi d'être un peu croyante pour l'attribuer à la main de Dieu. Mais je ne suis pas croyante. Et pourtant, si je l'étais, c'est pour Israël que je prierais, mais ma prière débuterait comme ça : « Fasse Dieu, qu'ils vivent en paix et dans la prospérité, qu'ils soient gouvernés par le bon sens, mais ne leur donne surtout pas trop de pouvoir... »

Étant ce que je suis, les seuls mots que j'aimerais dire sont les suivants : « Plaise à Dieu que le monde change et ses habitants avec, pour qu'ils n'aient plus besoin d'un Israël quelque part. »

Mais ce monde que je désire n'existera pas. Je ne saurai jamais prier : d'ailleurs Dieu ne semble pas écouter ceux qui savent le faire et, contrairement à toutes les grandes espérances de notre jeunesse, ce monde tel qu'il va aura de plus en plus besoin qu'un Israël existe.

Ainsi moi, antiraciste inconditionnelle, agnostique de toujours et si souvent apatride, voilà que maintenant je me sens juive. Pourquoi ? Peut-être pour être de la Communauté de ceux qui n'ont jamais le pouvoir, parce que s'il est une chose que j'ai apprise dans ma vie, c'est que le pouvoir est corrupteur. Finalement, je fais peut-être comme le héros de la vieille histoire juive : celle de l'homme qui criait partout « Je suis fier d'être juif ! » « Et pourquoi ça ? » lui disait-on. « Parce que fier ou pas, je resterai quand même juif, et j'aurai toujours autant d'emmerdements. Alors autant en être fier... »

Au début de l'année 1957, j'entendis dire qu'une mienne cousine au second degré était attendue en Tchécoslovaquie. La nouvelle n'était pas annoncée en fonction de notre parenté... mais en l'apprenant, nos liens de parenté me semblèrent offrir une occasion que je décidai de ne pas laisser échapper. Cette cousine en question était la petite-fille préférée d'une des soeurs de ma grand-mère, la grand-tante Tiny. Elle en parlait beaucoup quand elle venait à Budapest, dans mon enfance, et l'appelait Kiki. Au fil des ans, la petite Kiki était devenue la grande actrice de cinéma Simone Signoret. Dans les gazettes on pouvait lire que son mari Yves Montand allait arriver à Prague et à Bratislava pour y donner une série de récitals, après avoir chanté à Moscou. Elle l'accompagnait dans cette tournée, et par conséquent elle serait pendant quelque temps l'hôte honorée du gouvernement qui ne manquerait pas d'accommoder ce couple fameux de la meilleure façon. Les banquets succéderaient aux banquets au cours desquels les illustres voyageurs ne manqueraient pas de contacts avec les plus hauts fonctionnaires de notre régime, étant donné qu'ils faisaient eux-mêmes partie de l'élite du PCF[1].

J'ignorais tout des convictions profondes de Simone, mais la mienne, de conviction, me soufflait que si je pouvais trouver le moyen d'être seule un moment avec elle pour lui raconter comment Oskar était toujours en prison, elle m'écouterait, me croirait, et essaierait de m'aider. Il était impensable qu'après avoir découvert ce qu'elle avait dû découvrir : Budapest, les procès

1. Note de la traductrice : ... Il y a des moments où c'est dur de traduire !

240

truqués dans toutes les républiques, tous les mensonges, elle ne croie pas à mon histoire. Je n'avais pas l'intention de lui demander grand-chose. Juste de poser une petite question, à propos d'Oskar, comme ça, l'air innocent, à la fin d'un banquet, ou d'un cocktail, à l'un des officiels officiants. Il s'en serait probablement suivi une telle panique, que ça aurait peut-être suffi pour qu'Oskar soit discrètement libéré.

Les places pour le récital Montand s'enlevèrent en quelques heures sitôt que son arrivée fut annoncée en Slovaquie. Il était indiqué dans les nouvelles que lui et sa femme résideraient dans un hôtel à la mode qui était justement celui où se produisaient Susie et son mari. Décidément tout s'arrangeait. Quoi de plus normal que d'inviter ma cousine à écouter chanter ma fille ? Je la tenais l'occasion de parler seule à seule avec elle, et c'est ainsi que je décidai de l'appeler à l'Alkron Hôtel à Prague, de Bratislava, pour fixer à l'avance ce rendez-vous familial.

Apparemment au téléphone je ne trouvai pas le bon ton. Elle le signale dans *la Nostalgie.* A travers les fils téléphoniques, ma voix devenait la voix d'une dame qui veut organiser un petit dîner avec ses amis qu'elle veut épater, étant donné qu'elle est de la famille des stars. Et mon insistance passa au compte des obsessions mondaines. Elle s'en tira en me disant que le concert à Bratislava n'était absolument pas sûr. Ce qui fut immédiatement confirmé par les gazettes. Alors je rappelai Simone à Prague. Elle était plus disponible que la première fois, et elle me fit la grâce de m'écouter lui raconter en détail comment elle était ma cousine. Cette fois-là, j'avais la voix de quelqu'un de très déçu, cela sembla l'émouvoir et elle trouva des mots très gentils pour me dire que notre rencontre se ferait sûrement un jour, ce n'était que partie remise, vraiment, au revoir et à bientôt !

Quelques heures plus tard, sortant du Bratislava-Prague-express, je m'installai solidement sur une des banquettes du hall de l'Alkron Hôtel, sans savoir encore vraiment comment j'allais fonctionner. La seule chose que je savais, comme tout le monde, c'est que l'Alkron est construit de telle façon qu'en s'installant dans le hall, on ne peut en aucun cas rater ceux qui entrent, ceux qui sortent, ni ceux qui descendent de leur chambre pour descendre encore quelques marches qui les mènent à la salle à manger. Donc j'étais certaine que je la verrais tôt ou tard, et suivant les circonstances je passerais à l'action. A la table voisine de la mienne vinrent s'installer deux jeunes gens. Ils n'avaient pas des têtes à fréquenter les banquettes pelucheuses de ce hall, antichambre de l'intelligentsia praguoise. Ils m'inquiétèrent, et je m'en allai vers la réception pour acheter des cigarettes. Je décidai de m'installer à une autre table, dans un petit coin plus éloigné de l'entrée de l'hôtel. Les jeunes gens déménagèrent aussi, et s'installèrent non loin de ma nouvelle table. A partir de ce moment-là, je fus convaincue que j'étais surveillée, et je recommençai d'avoir peur. Et puis Simone apparut, aux côtés de son mari très grand. Ils traversèrent le hall en direction de la salle à manger, entourés par de souriants et apparemment importants personnages. Elle passa devant moi, le temps d'un éclair, élégante, royale, pressée, la tête redressée, si haut que j'eus quand même le temps de lire sur ce superbe visage les signes de la contrariété, de la nervosité et de l'ennui.

J'étais incapable de bouger. Deux images passèrent comme des flashes dans ma tête ; les deux jeunes gens allaient m'empoigner et me faire rasseoir, si ce n'était pas eux, ce serait quelques bénévoles de l'escorte de Simone qui le feraient, ou peut-être, et ce serait encore plus humiliant pour moi, ils allaient me devancer en allant lui signaler qu'il y avait là une emmerdeuse, prétendue cousine qu'elle avait intérêt à évincer rapidement si elle voulait dîner tranquille, ce qu'elle ne manquerait pas de faire, j'en étais sûre, avec l'arrogance qu'elle arborait. Elle disparut et je m'en allai à la gare prendre le premier train en partance pour Bratislava.

Ce n'est que dix ans plus tard que nous nous rencontrâmes enfin, c'était à Londres. A partir de 1966, avec une invitation venant d'un pays étranger, nous pouvions obtenir un visa de sortie pour une durée limitée, agrémenté d'un viatique de trois livres sterling tarifé au cours du change de la Banque nationale. L'invitation me venait d'un couple d'anciens réfugiés allemands que nous avions hébergé à Bratislava avant la guerre. C'était le mari, visiblement désireux de s'acquitter de ce qu'il considérait comme une dette remontant aux années trente, qui avait poussé sa femme à lancer l'invitation. La femme, elle, n'avait qu'à moitié apprécié la chose. Elle fut assez aimable, cependant, pour dénicher une place de « jeune fille au pair » dans une famille anglaise, où installer Tania, et pour m'inviter une seule et unique fois à dîner — délicieusement d'ailleurs — dans son superbe appartement qu'elle me fit visiter de fond en comble, sans toutefois m'y offrir l'hospitalité. Elle préféra me retenir une chambre avec petit déjeuner compris dans un hôtel très coûteux, et après m'avoir baladée un après-midi dans Londres et ses environs, elle considéra que nous étions quittes. Comme je ne désirais pas faire une annonce publique de ma situation pécuniaire, à savoir que 3 livres sterling au cours officiel, plus 3 livres sterling au cours parallèle, ça ne fait quand même pas un pactole, j'utilisai au maximum les occasions proposées par le fameux breakfast anglais, et je suppose qu'on parle encore dans cet hôtel très distingué de l'incroyable appétit matinal de la dame du 123.

Le hasard fit qu'à la même époque Simone Signoret se trouvait également à Londres. Elle répétait *Macbeth*. Comme, contrairement à la première fois, je n'avais vraiment rien à lui demander, et qu'en aucun cas elle ne pourrait penser que je voulais me faire mousser vis-à-vis de qui que ce soit, je l'appelai, et nous prîmes rendez-vous, ou plutôt elle me donna un rendez-vous. Que je vienne, que j'amène Tania avec moi, cet après-midi à quatre heures ce serait bien, elle avait si peu de temps devant elle. Et c'est ainsi que j'investis la dernière livre sterling qui me restait dans les honoraires réclamés par le chauffeur du taxi qui nous déposa à l'heure dite devant l'entrée de l'hôtel Savoy.

En courant vers ce rendez-vous j'avais deux objectifs. D'abord m'expliquer sur mon insistance à la rencontrer dix ans auparavant, ensuite et surtout, ne pas laisser échapper la chance unique qui m'était offerte de parler enfin avec un spécimen de cette famille dont je ne comprenais pas qu'elle pût encore subsister ; j'ai nommé les-Intellectuels-de-la-gauche-française. Je venais donc dans l'intention bien arrêtée de faire une petite enquête dont je tirerais moi-même les conclusions.

De deux choses l'une, ou ces gens-là ne savaient pas à l'époque ce qui se passait sous nos régimes, ou ils savaient et préféraient l'ignorer, suivant en cela le journal *l'Humanité* qui avec un dévouement inébranlable n'avait jamais cessé de ne pas écrire la vérité. Et c'est pourquoi, après avoir accepté un verre et à toute vitesse échangé quelques banalités sur l'âge respectif de nos enfants respectifs, je me lançai tête baissée dans le début de mon histoire. Je commençai par exposer les raisons qui m'avaient poussée à lui téléphonner en la suppliant littéralement de venir à Bratislava, et j'abordai l'histoire d'Oskar et de son emprisonnement.

Je ne pouvais pas le savoir, mais je compris vite que j'avais bien mal choisi mon moment. Simone décrit cette scène dans *La nostalgie n'est plus ce qu'elle était*. Elle était épuisée de fatigue et de tension nerveuse. Peut-être pour la première fois dans sa vie d'actrice avait-elle la sensation qu'elle ne serait pas à la hauteur (en fait sa Lady M. ne fut guère appréciée, c'est le moins qu'on puisse dire...) et par conséquent n'avait en tête que son rôle. En fait, à peine avais-je commencé l'histoire d'Oskar qu'elle me coupa la parole par un « Croyez-vous qu'à New York, si vous y étiez restés, votre mari en tant que communiste n'aurait pas risqué d'être confronté avec le même genre de destin ? »

Je ne répondis rien. Comme elle me priait de continuer mon histoire, je lui dis que ça me paraissait tout à fait inutile. Je la priai de m'excuser, je fis signe à Tania de se lever, et nous nous en allâmes. Tout ça s'était passé avec très peu de mots, mais suffisamment cependant pour qu'elle ressente à quel point je la jugeais comme une interlocutrice peu valable. Cette brève rencontre me rendit très triste. J'étais triste d'avoir à constater le degré d'aveuglement du monde dans lequel elle vivait, et puis j'étais triste parce qu'au cours de la première partie de la rencontre, pendant les petites banalités familiales, elle m'avait bien plu.

C'est après l'épisode de l'Alkron qu'il me fallut constater que je ne tournais plus rond. Moi, dans mon moi normal, je n'aurais jamais été celle qui s'était affolée, celle qui avait laissé tout en plan et qui s'était enfuie. Après tout ces deux jeunes hommes, dans le hall de l'hôtel, étaient peut-être d'innocents clients de passage et pas du tout des agents de la Police secrète que ma tête malade avait imaginés. Ils m'avaient regardée avec insistance, c'est vrai, mais ce jour-là, en prévision de la rencontre avec Simone, je m'étais mis ce que j'avais de mieux sur le dos et je m'étais soigneusement maquillée, alors... peut-être ne m'avaient-ils regardé que parce qu'ils me trouvaient à leur goût ? C'était vrai que Simone m'avait semblé arrogante, inaccessible et agacée... Et alors ? Les hôtes de marque ont souvent de bonnes raisons d'être agacés, irrités même, par cet essaim d'obséquieux qui papillonnent autour d'eux sans les lâcher jamais d'une semelle. Pourquoi n'étais-je pas allée jusque dans la salle à manger ? Qu'est-ce qui m'avait retenue de laisser un message à la réception ? Pourquoi m'étais-je enfuie ? Ça ne me ressemblait pas cette fuite ! J'avais parlé deux fois au téléphone à cette femme, je n'avais décidé de faire ce coûteux voyage à Prague que parce que j'étais sûre qu'une fois mise au fait de la véritable situation politique du moment, elle serait en mesure, si elle le voulait, de nous aider, et puis, si près du but, je m'étais enfuie ! Mon comportement avait été illogique, absurde et scandaleux. Bref, pas normal.

Illogique, absurde, scandaleux comme tout ce qui entourait notre vie à tous en ce temps-là. Etait-il vraiment logique que tant de temps après le rapport Khrouchtchev et la démystification des procès truqués, chez nous et ailleurs, les staliniens soient toujours au pouvoir et leurs victimes encore en prison ? N'était-ce pas scandaleux de voir certains de mes collègues de travail se décider brusquement et bruyamment à aller s'inscrire au Parti dans le moment même où ce Parti entrait dans la phase la plus méprisable de son existence de parti ? La plus méprisable parce qu'une fois admises, les erreurs du passé étaient devenues du passé. La terreur ne serait plus jamais sanglante (les sanguignolents s'ils étaient encore vivants étaient oubliés dans leurs prisons) moyennant quoi quelques biens de consommation depuis longtemps oubliés, eux aussi, faisaient leur réapparition dans les vitrines des boutiques.

Même mon travail était devenu scandaleux et absurde. Le nouveau rédacteur en chef avait pris peu à peu l'habitude de me réquisitionner comme interprète. Les touristes qu'on me confiait à trimbaler étaient tous du même genre. Qu'ils viennent des pays occidentaux ou de contrées exotiques et lointaines, ils étaient tous progressistes, et pour la plupart appartenaient au Mouvement international pour la Paix. L'annonce de l'arrivée prochaine des « pigeons* » me rendait malade dès qu'on me la communiquait, la plupart d'entre eux étaient français, italiens et indiens, jusqu'au jour où je réceptionnai deux énormes Cadillac toutes neuves immatriculées en Irak, desquelles s'extirpèrent les membres d'une famille nombreuse au grand complet.

La visite organisée était toujours la même. On commençait par la pouponnière. La pouponnière en question était superbement équipée, il y circulait une énorme quantité de nurses, à croire que chaque poupon avait la sienne spécialement chargée de ses soins personnels, et mon travail consistait à traduire en plusieurs langues l'édifiant boniment indiquant que tel était chez nous le standard de vie du nourrisson slovaque, tandis que je revoyais dans ma mémoire toutes les pouponnières que je connaissais, et dans lesquelles s'entassaient des vingtaines, des trentaines de bébés confiés à la seule garde d'une pauvre vieille généralement de très méchante humeur et complètement inexpérimentée. Après, nous avions la coopérative agricole. Tout y

*En français dans le texte.

était en ordre parfait, tout rutilait, et on aurait pu entendre les poules caqueter Marx par cœur. Chemin faisant, nous tombions toujours par hasard sur la même accorte, souriante et bavarde trayeuse de vaches avec laquelle nous devisions un moment en toute simplicité. Après c'était l'usine ultra-moderne, là le directeur déclamait son poème épique qui narrait les héroïques courbes montantes des statistiques de la production, tandis qu'on faisait passer à la compagnie des tranches du jambon qu'on ne trouvait dans aucun magasin, et des verres d'alcool uniquement réservé à l'exportation, qui très rapidement s'entrechoquaient gaiement à la santé de la Paix éternelle dans le monde entier. Après quoi nous allions dans un hôtel, toujours le même, où nous attendait un déjeuner somptueux. Voilà comment se déroulaient les choses, toujours. Toujours, sauf le jour des Irakiens, où soudain un vent de panique souffla pendant quelques minutes. Les Irakiens très poliment refusèrent le porc qui leur était offert, et courtoisement s'enquirent de la possibilité d'avoir de la viande de veau à la place. En un temps record une longue limousine noire dépêchée par l'hôpital de la ville (seul bénéficiaire d'une maigre mais régulière répartition de cette précieuse denrée) s'arrêta devant l'hôtel, portant à son bord le veau souhaité. Alors nos hôtes irakiens déclarèrent que dans leur pays malheureusement pour l'instant, seuls les très riches pouvaient accéder à la joie de déguster une chair aussi succulente, mais qu'ils étaient sûrs que dans un avenir prochain, une fois qu'ils auraient accompli la révolution dans la joie, il y aurait des côtelettes de veau dans toutes les assiettes des masses laborieuses.

Un jour, je trimbalais un groupe de Français. Nous étions en train de visiter l'usine ultra-moderne, quand suffoquant d'écœurement je courus vers les toilettes les plus proches et vomis, vomis jusqu'à ce qu'il ne me reste plus rien à vomir. Lorsque je revins vers le groupe, j'étais verdâtre et le fonctionnaire de service me renvoya à la maison.

Les médecins consultés examinèrent mon appareil digestif. Tout allait bien de ce côté-là. Tout allait bien du côté de la gorge, des yeux, de la tête et du cœur. Tout allait bien partout dans mon corps. Pourtant chacune des parties de ce corps me faisait souffrir, alternativement parfois, toutes ensemble d'autres fois. Alors on m'envoya chez un psychiatre. Il m'expliqua que mon cas était tout à fait banal ; un individu qui a tenu le coup pour faire face au pire a une tendance à s'écrouler quand les choses commencent à s'arranger et que la tension se relâche. Classique. Sous le régime dans lequel nous vivions il était impensable qu'on diagnostiquât ce dont je souffrais sous la rubrique dépression nerveuse. Pavlov était le bon Dieu, Freud l'Antéchrist, et toute espèce de psychothérapie découlant des travaux de Freud était de l'eau de vaisselle capitaliste. C'était simple à comprendre. Le psychisme dépend des conditions matérielles que vous offre la société dans laquelle vous vivez, et puisque ces conditions et cette société, la nôtre, étaient bonnes et en passe de devenir parfaites, il était inadmissible que vous soyez atteinte de névrose. En revanche, tout à fait admise était la convalescence difficile après une maladie ou le surmenage pour cause de travail intensif, auquel cas, vous vous retrouviez dans une station thermale. Là on vous trempait dans des bains bouillonnants, on vous douchait, on vous massait et on vous conseillait d'aller danser en compagnie, le soir après la cure. Admis aussi un dérangement dans le mécanisme de votre cervelle, ou dans celui de votre système glandulaire. Là, vous vous retrouviez dans une clinique. Après quelques examens, on vous bourrait de médicaments, on vous administrait quelques électrochocs, ou mieux — et ça c'était le dernier cri de la technique médicale soviétique et faisait des miracles disait-on —, une cure de sommeil entrecoupée de petits entractes, le temps de vous sustenter et d'aller aux toilettes. Après quelques semaines on vous réveillait pour de bon, et régénéré des pieds à la tête vous étiez prêt à fonctionner à nouveau comme une voiture après révision complète.

J'avais l'impression que j'étais en train de devenir folle, et j'étais terrifiée. Aussi quand un médecin m'assura que ceux qui deviennent fous pour de bon n'en ont ni la conscience ni l'appréhension, j'essayai de le croire. Mais très vite je commençai à envier les vrais fous. Eux ne savent pas ce qui leur arrive, moi je le savais.

Comme je ne pouvais rien avaler, je mourais de faim.

Epuisée de fatigue, je reculais le moment d'aller me coucher terrorisée par les visions dont je savais qu'elles seraient fidèles au rendez-vous de mon premier sommeil, pour me torturer jusqu'à me réveiller trempée de sueurs froides, et plusieurs fois dans la nuit. Il y avait ces deux moineaux qui essayaient de s'envoler, seulement leurs pattes fragiles étaient prises dans une espèce de grosse pelote de fil de fer barbelé, devaient-ils continuer à s'épuiser en vain pour se dégager, ou devaient-ils s'amputer et s'envoler enfin en laissant derrière eux leurs deux petits pieds pleins de sang ? C'était à moi de décider, mais j'en étais incapable. Je les regardais, passive, souffrant mille morts de leur agonie. Je sais bien que des gens en pleine santé font aussi des cauchemars, je sais bien que le sort de deux moineaux qui ne vous sont rien, ça ne devrait pas faire un drame... Mais demandez ce qu'ils en pensent à ceux qui sont passés par une dépression nerveuse ! Demandez-leur comment ça fait quand les moineaux reviennent chaque nuit et que vous savez déjà, avant qu'ils n'arrivent, que vous ne ferez rien pour les sauver.

Il y avait aussi cet homme séduisant et terrifiant tout à la fois, ses yeux étaient en or, il apparaissait tout d'un coup, s'approchait, s'approchait de plus en plus près... Ses lèvres bougeaient, il allait dire son nom mais aucun son ne sortait, sa bouche s'agrandissait de plus en plus jusqu'à ce qu'elle devienne une sorte de cloaque d'où jaillissait finalement une mousse verte et visqueuse qui me collait à la peau dans la journée comme pour me rappeler qu'il reviendrait le soir, avant ou après les moineaux, dès que j'aurais osé me mettre au lit et fermer les yeux.

J'en crevais de n'avoir personne à qui faire comprendre à quel point j'étais horriblement malade. Le médecin ne désirait pas entrer dans les détails, alors il me prescrivit des pilules pour dormir et préconisa du repos, et pourquoi pas un petit séjour à la montagne ? Alors, terrifiée par les nuits et redoutant les journées, je me rendais à mon travail en jouant la personne saine de corps et d'esprit. Finalement, c'était plus facile de jouer ça à l'extérieur qu'à l'intérieur de ma maison ou dans celles de mes amis. Dans ma vie privée, les rapports quotidiens dépendaient ou plutôt auraient dû dépendre de mes émotions personnelles. A ma grande horreur, je découvris que je ne ressentais plus d'émotions personnelles, à l'exception d'une seule : une insupportable compassion pour mon enfant qui n'avait que moi au monde et qui ne pouvait pas savoir que celle qui lui prodiguait machinalement les marques de la tendresse et de l'intérêt était en fait en train de devenir une totale étrangère qui ne répétait des gestes que pour lui cacher la vérité. Mes amis remarquaient que j'avais l'air fatiguée, mais c'était bien normal, n'est-ce pas, après toutes ces épreuves, et puis je travaillais trop ! Allons ressaisis-toi, et fais-nous un beau sourire. Après tout aux dernières nouvelles les conditions de vie d'Oskar dans la prison s'étaient améliorées, et il y avait toutes les raisons d'espérer qu'une quelconque mesure d'amnistie allait me le ramener à la maison, et plus tôt que je ne le croyais... Comment aurais-je pu leur répondre que tout cela m'était parfaitement indifférent, que la seule chose qui comptait pour moi, c'était de ne plus vouloir vivre et de ne pas vouloir mourir. Et puis qu'est-ce que c'était que ce mari que j'avais et dont ils parlaient tous ? Je n'avais pas de mari. J'avais une maladie qui me causait d'horribles souffrances, j'aurais donné le monde pour ne plus souffrir de cette maladie que les gens s'obstinaient à ne pas reconnaître. Oh, avoir une plaie ouverte bien visible ! avoir les deux jambes bien brisées ! Alors tout ce que je trouvais à dire à mes amis c'était : oui, oui, bien sûr, je vais essayer de me ressaisir, mes bons amis. Mes bons amis, mes amis, eh bien peu à peu je cessai de les voir mes amis, je sentais que je devenais un fardeau au lieu d'être une joyeuse compagne, puisque de toute façon ils ne pouvaient pas comprendre.

La seule personne dont la présence m'apportait quelque réconfort, c'était « Tatie » de la colline, qui, elle, n'avait probablement jamais entendu prononcer le mot de « psychologie ». Son instinct miraculeux la faisait agir à mon égard exactement comme il le fallait. Au lieu de me dire « ressaisissez-vous », elle m'expliqua qu'il me serait tout à fait impossible de me ressaisir et que ce n'était pas de ma faute. Devant elle, et devant elle seulement, je ne me sentais pas contrainte de faire l'étalage d'une douleur physique quelconque pour prouver que j'étais bel et bien malade. Contrairement à tous les autres qui passaient en revue toutes les raisons que j'avais d'être optimiste, en me faisant remarquer au passage que mon état dépressif était tout à fait hors de saison, ce qui me rendait encore un peu plus folle, elle parlait peu et écoutait beaucoup. Comme elle avait remarqué à quel point je m'éloignais de mon enfant, sans faire de bruyants commentaires elle prit l'habitude de jouer avec elle, de la faire manger, de la mettre au lit et de la border, et surtout de lui faire comprendre à sa façon que sa mère n'était pas fâchée avec elle, mais qu'elle était un peu souffrante. Souvent elle me forçait à faire avec elle de longues marches à grandes enjambées. Au retour de ces expéditions que je n'aurais jamais entreprises de ma propre volonté, il m'arrivait de pleurer un peu et de dormir quelques instants. Quand Tatie était là et m'assurait de sa voix apaisante qu'avec l'aide de Dieu tous mes maux allaient disparaître, je commençais à le croire.

Mais Tatie n'était pas diplômée, et le médecin décida de m'envoyer en clinique psychiatrique. Là on m'examinerait à fond et on déciderait d'un traitement. J'avais perdu quinze kilos, j'étais incapable de lire une ligne, incapable d'en écrire la moitié d'une, alors j'acceptai. En fait, l'hôpital était ce que j'attendais, ce que je voulais. L'hôpital... la prise en charge. D'abord c'est le sommeil assuré, je suis là, allongée dans une chambre blanche, silencieuse, cotonneuse. Une infirmière souriante me donne quelque chose à boire, je bois, sans avoir à dissimuler ou expliquer qu'il faut qu'on me croie, que je suis malade. Plus rien à dire puisque c'est bien parce que je suis malade que je suis là. Elle me quitte et referme la porte derrière elle avec tant de précautions que je ne l'entends pas. Alors complètement détendue, apaisée, la tête vide, sans douleurs, sans frayeurs, sans responsabilités, sans efforts pour faire semblant d'être moi-même, je m'endors. Quand je me réveille un charmant docteur est à mon chevet, il m'encourage à lui parler, il m'écoute avec patience et attention, il me réconforte, non, non, il n'y a aucune raison pour que je sois en train de devenir folle, il me quitte et je me rendors.

Mais avant de me rendormir sur ce beau rêve que je viens de décrire, avant d'accéder à ce paradis, il me fallut tenir le coup encore une semaine. Susie se mariait, les deux parents de la mariée absents à la cérémonie - le père pour cause d'emprisonnement politique, la mère pour cause d'internement psychiatrique ... Je ne pouvais pas infliger ça à mes enfants. On m'a raconté par la suite à quel point ce mariage avait été un joli mariage, mais si je n'avais pas eu sous les yeux une photo de groupe sur laquelle on peut me reconnaître portant une robe apparemment achetée pour l'occasion, et arborant un sourire éclatant de santé, j'aurais nié la tête sur le billot ma présence à cette cérémonie. J'ai su depuis qu'on m'avait piquée aux aurores, et qu'on m'avait repiquée vers 10 heures du matin. Après la fête les jeunes mariés s'en allèrent vers Carlsbad. Ils avaient un contrat à honorer au vénérable hôtel Pupp (maintenant devenu le Moskwa), et moi, en taxi, je m'en allai vers l'hôpital. Mon amie Jucka était la seule à savoir où m'emmenait ce taxi, et ce fut elle aussi qui ramena Tania chez elle.

Dans son temps, le vieil hôpital d'Etat avait été bâti dans une banlieue tranquille de la ville, mais aujourd'hui, toujours à la même place, il se trouve à l'un des carrefours les plus bruyants de la cité. De ses jardins il ne subsiste que deux bancs fichés sur quelques mètres d'une plate-bande enchâssée entre les pistes d'arrivage et de départ des camions de livraison. Le service psychiatrique se trouvait au quatrième étage du bâtiment, mais l'ascenseur était réservé à l'arrivée et aux départs des brancards et aux divers mouvements des marchandises lourdes.

Un peu chancelante, je parvins à monter l'escalier, et je passai mon dossier médical à une infirmière qui était assise derrière un guichet vitré. Elle le parcourut, me fit entrer et verrouilla précautionneusement la porte derrière moi. On me fit suivre un long couloir où je croisai des hommes et des femmes de tous âges, habillés du même uniforme ; quelques-uns étaient assis à une petite table, d'autres appuyés contre le mur ou étendus sur le carrelage. On me fit entrer dans une chambre à trois lits, on me désigna le mien, on me donna une chemise rayée et l'ordre de me changer, de me coucher et de dormir. Dormir : c'était bien parce que je n'y arrivais plus que j'étais là. J'essayai de l'expliquer à l'infirmière, qui me répondit que je n'avais qu'à essayer. De toute façon, il était trop tard pour entreprendre quoi que ce soit d'autre. Elle viendrait me réveiller pour le dîner.

Jusqu'au soir, j'arpentai le couloir, en tâchant de ne buter sur personne. Les silencieux, les solitaires glissaient sur moi un regard vide, et ceux-là n'étaient pas effrayants ; les autres, bruyants et apparemment très en verve, m'invitèrent à prendre place à leur table de jeu. Ils avaient grande hâte de m'initier à ce qui m'attendait. Tout y passait : ponctions lombaires, électrochocs, lobotomie. De quoi vous faire dresser les cheveux sur la tête. Celui qui avait un bandage à la place du visage m'expliqua comment on lui avait fait un trou dans la tête et pour que je le croie, il me le fit toucher. Puis ils me désignèrent une vieille dame et un très jeune homme. Ils allaient partir le lendemain matin, mais ils ne le savaient pas encore, et ils ne le sauraient jamais, ajouta l'homme au trou dans la tête. On leur disait qu'on les emmenait se faire faire des examens spéciaux ailleurs. Mais ailleurs, c'était bel et bien ailleurs, dit-il en éclatant de rire. Il m'expliqua qu'« ailleurs » c'était la grande maison de fous dans les environs de Bratislava où l'on enfermait ceux dont on avait décidé qu'ils étaient incurables après quelques mois de traitement à la clinique. Et c'est pourquoi, par la suite, chaque fois que l'on vint me chercher pour un examen, j'étais sûre que l'on m'emmenait « ailleurs ». Cette terreur aurait pu être facilement dissipée si seulement j'avais pu parler avec un médecin, ne serait-ce qu'une fois pendant les deux mois que je passai à la clinique.

On aurait dit que tout dans cet endroit était soigneusement dosé pour aggraver mon cas. Il y avait des mois que je n'avais plus d'appétit et les bouillies graisseuses qu'on m'apportait aux heures des repas auraient fait vomir n'importe qui. Il y avait des mois que je souffrais d'insomnie et chaque matin à cinq heures les femmes de ménage me réveillaient par un concerto pour seaux et balais qui s'harmonisait avec le roulement des camions chargeant et déchargeant, juste sous mes fenêtres, vingt-quatre heures sur vingt-quatre. Tous les soirs, deux brutes habillées en infirmiers s'installaient dans une petite salle au bout du long couloir ; et à leur coup de sonnette nous nous mettions en rang, c'était l'heure de la piqûre pour dormir. Mais cette thérapeutique à la chaîne avait ses inconvénients : le plus souvent, l'aiguille s'enfonçait dans un nerf. Même les plus sonnés par la drogue étaient réveillés par la douleur.

Incapable de manger ni de dormir depuis des mois, j'étais obsédée par l'idée que j'étais en train de devenir folle et tout me renforçait dans cette impression. Comme aux autres, on ne m'avait donné ni couteau ni fourchette, rien qu'une cuillère. C'est donc que j'étais dangereuse comme les autres. Aucun infirmier ni docteur ne m'écoutait ni ne me parlait : c'était bien la preuve qu'ils considéraient que je n'avais plus ma tête à moi. Aucun mot n'était jamais échangé pendant les examens médicaux qu'on me faisait subir sans cesse. Mon dossier qui partout me suivait s'épaississait de jour en jour. Il devint terrifiant d'épaisseur. Mais jamais personne ne me dit ce qu'il y avait dedans.

Finalement on décida de me traiter à l'insuline. Les piqûres me plongeaient dans un délicieux état de torpeur qui ne s'interrompait, à mon grand désarroi, qu'avec l'arrivée d'un énorme bol de thé trop sucré, ou l'administration de quelque autre médicament. Au bout de dix jours, je sentis mon appétit revenir, je commençai à me rassurer, j'étais toujours là, ça voulait dire qu'on ne m'avait pas encore envoyée « ailleurs ». Les amis et la famille me téléphonaient, et les visites étaient autorisées, soit au rez-de-chaussée dans une sorte de parloir, soit dans la cour. Un jour, je vis arriver la petite Tania dans ma chambre. Je n'ai jamais su si c'était par force ou par séduction qu'elle avait réussi cet exploit, mais ce que je sais, c'est qu'à partir de ce moment elle revint tous les jours à mon chevet. Elle m'apportait des légumes et des fruits frais, des gâteaux encore tièdes du four de Jucka, et un jour un beau paquet. C'était une robe de chambre à pois qu'elle avait choisie et achetée elle-même, persuadée que son élégance me redonnerait le moral. J'étais si émue que c'est ce qui faillit m'arriver.

Quand ils constatèrent le retour de mon appétit, ils cessèrent immédiatement le traitement à l'insuline qui fut remplacé par l'administration quotidienne d'un nombre incroyable de piqûres et de pilules de couleurs variées dont l'amalgame produisait d'étranges et redoutables effets auxquels personne ne m'avait préparée. J'étais tellement droguée pendant ces six semaines que j'ai du mal à me rappeler quoi que ce soit si ce n'est l'envie obsessionnelle de m'évader de cet endroit. Je finis par déclarer au « docteur qui ne disait jamais rien » que je me sentais tout à fait en état de rentrer chez moi, et à ma grande surprise il me répondit. Il me répondit même qu'il était d'accord, il alla jusqu'à me donner un diagnostic ; j'étais passée par une crise de « dépression rétroactive », j'étais guérie, et il me conseillait vivement une cure de quinze jours dans un établissement thermal qui parachèverait ma guérison. C'est ainsi que je me retrouvai à Marienbad où après deux jours de jeûne et d'insomnie totale je sombrai finalement dans une crise de folie. Le médecin de l'établissement appela l'hôpital de Bratislava et découvrit que le médicament que j'avais absorbé quotidiennement à haute dose était un tranquillisant d'importation récente, dont personne ne connaissait le nom, et il découvrit du même coup qu'après l'arrêt brutal de cette médication on m'avait laissée sortir sans la moindre pilule de remplacement. Il décida alors de m'embarquer en ambulance vers l'hôpital le plus proche. Je refusai, et je téléphonai à Susie qui travaillait à Carlsbad. Elle vint me chercher avec son mari. A eux deux ils me donnèrent la becquée comme à un enfant malade, becquées de nourriture, de boissons et aussi de tendres paroles, et de patience infinie. Sans eux je n'en serais jamais sortie.

Mon mari savait que j'avais passé quelque temps dans un « sanatorium », il le savait par Susie. Quand je fus soi-disant guérie, je repris ma correspondance avec lui. Je dis bien « soi-disant guérie », car en fait, mis à part le fait que je retravaillais, en profondeur je n'étais absolument pas guérie, puisque c'était d'avoir à vivre que j'étais malade.

La seule chose qui finalement me retenait de faire une rechute officielle, c'était la certitude qu'elle se terminerait par une hospitalisation, et à ça je préférais mon enfer personnalisé à la maison. L'hôpital, je m'y rendais deux fois par semaine, on me remettait ma ration de pilules, et un jour on m'incita à suivre des séances d'hypnotisme. Un médecin très gentil se donna tant de mal pour m'expliquer que j'étais en train de m'assoupir comme il me l'ordonnait, que je fermai les yeux et jouai l'endormie pour ne pas le décevoir. Il dut finir par s'en apercevoir, le tremblement nerveux dont j'étais affligée prouvait assez que j'étais complètement éveillée sous mes paupières closes, et il décida d'arrêter le traitement à l'issue de la deuxième séance. Je ne sais plus comment, pourquoi, ni quand exactement je commençai soudain à me sentir mieux et puis tout à fait bien. Je peux dire que la maladie avait duré à peu près dix mois, et je peux dire aussi que j'ai l'impression, avec le recul, qu'elle aurait probablement duré moins longtemps si elle s'était guérie d'elle-même sans assistance médicale.

Quand le nouveau permis de visite à Oskar arriva, j'étais contente d'avoir une bonne excuse pour ne pas l'utiliser. Le permis n'était valable que pour deux adultes, Susie irait donc à la prison présenter son tout nouveau mari à son père. Le régime de la prison l'autorisait maintenant à lire les journaux, à écouter la radio et même à regarder la télévision, et dans ses lettres il parlait surtout de ce qu'il avait vu, entendu ou lu à propos de Susie et de Zdenek. Je n'avais donc pas grand-chose à mettre dans les miennes.

A la fin de 1959, on nous dit qu'un comité s'était enfin formé dans le but de le réentendre et de réexaminer son cas. A la demande d'Oskar, j'adressai des douzaines de lettres, les unes à des personnalités importantes dans la hiérarchie judiciaire et politique, les autres à d'anciens collègues de travail ou à des fonctionnaires. Je leur demandais dans ces lettres de verser leurs témoignages de moralité dans le dossier qu'était en train de constituer le fameux comité. J'avais déjà posté ce courrier lorsque je reçus une lettre de mon mari. Il venait de découvrir que la procédure employée par le comité tendait à obtenir pour lui une libération découlant d'une mesure d'amnistie. Il ne voulait pas entendre parler d'amnistie. Il voulait un nouveau procès à l'issue duquel il sortirait réhabilité, il ne concevait pas la possibilité de retrouver sa vie d'homme libre sans la réhabilitation. Heureusement, il venait de réaliser à temps que les démarches du comité se dirigeaient vers la solution de l'amnistie, et il se refusait à comparaître dans ces conditions, celles d'un fantoche dans une nouvelle guignolade. Il avait reçu la liste des questions qui lui seraient posées, la première étant : « Quand avez-vous pris la décision de devenir un ennemi de l'Etat ? » Suivaient les autres chefs d'accusation : il avait dans sa jeunesse travaillé chez un boursier et par conséquent pour le capitalisme, il ne s'était pas marié par amour mais par intérêt, il était un pilier de boîtes de nuit collectionneur de bonnes fortunes féminines, et par conséquent facilement corruptible... Toutes choses rendant, momentanément en tout cas, une libération ou une amnistie difficilement justifiables.

Dans le courant de cette année-là, un bon nombre de prisonniers sortirent un par un, discrètement. Ils étaient tout aussi innocents que mon mari, mais eux s'étaient abstenus de tout commentaire sur la façon dont ils sortaient. Ils étaient sortis, un point c'est tout. Ils n'arrivaient pas à comprendre pourquoi Oskar s'obstinait à se prendre pour un cas exceptionnel, et affirmaient que plus il « ferait des histoires », plus longtemps il resterait en prison. Décidément il n'avait rien compris, et surtout pas qu'il n'était qu'un pion sur l'énorme échiquier d'un jeu de tricheurs, dont il n'arriverait jamais tout seul à balayer toutes les pièces...

Moi j'avais compris. J'avais compris qu'il attachait plus d'importance à une réhabilitation accordée par une bande de criminels, qu'à un retour parmi nous. Il se voulait reconnu innocent. Innocent aux yeux de qui ? Aucun être normalement constitué n'avait jamais cru à sa culpabilité, même pas ses accusateurs, et voila que c'était d'eux seuls qu'il attendait que justice lui soit rendue ! Il ne voulait pas perdre sa foi en eux, le Parti restait son bien le plus précieux. Plus précieux que toute autre chose que pouvait encore lui offrir la vie.

Cependant, la situation politique évoluant comme elle le faisait, il devenait impensable qu'il reste en prison encore longtemps, quel que soit son comportement. Sa libération était donc proche. Je le savais, et bien sûr je l'attendais avec impatience, mais je me posais quand même quelques questions sur le mode de vie en commun qui nous attendait.

Susie et Zdenek travaillaient maintenant régulièrement dans la troupe d'un théâtre de Bratislava. Ils partaient souvent en tournée, ils allaient chanter à Prague, à Moscou, à Budapest, ne connaissaient que des chambres d'hôtel, et commençaient à ressentir le besoin d'avoir un vrai port d'attache. Tania devenait trop grande pour continuer à partager avec moi l'unique lit de notre tanière. Il était parfaitement superflu de faire une demande officielle d'attribution d'un appartement. Il n'y avait pas d'appartements. C'est alors que la Centrale syndicale, à qui appartenait le journal dans lequel je travaillais, mit en chantier la construction d'immeubles dits « Maisons-Coopératives » et dans lesquels des appartements seraient vendus aux seuls membres du Syndicat. Ma grande chance fut de savoir tout cela au début de l'opération, et d'être parmi les premières à me faire inscrire sur la liste d'attente. Plus tard, cette liste d'attente allait s'allonger de telle façon que les postulants à l'achat, très prohibitif, soit dit en passant, se faisaient répondre qu'ils en avaient pour des années à attendre. Moi j'étais tête de liste, et assurée de pouvoir emménager dans un trois-pièces flambant neuf au printemps 1960, à condition bien entendu de trouver l'argent.

La somme demandée équivalait à trois années d'un salaire moyen. Susie et Zdenek gagnaient très convenablement leur vie, ils avaient même quelques économies. De mon côté, je raflai goulûment toutes les traductions que je pouvais dénicher, et toute honte bue, et en dépit de la terreur que m'inspirait le danger de me faire prendre par la censure postale, j'écrivis en Amérique. Les trois cents dollars des cousins, arrivés sains et saufs, furent échangés au marché noir contre des « coupons Tusex », avec un bénéfice non négligeable. Il nous manquait très peu pour faire la somme. Les enfants se débrouillèrent pour obtenir une petite garantie bancaire. Enfin, ça y était. Il était temps ! A peine avions-nous emménagé que Susie s'aperçut qu'elle était enceinte.

Tania et moi nous partagions une petite chambre, le jeune couple avait la sienne, un living-room séparait les deux pièces, mais le joyau de l'ensemble c'était la salle de bains, la salle de bains avec ses toilettes. La première salle de bains-toilettes depuis neuf ans ! Les pièces étaient vides, et alors ? il serait bien temps de les meubler, rien ne valait de pouvoir s'allonger dans un vrai bain chaud, rien ne valait de se réveiller sans claquer des dents, rien ne valait un vrai repas cuit sur une vraie cuisinière, c'était le bonheur ! Mais il y avait mieux ; des rumeurs persistantes circulaient de plus en plus selon lesquelles une amnistie générale était prévue pour le 1er mai, ou pour le 9 mai, jour anniversaire de la Libération.

Le 1er mai rien ne se passa, si ce n'est que je m'efforçai d'arborer un air joyeux en défilant d'un pas bien cadencé. Il faut dire que mon voisin dans le défilé était mon patron, et qu'il nous avait annoncé la veille que le journal venait d'être pris en charge par le Parti communiste slovaque. Pour lui personnellement, c'était la bonne nouvelle, la promotion. Pour moi, c'était l'angoisse du lendemain. J'avais raison, parce que c'est le lendemain exactement que je fus convoquée dans la salle de conférence. J'y trouvai réunis les délégués de la rédaction et de l'imprimerie. Ils m'attendaient pour me dire d'un air navré que le Parti ne pouvait pas m'inclure dans l'équipe dont il venait de prendre la direction. J'étais la femme de mon mari, et la femme de ce mari-là n'avait pas sa place dans un journal du Parti.

Comment tous ces gens avaient-ils pu se taire jusque-là et ne pas m'avertir ? Il y avait un bon bout de temps qu'ils devaient être au courant, le rédacteur en chef par exemple, et un bon nombre de mes collègues aussi ! C'était donc pour ça qu'ils avaient pris leurs précautions quelque temps auparavant en demandant leurs cartes du Parti. Qu'est-ce qui les avait retenus de me parler ? la peur de me faire de la peine, ou la peur d'être confrontés avec leur propre lâcheté ? Avertie à temps, j'aurais pu prendre les devants, leur donner ma démission et me trouver du travail ailleurs, n'importe quel travail ! Maintenant, dans ma situation de « congédiée », il ne me restait aucune chance, j'étais la proscrite une fois de plus ! Pour humiliant que ce fût, je les suppliai de me garder quelque temps. Ils pouvaient me caser où ils voulaient, à l'imprimerie ou à la manutention, j'étais prête à faire des paquets à la distribution, mais qu'ils me gardent jusqu'à ce que j'ai trouvé du travail ! Après tout j'étais membre du Syndicat et mes timbres étaient à jour, est-ce qu'en tant que délégués leur devoir n'était pas d'être de mon côté ? Mon côté !

je savais très bien, au-dedans de moi, de quel côté ils étaient, et c'est par pur désespoir que je posais ces questions. Elles restèrent sans réponse, dans un épais silence je quittai la salle de conférence et en passant la porte j'avais presque plus de pitié pour eux que pour moi-même. Pris un à un, ils n'étaient apparemment pas méchants, c'était plutôt comme syndicalistes qu'ils n'étaient pas fameux... J'eus la piètre satisfaction d'apprendre que nous étions trois dans la même charrette. L'un était un chauffeur qui avait eu des ennuis avec la police quand sa femme l'avait dénoncé pour avoir abusé d'une de ses filles. L'autre était un chef typo quadragénaire dans la biographie duquel les nouveaux propriétaires venaient de découvrir qu'il avait fait partie d'une meute de scouts avant la guerre.

Le jour anniversaire de la Libération, le téléphone commença de sonner très tôt le matin. Husak était rentré à la maison, Löbl aussi. Amnistie ! Une dame appelait pour savoir si mon mari était arrivé, le sien était arrivé par le train de dix heures et il pensait que le mien avait pris le même. Des appels tout le temps. Nous tremblions de peur, de joie, de surexcitation, l'indicateur des chemins de fer donnait l'horaire du dernier train en provenance de Leopoldov, tard dans l'après-midi. Nous ne savions que penser, nous n'osions pas penser. Et puis on sonna à la porte, les enfants allèrent ouvrir, et mon mari entra. La police l'avait convoyé en voiture jusqu'à chez lui.

Pendant la première demi-heure, il y eut beaucoup de larmes, rires et embrassades. Avait-il soif, faim, peut-être voulait-il s'allonger, ou parler ? Au milieu de cette farandole que nous dansions autour de lui, j'essayais désespérément de trouver la clef du code. Comment doit-on s'y prendre pour des retrouvailles de cette sorte, après presque dix ans ? La phrase qui revenait le plus souvent dans nos bouches c'était « tu as très bonne mine », et c'était vrai il avait bonne mine et bonne allure dans son vieux costume, celui qu'il portait le jour où on l'avait enlevé. Lui aussi il nous trouvait très bonne mine, l'appartement avait bonne mine aussi, voilà ! voilà !, et puis plus personne ne trouva rien à dire. Décidément non il n'avait pas faim, il ne désirait rien de particulier, merci, non, peut-être à la réflexion allait-il s'allonger une heure ou deux, voilà.

Pendant qu'il se reposait dans ma chambre, tout le monde s'activa. Zdenek s'en alla lui acheter une paire de chaussures neuves, Susie se mit à la cuisine, et Tania et moi nous commençâmes à transformer le living-room ; nous avions d'un commun accord décidé que la meilleure solution était d'en faire une chambre à coucher pour lui.

Pendant ces dix années, mes sentiments à l'égard de mon mari avaient été mouvants. J'avais été la femme amoureuse, désespérée par son absence, déchirée de pitié pour ce qu'il subissait. Parfois je n'avais été que rancœur et colère. Et puis, j'avais eu mes périodes d'indifférence, et même dans les derniers temps de total détachement. Mais à travers tous ces stades, je n'avais jamais trompé sa confiance ne serait-ce que pendant une seconde. Au cours des premières années de son incarcération, ces premières années rythmées à la cadence de tous les faux espoirs, je lui avais même été physiquement fidèle, ce qui, dans notre code conjugal personnel, allait bien au-delà de nos conventions. Notre mariage, célébré dans les années trente, datait donc d'une époque où notre fascination pour l'URSS (notre *Utopia*) nous faisait croire que le mode de vie là-bas était toujours ce qu'il avait été dans les années vingt. En *Utopia*, en plus des notions de liberté, de justice sociale et de respect des droits de l'homme, on trouvait, au premier rang des conquêtes, la célébration de l'Amour libre. Bien entendu, il n'était pas recommandé de coucher avec n'importe qui, à tout bout de champ, mais le principe pouvait se résumer par « mon corps est à moi, à personne d'autre ». S'accoupler dans l'amour, c'était très bien, mais cependant secondaire en comparaison des autres choses qui faisaient de nous un couple. Nous n'allions pas vivre l'un pour l'autre, nous allions vivre ensemble pour mener ensemble une grande aventure humaine. Le corps par lui-même était un outil dont le mécanisme était imprévisible, il n'était pas à l'abri des méfaits engendrés par la monotonie, et donc des tentations. Dans certains cas, refuser de céder à la tentation sous prétexte de ne pas faire de peine au conjoint, c'était prendre le risque de créer une situation de haine inconsciente qui gâcherait immanquablement l'entente jusque-là si harmonieuse et si parfaite d'un couple. Ce couple se devait de considérer l'aventure passagère comme un petit incident d'ordre strictement érotique et par conséquent sans importance. Nous avions envisagé rapidement le cas où l'un d'entre nous tomberait réellement amoureux de son ou de sa partenaire occasionnel(le) (cas tout à fait improbable, mais sait-on jamais, il faut tout prévoir...) et le résultat de cette consultation avait été simple. Une séparation s'imposerait, mais ne serait pas imposée. Libres nous étions. L'instinct de la propriété sexuelle était à ranger au magasin des accessoires de la bourgeoisie. Tel était le code que nous avions établi, et pendant un bon bout de temps nous ne ressentîmes ni l'un ni l'autre le besoin de faire usage des libertés qu'ils nous offrait. Et puis peu à peu les choses évoluèrent de telle façon qu'il nous fallut constater que, mis à part la Grande Cause qui nous soudait, nos goûts, dans la vie tout court, étaient bien différents.

Au plus fort de son amour pour moi, à l'époque où il n'envisageait pas de vivre sans moi, il n'avait pas échappé à mon mari que la poésie me passionnait plus que la recherche culinaire, que j'aimais la nature, les animaux, les sports, l'humour, sous toutes ses formes, et qu'un verre ou deux ne me faisaient pas peur à condition de les partager avec des gens qu'on aime bien. Quant à mes méthodes de rangement... un seul regard dans ma valise lors de nos premières rencontres à l'hôtel aurait dû lui suffire pour constater que l'ordre n'était pas mon fort. Néanmoins, très vite il s'imagina que j'allais devenir quelqu'un d'autre, un peu dans le genre de sa mère et de ses soeurs qu'il adorait, mais qui étaient exactement le contraire du type de femmes dont il pouvait tomber amoureux. Non seulement il attendit de moi que je devienne une Fée du Logis, mais il entreprit une croisade contre tous mes goûts. Faire du sport, c'était perdre son temps, élever un petit chien, c'était avoir des caprices de riches, et lire de la poésie pour la beauté de la poésie, sans s'y abreuver d'un message social, c'était tomber dans le piège tendu par la réaction pour détourner les gens des vrais problèmes. Les plaisanteries qui allaient un peu trop loin le faisaient rougir, commander un verre n'était pas digne de sa femme. On ne fume pas, on ne jette pas une chaussette trouée, on finit ce qu'on a dans son assiette. Passer une soirée dehors, pourquoi faire ? Il en avait passé autrefois des soirées dehors, mais quand il allait dans une boîte, c'était pour se trouver une femme pour la nuit, maintenant qu'il en avait une à lui et qu'il l'aimait, à quoi bon aller danser ? Quant à faire un enfant, qui arriverait dans un monde où des millions d'enfants mouraient de faim... non vraiment ! Ça c'était bien le comble de l'irresponsabilité provoquée par un vieil instinct, complètement primitif.

J'étais d'abord tombée amoureuse d'Oskar, et puis j'avais eu une aventure qui m'avait comblée sensuellement, mais frustrée intellectuellement, et c'est lui que j'avais décidé d'épouser. En me mariant, je connaissais déjà les traits principaux de son caractère - pas tous, certains devaient se préciser par la suite - mais ce qui m'attirait c'était cette bonté, cette sagesse, cette honnêteté qu'il possédait à un degré tellement plus élevé que moi que j'étais décidée à y accéder, pour ne pas le décevoir. Je deviendrais cette femme parfaite dont il avait besoin. Mais on ne peut pas se transformer complètement, même en faisant des efforts, et après quelque temps il arrive aussi qu'on n'ait plus envie de les faire, les efforts.

Selon les Évangiles d'importation soviétique, qu'en bons paroissiens nous nous efforcions de suivre dans ces années-là, faire l'amour régulièrement était hautement recommandé. La moindre frustration dans ce domaine risquait en effet de faire perdre sa forme physique et morale à l'individu qui en serait la victime, et par conséquent de diminuer gravement ses capacités de militant à la Cause. C'était le vieux truc « Quand on a soif on boit un verre d'eau. » Je concevais très bien que mon mari ait soif, mais vint le temps où je perdis le goût de l'eau. Il faut dire que le don d'ubiquité poussait notre camarade, l'inévitable Coolie chinois, à siéger non seulement à notre table pour nous reprocher la nourriture que nous mangions, mais aussi à se nicher dans notre lit où il guettait nos moindres gestes. Il veillait surtout à ce que rien d'autre que le strict nécessaire ne s'y produisît, et les gestes en question, ceux qui savent embellir et diversifier le plaisir, étaient tacitement bannis pour cause de vices. Il m'a fallu bien longtemps pour me débarrasser de cette notion que j'eus tant de mal à acquérir cependant, aux temps où j'étais si jeune et si pleine de vie.

J'accompagnais mon mari à tous les meetings, toutes les conférences, tous les congrès, je lisais tous les livres qu'il lisait pour être capable d'en parler avec lui, je tapais à la machine, ronéotypais, pliais et postais les tracts, et je faisais le porte à porte pour les quêtes du Parti. Nous ne rations jamais la projection d'un film soviétique et nous en sortions bouleversés. Nous hébergions, nourrissions et habillions des réfugiés politiques allemands et hongrois dont certains étaient en partance pour l'Espagne où ils s'en allaient rejoindre les Brigades internationales, nantis de passeports sur lesquels leurs photos de soi-disant ressortissants tchèques avaient remplacé celles de certains amis qui étaient d'accord pour certifier qu'ils les avaient perdues.

265

Bien sûr, il m'arrivait d'être choquée par le parfum de démagogie et d'intolérance qui se dégageait de certains articles et même de certaines lettres, mais immédiatement je ravalais mes dégoûts. Il me suffisait pour cela de faire la comparaison avec la pestilence qui venait de l'autre côté, du côté de nos ennemis. Le choix était facile entre un Hitler et un Franco dont nous savions presque tout, et un Staline dont nous savions uniquement ce qu'il lui plaisait - comme à nous, d'ailleurs - de nous faire savoir. Dans ce domaine nous étions parfaitement d'accord, jusqu'au jour où nous eûmes notre première sérieuse algarade politico-matrimoniale. Comme tous les gens de gauche, nous étions abonnés au journal *Rundschau* (Panorama), organe de la troisième Internationale. Je souscrivais complètement aux opinions émises dans les colonnes de ce journal pour le fond. Pour la forme, elle était telle, que mal débarrassée de l'héritage de mes lectures d'antan, et par conséquent encore affligée d'un sens critique tout à fait répréhensible, je la jugeais imbuvable. Dès que le facteur était passé je criais à la cantonade : « Ton Bunker est arrivé ! » Ce qui rendait mon mari furieux, c'était moins que je plaisante sur l'objet lui-même que mon emploi de ce possessif discriminatoire. Quant à l'emploi du mot Bunker, il était parfaitement justifié. Tous les gros titres étaient des *Bunkers*, et il y avait des douzaines de *Bunkers* à chaque page. Tous ces *Bunkers* étaient construits pour la défense de phénomènes sociaux divers, la Paix, le Progrès, en passant par l'Art, la Liberté, les Bonnes Moeurs, ils jalonnaient de leur béton un chemin qui menait immanquablement à la perfection totale, le *Bunker* suprême : l'Union soviétique, régie par son Grand Timonier. C'est peu à peu que commença de naître chez moi un soupçon très dérangeant : fallait-il vraiment croire à toutes ces belles choses décrites par des gens qui les écrivaient si mal ? Peut-être aurais-je dû laisser croître et embellir mes soupçons dès ce moment-là, ça m'aurait évité de tomber de si haut au moment du pacte germano-soviétique, et de voir s'écrouler du même coup la confiance que j'avais dans le jugement supérieur de mon mari, et le *Bunker* du *Rundschau,* qui cessa de paraître.

Toutefois, au tout début de notre union, nos conflits ne

venaient pas d'une mésentente sur le plan idéologique et intellectuel. En gros, nous étions d'accord sur tout. Pour le reste, et en particulier le droit aux plaisirs de la vie, nous n'étions d'accord sur rien, et j'eus le loisir de le constater au cours de nos premières vacances partagées en Italie. Alors que des heures passées dans l'eau et sur le sable me comblaient de bien-être et bronzaient ma peau, un quart d'heure suffisait pour lui enlever sa bonne humeur et lui faire attraper le méchant coup de soleil. Dans les trains, il m'arrivait d'échanger nos provisions avec les voyageurs, de boire à la régalade à leurs bouteilles, et de me servir énormément de mes mains pour mimer les mots qui me manquaient dans leur langage. A ces moments-là, il se tassait dans un coin du compartiment, prenant l'air poli et ennuyé du monsieur qui ne me connaît pas. Peu coutumier des habitudes chères aux Méditerranéens, qu'il côtoyait pour la première fois de sa vie, il attribuait à l'indécence de ma toilette les regards approbateurs et les gestes suggestifs qu'il lui arrivait de surprendre, quand nous marchions parmi cette foule italienne où les hommes sont si peu avares de compliments qu'ils les adressent bien souvent à des dames qui n'en méritent pas tant. Ce n'était pas qu'il fût jaloux, non, mais il détestait se faire remarquer, et par conséquent qu'on me remarque moi. Un groupe de jeunes, de nos âges, nous invita à passer la journée en mer sur leur bateau, il préférait rester à terre et dans l'hôtel, mais me conseilla néanmoins d'y aller, si ça me faisait plaisir. J'y allai. Je terminai la soirée en allant danser avec les autres, et je commençai la journée du lendemain en les retrouvant au tennis. Mon mari paraissait très content, il m'était bien reconnaissant de ne pas le forcer à me suivre dans toutes ces aventures, j'estimais sa tolérance à sa juste mesure, à savoir que j'étais quand même un peu vexée par son total manque de jalousie. Du moment qu'il pouvait faire sa sieste, lire ses journaux et travailler sur ses bouquins, la vie était belle, et à la condition que je ne rentre pas trop tard, parfaitement sobre et prête à lui servir son verre d'eau, il la trouvait merveilleuse. Il y eut quelques soirs où je rentrai plus tard que prévu, cela ne sembla pas l'affecter, en tout cas pas autant que mes plaisanteries sur les *Bunkers*. Il estima que nous avions passé de très bonnes vacances. Pour moi, elles avaient été un fiasco total, c'était la maquette de toute notre vie commune à venir.

Et pourtant, aussi incroyable que cela puisse paraître, je n'ai jamais aimé aucun autre homme comme j'ai aimé Oskar, dans les temps où je l'ai aimé, et je sais que, de son côté, bien qu'il ait eu des liaisons avec d'autres femmes, il n'a jamais aimé que moi. Cela ne veut pas dire que malgré des imperfections notre mariage ait été un « bon mariage » comme on dit. Et je me suis souvent demandé si nous n'aurions pas eu une meilleure vie, l'un et l'autre, si l'un ou l'autre, ou tous les deux, nous étions tombés vraiment amoureux de quelqu'un d'autre au point de nous séparer. Il nous aurait fallu alors dresser un bilan, et constater du même coup que nous avions bien peu de choses en commun, à part le lien qui nous avait attachés dans nos débuts. Mais nous n'avions jamais rompu ce lien. Ce n'était plus celui du début, celui-là s'était relâché, mais il avait été remplacé par des noeuds. Des noeuds qui étaient d'autant plus serrés que c'était le chagrin qui les avaient noués. C'étaient les noeuds de la souffrance partagée, de mon indéfectible fidélité au persécuté injustement condamné, et finalement ceux de l'âge qui avance.

Un prisonnier élargi par grâce d'amnistie demeurait une « non-personne », et le seul travail auquel Oskar pouvait prétendre se cantonnait dans la catégorie des gardiennages de nuit dans un entrepôt, pour un salaire équivalent au prix d'une chambre au mois. Moi j'étais au chômage. Et pourtant, la famille reconstituée que nous formions n'avait pas de vraies raisons de se plaindre. Mon mari était quand même en bonne santé, Susie était heureuse en ménage et attendait son enfant, Tania était heureuse à l'école, en pleine et bonne croissance, c'est-à-dire sans être beaucoup plus capricieuse que les autres filles de son âge, elle était nettement plus jolie que la plupart d'entre elles. Quant à moi, avec mes défauts et mes qualités, j'étais redevenue moi-même, entièrement. On s'attendrait que tout cela se conclue par un « ... et ils vécurent heureux... » que j'ai le regret de ne pas pouvoir écrire.

Si on avait demandé à mes enfants si elles aimaient leur père, elles se seraient étonnées qu'on leur pose la question ; mais si la question avait été de savoir pourquoi elles aimaient leur père, elles auraient été incapables d'y répondre. Pourquoi devrait-on aimer une personne qu'on ne connaît pas du tout ? Pour Tania, il était un parfait étranger, pour Susie un vague souvenir d'enfance. Le sort avait voulu qu'elles aient grandi en dehors de sa présence et de son affection quotidiennes. Elles n'avaient qu'un désir : apprendre à l'aimer, rattraper ce temps perdu, surtout Susie qui était parfaitement en âge de bien savoir et de bien comprendre ce qui lui était arrivé, cela ne tenait qu'à lui, avec un minimum de patience et de tolérante complicité, il y serait parvenu.

Mais comme il s'attendait probablement à retrouver des enfants semblables aux enfants qu'il avait quittées dix années auparavant, il n'accepta pas le fait qu'il se trouvait devant des individus à part entière. Au cours de ces années difficiles, elles avaient appris à vivre, à penser, à aimer et à détester. Si bien disposées qu'elles fussent à l'égard de leur père, il leur était extrêmement difficile de se plier tout d'un coup au nouveau fonctionnement de la maison qu'il voulait instaurer et dont la rigueur et l'ascétisme étaient directement inspirés par le régime carcéral. Pas plus qu'elles ne supportèrent les conférences de rééducation qui suivaient immanquablement la moindre de ses appréciations sur ce qu'il était convenable d'admettre ou de critiquer.

Susie, protégée par son état civil de femme mariée, échappait le plus souvent aux réprimandes publiques. Pour me parler de Susie, son père attendait qu'elle soit sortie. Alors les questions s'enchaînaient. Pourquoi se maquillait-elle autant ? Comment savais-je qu'elle chantait bien, après tout peut-être que son succès n'était dû qu'à son décolleté trop généreux ? Mais en admettant qu'elle ait montré très tôt qu'elle était douée pour le chant comme on le lui assurait, pourquoi n'avais-je pas insisté pour qu'elle devienne une « vraie » chanteuse ? Peut-être n'était-il pas trop tard ? Non, c'était trop tard maintenant puisque je l'avais laissée se marier si tôt ! Zdenek avait l'air d'un gentil garçon mais n'aurait-elle pas pu attendre le retour de son père pour l'épouser ? Enfin ce qui était fait était fait, et ce n'était pas maintenant, embourbée qu'elle était dans le matrimoniat et la musiquette, qu'elle risquerait de s'intéresser à des choses plus sérieuses artistiquement, mais c'était dommage.

Etait-ce vraiment une bonne idée de faire un enfant maintenant ? Avant qu'ils aient trouvé un appartement ? (Trouver un appartement ! nous étions sur Mars...) Et puis il y avait aussi cette chose... Zdenek avait un père, un père qui toute sa vie avait été ouvrier dans les chemins de fer. Comment se faisait-il que ce père, le père de Zdenek, n'ait jamais été au Parti, hein ? (Là, nous étions chez Marx...) Susie avait essuyé quelques-uns des plâtres de certaines de ces questions, et avec la patience et la tolérante complicité qui la caractérisaient, elle, elle avait amorcé des réponses, par respect pour ce père qui avait été si seul pendant si longtemps. Elle avait bon cœur, et aussi une extraordinaire faculté de ne plus répondre du tout et de s'esquiver quand elle sentait que les choses risquaient de mal tourner. Zdenek, lui, se comportait très respectueusement, en prenant soin d'afficher une certaine solidarité masculine dans ses rapports avec son beau-père, et dans l'ensemble, on peut dire qu'à part une légère tension toujours présente, les rapports du jeune couple et d'Oskar étaient supportables.

Les choses en allaient différemment avec Tania. Tania, dans sa condition sociale d'enfant, se touvait exactement à l'âge où une bonne rééducation s'impose.

Comme sa sœur elle a bon cœur, mais elle est plus combative, non seulement pour elle-même, mais aussi pour les autres. A douze ans, à cause de tout ce qu'elle avait vu, entendu et enduré, elle était plus avancée et plus indépendante que bien des filles de son âge, mais guère plus tolérante pour autant. C'est un âge où les filles ont tendance à se rebeller contre la surveillance excessive et les remontrances répétées, même quand elles sont prodiguées par un père auprès duquel elles ont grandi. Il eût été surprenant qu'elle les acceptât quand elles étaient imposées par un nouveau venu dont les obsessions et la maniaquerie étaient devenues règles de vie dans la maison. Par exemple, on devait dorénavant placer les bouteilles de lait à côté du radiateur pour économiser l'électricité de la cuisinière, et on était obligé d'ingurgiter les croûtons rassis avant d'entamer le pain frais, lequel pain frais serait à son tour un pain rassis quand on y aurait droit. Tania avait trop de robes, trop de jouets, et trop d'opinions personnelles. En résumé, je l'avais pourrie. Une fois, elle fit une allusion à certains membres de la famille et de notre entourage qui n'avaient pas été « bien » avec nous, dans la période noire. Il lui fut répondu que nous l'avions probablement cherché en ne nous comportant pas comme il l'aurait fallu. Elle poussa alors des hurlements d'indignation et usa d'un vocabulaire que son père jugea irrecevable et impardonnable. Un soir, elle fut expédiée au lit après avoir été publiquement grondée, pour avoir repris un fruit dans le compotier avant d'en offrir pour la seconde fois aux autres convives. Moi-même, je fus rappelée à l'ordre pour ne pas lui interdire l'entrée de la chambre de sa sœur quand Susie et son mari étaient encore au lit. Ses petites amies étaient trop bruyantes quand elles venaient jouer, et son couple de serins tellement turbulent dans leur cage, qu'il fallait songer à s'en séparer au plus vite. Un jour, alors qu'elle débarrassait la table et s'apprêtait à jeter une malheureuse pomme de terre dont personne n'avait voulu, il lui donna l'ordre de la manger. « Mange-la toi-même », répondit-elle, et elle reçut la première gifle de sa vie.

Bien sûr, elle n'était pas sans défauts. Bien sûr, je l'avais trop gâtée pour contrebalancer tous les manques, et sans doute son père avait-il parfois des raisons de se plaindre d'elle. D'autres fois il n'en avait aucune, mais toujours il le faisait de la façon la plus humiliante. Ce ne sont pourtant pas ses constantes remarques et critiques à propos de leur comportement qui amenèrent la rupture entre le père et ses filles, mais bien plutôt l'indifférence totale qu'il leur témoignait sauf pour les réprimander. Elles essayèrent spontanément de lui parler de leurs joies, de leurs soucis, de leurs espoirs, il ne leur répondait pas, il ne les écoutait pas, il en était incapable, il n'avait pas le temps. Il n'avait pas de temps pour elles, il n'avait pas de temps pour moi. Finalement, son souci le plus urgent était d'obtenir de cette maisonnée qu'elle ressemble à un foyer parfaitement en ordre dans lequel on lui réserverait un endroit bien à lui pour y recevoir ses amis à lui, et surtout pour se concentrer sur l'élaboration du dossier qu'il était en train d'établir en vue de sa réhabilitation. Il m'avait distribué mon rôle : éloigner les enfants qui le dérangeaient, faire le ménage et la cuisine et rapporter la paie qui nous faisait vivre. La paie en question venait des traductions, la vie était chère, mais étant donné qu'il ne faisait jamais les achats, il ne s'en rendait pas compte. Il me fallait accepter beaucoup de traductions pour joindre les deux bouts - trop, disait-il, en me faisant remarquer que la maison serait mieux tenue si je passais moins de temps devant ma machine, et pour peu que je ne sois pas si dépensière.

Le premier personnage auquel il alla rendre visite après sa sortie de prison fut l'ancien ministre de la Justice, sous lequel il avait été condamné à vingt-deux ans d'emprisonnement, dans le même temps qu'on envoyait des douzaines de citoyens à la potence. C'est ce jour-là qu'éclata entre nous la première vraie dispute depuis son retour. Elle était faite de violence et d'amertume. Incapable de pardonner la moindre peccadille à sa femme ou à ses filles, il s'en allait le cœur chargé de miséricorde comme Jésus-Christ lui-même vers ceux qui avaient commis contre lui l'impardonnable péché. Il se bouchait les oreilles quand je me permettais de critiquer leur conduite passée, elle trouvait disait-il sa justification à la lueur d'événements historiques que ma mesquinerie naturelle m'empêchait d'appréhender. En revanche, il refusa de faire avec moi un pèlerinage dans le village où nous avions passé deux années. Il se montra si peu accueillant pour Maria et mes autres amis, lorsqu'ils se risquèrent à venir à la maison, qu'ils n'y reparurent jamais. Ces gens-là n'appartenaient pas à son univers, et le fait qu'ils aient appartenu au mien le laissait complètement indifférent. Il luttait pour que justice lui soit rendue, mais son comportement était injuste. Il me jugeait irresponsable en matière d'argent, mais il n'eut jamais la curiosité de me demander comment j'avais néanmoins réussi à nous maintenir toutes les trois en vie pendant ces singulières années. Il poussait d'ailleurs la discrétion au point de ne jamais mentionner le fait que nous ne vivions que sur ce que je rapportais à la maison. J'attendais un mot qui vînt de son cœur, dans lequel il aurait mis un peu de gratitude pour avoir su élever les enfants toute seule, et de reconnaissance pour mon courage. Rien ne vint jamais. En somme, j'étais remise à ma place de petite bonne femme à qui il faut tout dire. Ce qu'elle a à faire, comment il faut qu'elle le fasse, comment il faut qu'elle ne le fasse pas, et surtout comment elle a tout fait de travers quand elle était livrée à elle-même.

Tania, déçue, devenait de plus en plus butée, mon mari malheureux, de plus en plus nerveux et injuste, et moi, débordée de travail, de moins en moins conciliante, d'autant moins conciliante que la maison se remplissait régulièrement de « camarades admirateurs » que je méprisais du fond de mon cœur mais auxquels il me fallait préparer à manger. Bref, c'était l'enfer. Certains soirs, une fois les « camarades » partis, la vaisselle finie, les longues épitres au Parti rédigées, et l'assurance que Tania était endormie, mon mari m'invitait à le rejoindre dans son lit. Alors, à l'imitation des vieux couples enfin réunis, et heureux de l'être, nous faisions des gestes apaisants et nous nous murmurions des phrases tendres et rassurantes. Nous nous mentions.

Je crois bien qu'il ne savait pas qu'il mentait. Habitué qu'il était à reléguer volontairement au deuxième plan tout ce qui pouvait s'apparenter de près ou de loin à quelque chose qu'on appellerait l'inclination personnelle, ou la tendresse des sentiments, dans le moment où tout d'un coup, il lui arrivait de me dire « Je t'aime », je crois bien qu'il m'aimait vraiment. Il m'aimait vraiment sans rien aimer de moi. Et à ma façon, je ne croyais pas mentir non plus. Je l'aimais ce mari dont j'avais tant attendu le retour, et dont la stature avait forcément grandi dans mes rêves. Je n'avais pourtant pas la folie des grandeurs dans mes rêves. Ne voulant me rappeler que le meilleur d'Oskar, je m'imaginais qu'une fois sorti de cette épreuve, toutes les qualités qu'il portait en lui seraient enfin perméables aux joies de la vie qu'il s'était refusées si longtemps. Il n'était pas non plus complètement déraisonnable de supposer que, même dans le cas où les dix années qu'il venait de passer n'auraient en rien entamé ses illusions socialistes, il me revienne un peu moins dogmatique, bigot et ascétique. Je nous avais imaginés nous promenant dans la campagne, échangeant nos livres, visitant des expositions et allant au théâtre, amis de nos enfants, enchantés à l'idée de devenir des grands-parents, et somme toute tirant le meilleur parti de ce qui nous restait à vivre, tandis que la vieillesse s'installerait doucement. Nous aurions eu nos moments de tristesse, bien sûr, mais pas d'amertume. Il nous aurait bien fallu aussi en venir à la conclusion que nous n'étions pas capables de refaire le monde. Parmi ces rêves bien raisonnables, mon favori était quand même celui dans lequel je le voyais poser enfin sur moi un regard chargé d'un respect nouveau, et puis autre chose aussi : un peu de mansuétude vis-à-vis de mes défauts. Qu'il serait merveilleux, le jour où il s'apercevrait enfin qu'une épouse un peu futile, un peu rêveuse, pas très ordonnée, fumeuse et trop bohême, ça valait quand même mieux que pas d'épouse du tout, surtout quand ladite rêveuse, fumeuse (voir plus haut) n'a qu'une envie, celle de vous faire plaisir, et que par-dessus le marché elle a passé l'âge de s'en aller danser, skier, et de se payer des décolletés plongeants. Un soupçon de liberté personnelle, un toit et l'éloignement de la terreur étaient des dons miraculeux en eux-mêmes, et nous saurions mieux comment les partager maintenant que nous ne savions le faire dix ans auparavant.

Je n'ai jamais su quelle était l'image de moi qu'Oskar avait bien pu se fabriquer du fond de sa prison, mais je sais que sa déception fut aussi grande que la mienne. Ces « je t'aime » des débuts des retrouvailles, nous nous les disions en toute sincérité parce que nous voulions y croire. Et puis peu à peu le mot amour lui-même commença à sonner tellement creux, qu'il disparut de notre vocabulaire. Les années avaient passé sur nous, mais ce temps-là, au lieu de nous rapprocher, nous avait rendus à tout jamais étrangers l'un à l'autre, et je commençai à culpabiliser.

Je culpabilisais parce qu'aux yeux de sa famille et d'un grand nombre de gens, Oskar était un héros. Du héros il avait la force de caractère, l'intelligence et le magnétisme. Ses terribles épreuves ne lui avaient pas fait courber l'échine ni renoncer à sa croisade pour la Justice, et il avait déjà à l'époque bon nombre d'idées pour l'avenir de son pays dont certaines ressemblaient fort à celles qui jaillirent lors du Printemps de Prague... deux ans après sa mort. Mais pour qui m'aurait-on prise si, à l'époque, j'avais dit de ce héros qu'il n'était plus en réalité qu'un homme blessé au plus profond de lui-même par ces années d'humiliations et de brutalités, dépouillé de la moindre illusion, et malade à force de le dissimuler aux autres, et encore plus à lui-même ? Malade dans son corps, malade dans sa tête, malade à me rendre malade et par conséquent désarmée.

Après la naissance du bébé de Susie, il nous habitua à être de moins en moins à la maison. J'étais soulagée parce que cela voulait dire qu'il trouvait à l'extérieur ce que nous ne savions pas lui offrir à la maison. La paix et la tranquillité, il les trouvait dans un café où il pouvait étaler ses journaux sur une table qui lui était réservée. Ses camarades venaient l'y retrouver, et leurs discussions les entraînaient parfois à faire de longues promenades à travers les rues de la ville. Et puis il y avait la maison de sa sœur. Chez sa sœur, on servait de très bons dîners, l'atmosphère était détendue, les vieux camarades étaient toujours les bienvenus, ainsi que quelques jeunes femmes au physique engageant.

Dans un dernier effort pour maintenir ce qu'on appelle l'entente conjugale, nous décidâmes de faire une croix sur tous les sacrifices que nous avait coûté l'opération « appartement coopératif », et de tenter d'échanger notre appartement moderne contre un ancien, pourvu qu'il comporte une pièce de plus. Il existait, cet appartement, mais il se trouvait au bout d'une chaîne dont les maillons ne comportaient pas moins de huit familles désireuses elles aussi de déménager. Toute l'affaire était entre les mains d'un trafiquant de marché noir, grassement payé par chacun des demandeurs qui, sans se connaître, tremblaient tous les jours d'angoisse à la peur qu'un des maillons ne craque et que tout soit à recommencer. Etonnamment, la chaîne ne cassa pas, et c'est ainsi que nous prîmes possession de notre nouvelle maison. La cuisine était sombre et petite, le ballon d'eau chaude de la salle de bains avait des sautes d'humeur, mais au moins nous n'étions plus les uns sur les autres, ce qui est un grand luxe pour des individus dont les nerfs sont à bout. Et c'est là que nous vécûmes jusqu'à la réhabilitation d'Oskar.

Elle vint enfin cette réhabilitation, mais si tard, qu'elle n'était auréolée d'aucun romantisme. Elle n'était même pas le couronnement des efforts d'Oskar pour le triomphe de la Justice. Elle faisait partie d'un lot qui fut distribué en vrac par le Parti à un groupe d'amnistiés, dont la particularité n'était pas tant le degré de leur innocence que celui de leur importance hiérarchique. Avec la réhabilitation revint la carte du Parti, l'attribution d'un appartement, une coquette somme d'argent, et des bons d'achat qui permettaient l'acquisition immédiate d'une voiture, sans avoir à attendre les quatre ans obligatoires. Et aussi du travail. Les réhabilités et leurs familles étaient invités à recevoir tous les soins médicaux dont ils pourraient avoir besoin au Sanatorium d'Etat, établissement réservé aux cadres supérieurs, et dont l'entrée était subtilement dissimulée dans l'arrière-cour du musée Lénine. Le Sanatorium d'Etat avait aussi une annexe, une luxueuse Maison de Repos située dans les bois, aux environs de Bratislava. C'est là qu'on pouvait voir s'ébrouer joyeusement dans la piscine les apparatchiks en compagnie de leurs anciennes victimes, avec lesquelles après la baignade ils disputaient de longues parties d'échecs dont le champion imbattable était le ministre de la Police en retraite, et ex-secrétaire général du Parti communiste slovaque, le camarade Karol Bacilek, qui venait d'être remplacé dans ses fonctions par un presque inconnu, Alexander Dubček.

J'avais entre-temps retrouvé du travail, j'écrivais pour un magazine de vulgarisation scientifique, l'argent rentrait, et rentrait bien. Pour le sortir... c'était une autre affaire. L'agencement et l'ameublement de notre nouvel appartement donnaient lieu entre mon mari et moi à de nombreuses saynètes d'économie appliquée. Il ne se décida à acheter une voiture, une Skoda bleu ciel, que le jour où il fut convaincu, preuves à l'appui, qu'il était bien le dernier à profiter de son bon d'achat. Il la conduisit pendant quelques mois avant de tomber malade, terrassé par ce qui s'avéra être une attaque d'hépatite.

Il fut transporté à l'hôpital des contagieux. J'y allai tous les jours, conduite par un copain dans la petite Skoda, mais je n'avais pas le droit de le voir. Au bout du cinquième jour, il entra dans une sorte de coma, et on appela des spécialistes. Deux jours interminables passèrent. J'étais assise dans le hall du rez-de-chaussée quand une doctoresse vint vers moi et m'annonça que mon mari avait repris conscience, et que je pouvais monter le voir si je le désirais. On me demanda d'enlever mon manteau et de revêtir une blouse blanche. Quand j'entrai dans la chambre, Oskar était assis sur son lit, et il me souriait comme si nous nous étions rencontrés la veille pour la première fois de notre vie. Il me dit que j'étais bien mignonne déguisée en doctoresse, je lui dis que pour le peu que j'avais vu, la vraie doctoresse qui tournait d'habitude autour de son lit me paraissait bien plus jolie que moi, un peu trop jeune pour mon goût, et que dans ces conditions il ferait bien de réintégrer le foyer conjugal en vitesse. Je ne savais pas que ce tendre marivaudage serait le dernier des dialogues de notre vie. Quelques heures après, il était mort.

Les spécialistes me déclarèrent que ce n'était pas l'hépatite, en elle-même bénigne, qui l'avait fait mourir. Il venait de payer ses dix ans de prison et de contraintes, son organisme complètement délabré par ses grèves de la faim répétées était à bout. Se voulant consolateurs, ils conclurent l'entretien en m'affirmant que c'était une chance que son coeur ait lâché. Eût-il survécu après un aussi long état comateux, que sa vie n'aurait plus été une vie.

Il eut des obsèques politiques et grandioses ; des fonctionnaires prononcèrent des éloges funèbres, et des amis, qui n'étaient pas mes amis, lui adressèrent leurs derniers adieux. J'assistai à cette cérémonie en étrangère, pour ne pas dire en intruse coupable. Les mots prononcés par tous ces discoureurs, et écoutés par cette foule immense, résonnaient à mon oreille comme autant d'accusations tacites ; je n'avais pas été à la hauteur de cet homme auquel je n'avais su prodiguer ni le foyer ni la compréhension qu'il méritait, après ses terribles épreuves. Tout ce qu'on disait de lui était vrai, c'était vrai que nous subissions une perte cruelle, nous la société, en portant en terre un homme qui réunissait tant de vertus civiques. Il avait été cet homme brillant, ce lutteur infatigable et inébranlable pour les causes qu'il avait faites siennes une fois pour toutes. Il avait été généreux, secourable, désintéressé, avant d'entrer en enfer. Il en était sorti sans que ses qualités de coeur, d'esprit et de militantisme aient été entamées. Ils le savaient bien, ceux qui l'avaient connu avant et qui parlaient sur sa tombe.

Non, décidément, je n'avais pas été à la hauteur de la tâche grandiose que le destin m'avait offerte, mais c'est avec un mélange d'étonnement, de frustration et d'horreur que je fus bien obligée de constater que j'envisageais avec soulagement le fait que je n'aurais plus à l'assumer. Une seule personne semblait avoir compris ce que j'avais moi-même du mal à admettre. Elle fut celle qui sut prendre la maison en main, canaliser le flot incessant des donneurs de condoléances, s'occuper des démarches administratives, et finalement devenir mon amie la plus fidèle et la plus intime pendant les années qui suivirent.

279

Une saison à Bratislava

C'était une jeune femme, celle dont la maison était devenue le foyer refuge pour mon mari, elle dont il avait visiblement été très amoureux pendant les derniers mois de son existence.

En essayant de décrire ce que mes enfants ressentaient, ou auraient dû ressentir pour leur père, et leur père pour elles, en essayant de raconter ce qu'était notre union, et maintenant en évoquant cette jeune femme, je me suis servie peut-être un peu trop librement du mot « amour ». Comme si je savais vraiment ce qu'il signifie. A la réflexion je ne suis pas sûre de savoir vraiment ce qu'il signifie. Quand il est employé ce mot « amour », et même suremployé dans le cas de relations sexuelles, il a déjà perdu sa signification originelle, en tout cas pour moi, il n'a jamais été le mot juste pour définir ce que je pouvais ressentir au contact d'un homme avec lequel, justement, on ne fait que « l'amour ».

Quand je dis que je n'ai jamais aimé un autre homme que mon mari, je suis parfaitement honnête, si l'on prend le mot « aimer » dans son acception la plus commune. Et pourtant, une fois dite, la phrase sonne un peu faux. Mais alors, quels sentiments doit-on s'autoriser à ressentir ? Peut-on oser — et dans quelles limites ? — ne pas éprouver les sentiments qui devraient être les nôtres de l'avis général ? On écrit « amour » par convention sténographique, mais c'est tout juste si après on peut retranscrire ce que l'on a ressenti. Nous ne disposons que de cette abréviation dérisoire et non pertinente ; mais il faudrait mille et un mots pour peindre par petites touches un seul des prismes dont la myriade forme les cristaux de cet état que l'on nomme « amour » et qui toujours se décompose et se recompose en des cristaux nouveaux et éphémères.

Bien sûr, j'ai aimé d'autres hommes. Mais aucun de mes amours n'a ressemblé aux autres. A treize ans, je m'asseyais fébrile près du téléphone dans l'attente d'un appel : c'était de l'amour. A dix-huit ans, je partis retrouver Oskar en secret et je fis l'amour pour la première fois de ma vie. C'était l'amour. Pendant les deux années qui précédèrent mon mariage, j'eus un amant dont la sensualité comblait la mienne irrésistiblement, mais une fois rhabillés nous ne trouvions rien à nous dire : pourtant c'était aussi de l'amour, un amour plein de passion, de tendresse et de gratitude mutuelle, que j'abandonnai avec grand regret.

Quelle femme a jamais rencontré l'homme qui satisfait tous ses désirs ? Pas moi, en tout cas. C'était comme si pour chacun de mes désirs, j'avais besoin d'un homme différent. Aujourd'hui je peux l'écrire, hier cela m'était impossible. Je me devais alors de garder comme un secret inviolable l'idée que je me faisais du parfait amour, sinon j'aurais été repoussée, rejetée pour cause d'amoralité.

Je voulais faire l'amour quand l'envie m'en prenait, et seulement à cet instant. Quand je me sentais désirable et seulement alors. Je voulais partager avec un homme ce que nous avions de meilleur chacun, et rien d'autre. Le partager dans l'immédiat, sans se soucier du passé ni de l'avenir. En ne sachant de lui que ce qu'il choisissait de me dire et en ne lui disant que ce qu'il voulait entendre. En ne sachant de lui que ce petit peu qui laissait place au vide que viendraient combler rêves et fantasmes. Ce n'est que comme cela que mon corps pouvait s'abandonner totalement. Pour faire l'amour, les uns ont besoin d'alcool, les autres de miroirs ou bien encore d'une gymnastique compliquée ; moi, je ne prenais mon plaisir que si je pouvais être moi-même et être aimée pour ce que j'étais.

Une femme en quête de telles aventures s'expose évidemment aux avances d'hommes qui ne sont pas toujours ceux qu'elle aimerait rencontrer. Elle se retrouve souvent seule et encore plus souvent en compagnie d'un homme dont elle ne veut plus. Mais c'est le risque du jeu et en me penchant sur mon passé je peux dire que, tous comptes faits, la plupart du temps, j'y ai été gagnante.

J'allais sur mes quarante ans quand je rencontrai un homme ouvert à un compagnonnage de ce genre. Notre histoire dura quinze ans avec une interruption, bienséance oblige, quand Oskar sortit de prison, et elle dura quinze ans parce que nous ne pouvions nous voir qu'aux fins de semaines et pendant les vacances. Il était beaucoup plus jeune que moi, mais j'étais mariée, il était donc hors de question que notre amour parfaitement partagé change le cours de nos vies. L'attente de nos retrouvailles était un délice, nos lettres étaient belles, les retrouvailles étaient féeriques, nos séparations aussi douloureuses que si elles devaient être éternelles, nos souvenirs n'étaient que douceur, et à nouveau l'attente des retrouvailles était un délice. Mais surtout nous ne voulions avoir aucun droit l'un sur l'autre. Nous donnions, nous recevions, dans une pureté totale, rarement atteinte dans la vie conjugale. Quand nous nous retrouvions, nous savions l'un et l'autre que c'était le désir seul de l'un et de l'autre qui motivait nos retrouvailles. C'était un parfait amour physique. Quant au reste, nous avions mille choses en commun. Et quand nos goûts, nos opinions ou nos convictions différaient, nous aimions nous prouver que nous savions être tolérants et compréhensifs, comme seuls savent l'être ceux dont le destin n'est pas lié pour la vie.

Pour les couples heureux en amour et pour les amants malheureux, tout ce que je viens de raconter passera probablement pour une anecdote égoïste et frivole, sans rapport aucun avec l'amour vrai. Après tout ce n'était peut-être que ça, et qui sait ? les circonstances aidant, nous aurions très bien pu finir par former un couple légitime raté. Je rends grâce à la destinée ; cela nous fut épargné.

Signe des temps, des lieux et du mépris total pour les convenances, il était rare que ceux qui venaient me présenter leurs condoléances n'en profitent pas pour me glisser des questions sur mes intentions concernant l'appartement. Avec une fille presque en âge de se marier, ce serait folie de déménager pour un appartement plus petit, disaient-ils ; ils comprenaient parfaitement qu'il me fallait veiller aux intérêts de Tania... Mais en attendant, elle n'était toujours pas mariée, et avec nos trois pièces-cuisine plus un cagibi, nous occupions plus de mètres carrés que ceux auxquels nous avions droit. C'était à qui postulait pour le placement d'un proche en grand mal d'espace vital. Ainsi commença l'ère des sous-locataires : une succession de jeunes couples dans la chambre de mon mari ou des étudiantes (avec, à l'occasion, leurs petits amis) dans le cagibi.

Au bout de quelques mois, je sentis que je pouvais désormais toucher à l'argent qui était à la banque. Je m'y étais jusqu'alors refusé pour des raisons morales. Je me lançai dans des achats d'un luxe inouï et interdit depuis longtemps : un radiateur à gaz pour la cuisine où depuis des années il gelait à pierre fendre, un aspirateur et, revanche tardive sur les hivers que nous passions en grelottant, deux manteaux en peau de mouton, un pour Tania, un pour moi. Sur ma lancée, je donnai dans le superflu : des plantes vertes, des rideaux jaune pâle pour la chambre de Tania et plein d'autres choses sans utilité apparente mais superbement colorées.

La Skoda bleu ciel était garée en permanence devant la maison, et chaque fois que je passais devant, je me revoyais sur la route de l'hôpital, c'était les seules fois où elle m'avait servi. Je n'avais pas le droit de la vendre avant quatre ans et je ne savais pas conduire. L'été suivant, je l'échangeai contre une petite Fiat, et je m'inscrivis à une auto-école. Le moniteur me trouvait très douée, pour mon âge. Je devins rapidement une conductrice émérite, à ceci près que j'ai une tendance à ne jamais retrouver mon chemin, mais à pied non plus je ne retrouve jamais mon chemin, surtout celui que je m'obstine à emprunter pour éviter certains carrefours, au centre desquels trône un policier. Dans les nouvelles maisons non plus je ne retrouve jamais mon chemin, il me faut des mois pour localiser l'interrupteur qui me donnera la lumière. Quant aux policiers, des années s'écouleront encore avant qu'ils ne me fassent plus peur du tout.

Bien avant d'avoir entendu parler des expériences sociologiques tentées par les jeunes marginaux d'Occident, nous avions fait de notre appartement un lieu assez semblable à ce dont ils rêvent. A cette différence près que nous nous lavions, que nous mangions de la viande quand nous pouvions en trouver, que nous n'usions pas de drogues, que nous ne pratiquions pas le sacrifice humain pour purifier l'univers, et que l'échangisme ne se passait qu'à table, dans notre genre nous aimions la vie communautaire avec tous les charmes et la cordialité qu'elle comporte. Tout ça, nous le devions aux locataires. On nous les avait imposés, et nous craignions le pire ; nous avions tort ; leur arrivée fut une vraie bénédiction. Les étudiantes, une fois mariées, retrouvaient le chemin de notre maison pour se mêler aux amies de Tania et pour que je continue de les materner. De vieux amis réapparurent. Tatie aussi, et je pouvais enfin la payer très bien. La maison ne désemplissait pas. Tous les âges se succédaient, les plus jeunes étaient mes deux petits-enfants (j'en avais déjà deux). Quand leurs parents partaient en tournée à l'étranger, parfois pour plusieurs mois, ils les confiaient à une vieille dame qui devait me rendre des comptes et c'est Tania qui leur servait de mère. Il y avait toujours un lit pliant pour celui ou celle qui ratait son dernier autobus à force de n'avoir pas vu le temps passer. Une de nos jeunes locataires préparait une thèse d'anglais, je lui donnai un coup de main tandis que son mari aidait aux tâches ménagères accessibles à ses talents masculins. Parmi les usagers du lit pliant, c'était Bronia qui était la plus assidue. La Bronia qui savait, dans les mauvais jours, comment apparaître avec son inoubliable pain frais dans les bras. Maintenant, ensemble, nous traduisions du tchèque en anglais des textes technologiques sur l'agriculture.

La plupart du temps, nous ignorions tout du sujet traité ; mais avec un bon dictionnaire, un peu d'imagination et quelques verres de « Bloody Mary », on se débrouillait et de toute façon, on était tranquilles, jamais personne ne lirait « ça ». La Slovaquie n'avait pas grand-chose à enseigner aux instituts scientifiques américains, et tout le monde savait que ces kilos de littérature agronomique n'étaient expédiés vers les USA que pour servir de monnaie d'échange avec les revues américaines. C'était plus économique que de débourser des dollars. Nous ne nous ennuyions pas une seconde en nous initiant aux complexités de la vie sexuelle des porcs et des poulets de la campagne slovaque.

Avoir une voiture était un rare privilège et j'avais envie d'en faire profiter le plus de gens possible, d'autant plus que j'étais assez vaniteuse quant à mes talents de chauffeur. Notre petite voiture était bourrée à craquer les jours où nous allions nous promener au bord du lac ou dans les bois. Le reste du temps je ne m'en servais que pour aller travailler ou pour me rendre au cimetière. Là j'avais de longues conversations avec mon mari, je lui parlais du passé, du bon temps et du mauvais et aussi je lui demandais pardon de ne pas le regretter autant que j'aurais dû. Le silence et le parfum des fleurs aidant, au bout d'un moment je me sentais parfaitement sereine. Il me pardonnait, j'en étais sûre, comme je lui pardonnais, et peut-être que finalement, lui non plus ne regrettait pas tellement d'être mort. Et moi, assise là, maintenant, je me serais bien aussi reposée pour de bon. J'aime bien les cimetières. Je ne suis pas morbide, mais j'y trouve la promesse d'un dernier refuge contre la peur et l'errance. Je visite beaucoup les cimetières, même à l'étranger. Je me choisis une tombe, sans trop d'angelots ni de colombes, dont la sonorité du nom gravé me plaît, il faut aussi que les dates de vie et de mort accusent une longévité convenable, et puis je m'assois à côté de la pierre. Alors j'imagine que cette tombe est celle de mon père sur laquelle je ne peux pas aller me recueillir, celle de ma mère qui n'en a pas, celle de mon frère enterré dans une fosse commune en Russie, ou bien la mienne. Le Repos.

Mais la sérénité me quittait la nuit et le repos, je ne le trouvais plus. Dans la journée ça allait, dehors j'avais mon travail et à la maison les enfants, les petits-enfants et des tas de gens que j'aimais bien, ou que j'aimais tout court. Et puis le printemps de Prague s'annonçait. Mais la nuit, de nouveau, j'avais peur. Ce n'étaient plus les indescriptibles cauchemars d'autrefois, mais l'apparition inéluctable de l'image de mon mari face à la mienne, comme on voit deux personnages vaincus à la fin d'une tragédie. Dans la journée, quand je pensais à Oskar et à moi, je ne voyais plus en nous qu'un couple mal assorti qui aurait dû avoir le courage de se séparer quand il était encore temps ; c'était la nuit seulement qui ramenait les remords, les souvenirs de l'amour perdu et la culpabilité. Je me sentais glisser vers une nouvelle dépression, j'allai donc voir un médecin. Il avait son idée ; ce qu'il me fallait c'était une bonne cure dans l'une de nos mondialement célèbres stations thermales. J'y allai ; là je buvais les eaux, je prenais les bains, j'avalais les petites pilules roses recommandées pour tout et contre n'importe quoi. Le dépliant publicitaire de la station thermale présentait la liste interminable de tous les maux que ses eaux savaient soulager, mais mon mal à moi n'y figurait pas. Aucune des sources minérales de la station n'offrait une fontaine de Jouvence. Perdue au milieu d'un troupeau de femmes désenchantées, solitaires et souvent assez laides, mais toutes de mon âge au moins, j'eus la brutale révélation que moi aussi j'étais devenue une femme vieillissante.

Elles donnaient l'impression d'avoir tout perdu, elles étaient pitoyables, surtout les veuves. Les veuves, oui, comme moi. J'écoutais mes voisines de table, elles ressassaient des jérémiades. J'observais de vieilles paysannes qui se déshabillaient pour le massage, leurs nudités révélaient des montagnes de chairs molles ou des squelettes recouverts de parchemin, et j'essayais d'évaluer posément leurs dernières ressources matérielles et spirituelles. J'en tirai la conclusion que le destin, si souvent injuste envers les femmes, le devient encore plus quand approche la vieillesse. L'homme vieillissant peut encore être sensible à l'érotisme des jeunes femmes, il peut encore faire un enfant et personne ne fait de remarques sur son physique. Au même âge, une femme ne porte plus d'enfants, elle a cessé d'attirer les regards, et si elle sent quelque attirance, elle est obligée de la tenir secrète. On lui reproche volontiers de déparer le paysage. On ne le lui dit jamais, mais elle le ressent toujours.

Même pour une femme très bien « conservée », le jour vient où elle réalise que, sur un certain plan, elle n'a plus d'existence réelle. Elle devient invisible.

On s'y fait avec le temps, mais pendant un bon moment ça fait mal. Quelle est la femme, si bonnes que soient ses mœurs, qui n'a pas besoin de temps en temps de croiser le regard admiratif d'un homme qu'elle ne connaît pas ? Et où se cache-t-elle celle qui se bouche les oreilles quand un chauffeur de camion lui rend hommage en la sifflant quand elle traverse la rue. Il n'y a plus rien de tout ça, et pourtant il y a encore du temps à vivre. Comment le vivaient-elles, ces femmes ? La plupart d'entre elles avaient un lit dans un coin de l'appartement qui avait été un jour le leur, donnant des heures de ménage et de nourrice non rémunérées aux couples que formaient leurs enfants maintenant mariés.

Tous les jours, elles passaient des heures debout sur leurs jambes qui gonflaient, à faire la queue dans les magasins pour acheter à manger, et souvent, elles faisaient de petits travaux au noir pour améliorer la pension dérisoire à laquelle quelques-unes seulement avaient droit.

Avant la guerre, celles qu'on appelait les « bonnes à tout faire » avaient une chambre à elles, elles touchaient un salaire, prenaient leurs jours de congés, et avaient le droit de changer de patrons. Mais pas ces femmes-là. Dans le temps, la grand-mère était la plus aimée et la plus respectée d'entre toutes les femmes. Avec l'âge venait la considération, pas la honte. Même celles qui n'étaient pas aimées pouvaient compter sur un certain respect de la part de leurs enfants et de leurs petits-enfants, puisque eux-mêmes comptaient sur l'héritage. Ça pouvait être une maison, le compte bancaire, la broche en or ou la belle cocotte en fonte. Après deux guerres mondiales et vingt ans de socialisme, rares sont ici les grands-mères qui ont quelque chose à léguer. Si ce n'est les quelques précieux mètres carrés habitables qu'elles rendent enfin vacants une fois qu'elles sont mortes. Celles-là peuvent partir tranquilles, elles ont laissé quelque chose à leurs enfants.

Les femmes que je rencontrais à la cure étaient laides, acariâtres et ennuyeuses ; elles parlaient énormément et uniquement de leurs douleurs et de nourriture. Les hommes, peu nombreux d'ailleurs, restaient entre eux, jouaient aux cartes, et lisaient la page des sports dans les journaux en buvant des bières. Ils ne présentaient aucun signe particulier sauf qu'ils n'avaient pas l'air d'être en meilleur état.

Nous étions en 1967 et des choses qui auraient été impensables quelques mois plus tôt seulement commençaient à arriver dans le pays. La vérité s'imprimait par petits bouts, pour la première fois depuis vingt ans ; tout bougeait et des idées chargées d'espoir étaient en train d'annoncer un changement qui aurait pu faire trembler le monde. Mais ici, à la cure, personne ne semblait s'en apercevoir, ou y prêter la moindre attention.

Alors moi, ne trouvant pas à qui parler, je m'en allais toute seule me promener dans la forêt et tout en marchant je me parlais à moi-même. L'Age... ! est-ce que l'âge allait m'enlever toute raison de vivre ? Est-ce qu'à mon tour j'étais en train de devenir comme eux ? Je m'asseyais sur un rocher, je regardais la magnifique vallée, et je pensais à la fille que j'avais été. La fille qui s'était assise un jour sur un rocher comme celui-ci, au-dessus d'un lac, et qui avait cru découvrir le secret du bonheur. Une fille qui croyait qu'elle devait et qu'elle allait faire quelque chose de sa vie, quelque chose qui aurait eu un sens grâce aux autres, puisque les autres étaient bons et prêts à bâtir un monde meilleur. Il suffisait qu'on leur dise comment s'y prendre.

C'est en cela seulement que la cure fut efficace. Rentrée à la maison, je retrouvai le vieux journal de ma jeunesse, je voulais savoir ce qui restait de cette fille que j'avais été.

Velden am Wörthersee, 14 juillet 1929. Je ne comprends pas ce qui les a pris de m'envoyer ici pour les vacances d'été. C'est une villa qui appartient à une vieille dame. Nous sommes douze filles, presque toutes de Budapest et censées nous amuser. Ce n'est pas mon cas. Déjà l'été dernier en Angleterre, ça n'avait pas été très bien non plus. Un couvent à Worthing, où régnait une discipline détestable, où l'on nous servait une nourriture exécrable ; et les sœurs qui avaient voulu me convertir ! Mais au moins il y avait une raison, c'était pour améliorer mon anglais. Toutes les autres filles étaient françaises, et le français, comme presque tout, était interdit. Alors j'avais appris à fumer et j'avais amélioré mon français. Mais cette année l'Autriche ! Qu'est-ce qui leur a pris ? Papa ne se sentait pas bien ces derniers temps. Peut-être ont-ils voulu se débarrasser de moi.

Après le déjeuner, nous sommes obligées d'aller dans nos chambres pour faire la sieste. Mais aujourd'hui j'ai réussi à me glisser dehors avec mon journal. Je suis seule dans les bois, sur la colline. C'est merveilleux. Parmi ces filles, c'est comme à la maison, je me sens souvent seule. Mais à la maison, c'est triste d'être seule, tandis qu'ici, c'est agréable.

Ici, je ne peux rien faire d'autre qu'*être*, tout simplement. J'écoute des sons que jamais je n'entendrais si je n'étais pas seule. Juste au-dessus de ma tête, un oiseau vient de sauter d'une branche à une autre. Maintenant, j'entends le grésillement aigu d'un grillon. Même une feuille morte avant les autres, je l'entends tomber. De toutes petites guêpes dorées bourdonnent et dansent la sarabande autour de moi.

Toutes sortes d'insectes s'affairent autour du trou sous le rocher qui me sert de siège. Ailleurs, je les aurais trouvés dégoûtants, ici, ils sont magnifiques. Peut-être parce qu'ils sont dans leur élément. L'univers ne serait-il pas plus beau si tout et chacun y était à sa place ? Hier j'ai traversé le lac à la nage. J'aimerais écrire un poème à ce propos, je veux dire sur le besoin que l'on a d'essayer de se prouver sa force. Sa force physique et spirituelle. J'écris bien des poèmes, mais après je découvre toujours que quelqu'un a déjà composé une poésie plus belle sur le même sujet.

En ce moment, je voudrais pouvoir en écrire une sur le bonheur que je ressens sans pouvoir savoir pourquoi. L'année dernière, quand j'ai été amoureuse pour la première fois de ma vie, je croyais que je deviendrais folle de bonheur si seulement il voulait bien faire attention à moi. Quand il le fit enfin, j'étais bien contente, sans plus, je n'étais pas embrasée de bonheur. Peut-être qu'on ne doit pas organiser le bonheur, comme si on visait un but. Il faut le laisser venir de lui-même, apporté par quelque chose dont on n'attendait rien. Le bonheur doit venir par surprise. Je ferais mieux d'arrêter d'en parler. La pensée tue les sentiments, et ce sentiment de bonheur, je veux le ressentir longtemps encore...

Budapest, 19 juillet 1929. Je reviens de l'enterrement de mon père. Ne pense à rien, ne commence pas à réfléchir ! Ô mon Dieu, pourquoi ne puis-je croire en vous, pourquoi ne puis-je pas vous demander de m'accorder cette faveur ? Je vous en prie, aidez-moi. Tout ce que je vous demande, c'est de m'aider à ne plus réfléchir. Je vous en prie, faites que je ne pleure pas ! je dois écrire.

Quand cette amie de ma mère est venue me chercher, elle m'a dit que Papa était malade et qu'elle allait me ramener à la maison par le train de nuit. Dès les premiers instants, j'ai senti qu'elle avait quelque chose de bizarre. Elle se comportait trop en amie, comme si j'étais son égale. C'est quand elle m'a offert une cigarette dans le train que j'ai tout compris. Papa, s'il te plaît, pardonne-moi d'être en train d'écrire. Ce serait tellement plus naturel et plus convenable d'être en train de pleurer ! Mais moi ça m'est plus facile d'écrire. C'est horrible de ma part de faire en ce moment ce qui me vient le plus facilement au lieu d'essayer de faire ce qui m'est le plus difficile. Pourquoi est-ce ainsi ? Je n'en sais rien.

Arrivée à la maison, on m'a amenée auprès de ma mère qui était allongée sur un canapé. Je sentais tous les regards posés sur moi, comme si j'étais sur une scène et les autres dans la salle. Après le spectacle, Papa allait me redire ce qu'il m'avait dit un jour au Théâtre national : « Arrête de pleurer, ça n'est jamais que du théâtre. Roméo va aller boire une tasse de café avec Juliette, et Mercuttio, qui a été tué un peu plus tôt dans la soirée, est sûrement déjà en train de dormir à poings fermés. Quant à toi, tu vas manger une bonne glace au chocolat sur le chemin de la maison... »

Ils m'ont même acheté un chapeau de paille noir. Jamais, jusqu'à aujourd'hui, je n'ai porté de chapeau, les chapeaux, je trouve cela ridicule. Dans le taxi, je me suis assise à côté de Maman qui portait un épais crêpe noir. Je l'enviais de pouvoir cacher son visage. J'aurais voulu la réconforter, mais je ne savais pas quoi lui dire. C'était la première fois que j'allais à un enterrement. On nous a rassemblés dans un petit bâtiment à plafond bas ; j'étais sur une estrade, près du cercueil. Au début, j'avais peur de regarder. Et puis, j'ai été soulagée de voir que Papa n'était pas là. Il était à la maison assis dans son grand fauteuil gris, fumant et sifflotant tout doucement comme d'habitude. Plusieurs personnes prirent la parole. Et la dernière qui parla avait les oreilles décollées. Je pensais à Dudu, une fille que j'avais rencontrée en vacances à la montagne. Ça avait été un mois de fous rires. Nous jouiions à repérer les gens qui avaient les oreilles décollées. A la fin, toutes les oreilles, même les plus normales, nous faisaient rire aux larmes. Je baissai la tête et j'essayai d'oublier Dudu et les oreilles.

Budapest, 22 juillet 1929. J'écris dans l'office. Partout dans la maison il y a des gens en noir et à la mine sombre. Ici, il y a de drôles d'odeurs. Des oignons, du laurier et aussi du chocolat. On a dû le cacher. Je pourrais en manger plein, et tout de suite. Je ne vais pas le chercher, ni le manger, mais j'en ai envie. C'est horrible. Qu'adviendrait-il si tous les écrivains commençaient à écrire comme ça, c'est-à-dire à coucher par écrit tout ce qu'ils ressentent vraiment, et non pas ce qu'ils devraient ressentir ?

C'était une *angina pectoris*. Deux charmants petits mots latins. Le latin, c'est la seule matière dans laquelle je suis bonne au lycée. Il avait quarante-neuf ans. Jamais je n'ai pensé à l'âge qu'il avait.

Maintenant il faut que je sois très gentille et très sage avec

Maman. Est-ce qu'il va falloir que je réponde toujours oui ? Je les ai déjà entendus parler de moi. Ils ont décidé qu'à la sortie du lycée, je n'aurais pas besoin de travailler, ça, ça veut dire qu'ils préfèrent que je ne travaille pas. Nous avons suffisamment d'argent pour vivre et pour permettre à mon frère de finir ses études en Allemagne. Mais moi, ils ne m'enverront pas étudier à l'étranger. Avec le *numerus clausus* pour les enfants juifs, j'ai peu d'espoir de pouvoir m'inscrire à une université ici. Ils ne me permettront peut-être même pas d'essayer. Ils pensent que ce n'est pas grave pour une fille. Je veux aimer Maman. Elle a besoin de moi maintenant.

Septembre 1929. C'est ma dernière année de lycée. Il est temps de commencer à réviser, pour l'examen de sortie. L'appartement est désert. Le grand fauteuil tend ses bras vides. Six pièces c'est beaucoup trop si on est toujours à la recherche de quelqu'un qui n'est plus là. Et puis ça coûte trop cher. On va déménager pour prendre un appartement plus petit.

Octobre 1929. Aujourd'hui j'ai aidé Maman à trier ce qu'il y a au grenier. Il y avait le vieil unforme de Papa, nos jouets, des traités de droit, des collections de timbres, de vieilles broderies. Comment peut-on s'attacher à ce point aux choses ? Je suis injuste.

Un oncle que je n'aime pas à été désigné pour être mon tuteur. Il me parle au nom de Papa et me dit que je dois rester à la maison avec Maman. Comment peut-il parler au nom de Papa ? Papa, j'en suis sûre, aurait compris que je suis mécontente de ne pas pouvoir étudier et que si je veux travailler, ce n'est pas à cause de l'argent. Pour moi, le problème est de devenir une vraie adulte. Sinon, je me sentirai inutile, prisonnière. C'en est au point que nous nous disputons tous les jours. J'en suis sincèrement désolée pour Maman, mais pas au point de me sacrifier pour elle.

Novembre 1929. J'en ai assez. Peut-être ont-ils raison. Je suis méchante, égoïste et ingrate. Qu'est-ce que c'est que cette histoire de vouloir me rendre utile aux autres alors que je refuse de l'être là où on a justement besoin de moi ? Pourquoi ce besoin de travailler alors que je ne manque de rien ? Je n'arrive pas à leur faire comprendre que je ne veux pas travailler pour avoir de l'argent à dépenser en robes. Je veux faire partie du monde pour mieux le comprendre. Si je n'arrive pas à faire comprendre ce que je ressens si intensément, c'est que vraiment je ne suis bonne à rien. Sinon, on me comprendrait.

Aujourd'hui c'est pour Maman qu'on a besoin de moi à la maison, mais je parie que dans deux ans, ils voudront me marier parce que c'est à Maman que ça facilitera la vie. Si j'enfile mon manteau pour sortir, parce que j'en ai assez de me disputer, elle me dit : « Alors, tu me laisses encore toute seule... » Et si je reste on se dispute. Si j'essaie de lui expliquer calmement les choses, elle cesse de m'écouter dès qu'elle a décidé de ne plus comprendre. Comment lui faire admettre que ce que je veux c'est m'armer pour la vie ? Peut-être que je suis folle, mais je n'arrête pas de me dire que si je travaille, je pourrai en apprendre suffisamment sur les gens et les choses pour devenir journaliste et peut-être écrivain. Même si je n'arrive à réveiller la conscience et le cœur que de quelques personnes, j'aurai acquis le droit de vivre. Peut-être échouerai-je, mais j'aurai essayé. Qu'on me laisse au moins rêver, espérer, avoir envie de le faire !

Il se fait très tard et je ne trouve pas le sommeil. J'essaie de n'être pas injuste, mais il y en a une de nous deux qui a tort. Peut-être est-ce moi.

Décembre 1929. La nuit dernière, j'étais assise dans mon bain et j'ai entendu un étrange sifflement qui venait du chauffe-bain, comme si le gaz s'échappait. J'ai voulu vérifier et puis je n'ai pas bougé. Si je mourais maintenant ? me dis-je. Qu'est-ce que cela me ferait, à moi et aux autres ? Cela fait dix-sept ans que je suis ici-bas et je n'ai encore jamais fait de mal à personne. Je n'ai rien gâché d'important et je me suis rarement ennuyée. Je n'ai rien fait pour rendre les choses meilleures mais je ne suis aucunement responsable non plus de tous les ennuis et de la misère qui nous entourent. Pourrai-je dire cela dans dix ans, dans vingt ans, dans quarante ans ?

Disparaître, comme cela, mais maintenant, à ce moment précis. Je ne vois pas à qui cela ferait du mal maintenant que Papa lui aussi a disparu, et que je ne porte pas beaucoup d'affection aux gens ni aux choses. Puisque tel est notre sort à tous, pourquoi ne pas mourir maintenant que cela semble facile ? Dieu me punira-t-il de ne pas m'être tournée vers lui ? Je n'ai pas peur. Si Dieu existe, c'est lui qui m'a faite telle que je suis. Que vienne la mort quelle qu'elle soit. Cela ne peut pas être pire qu'une vie dépourvue de sens.

Quand ma mère m'a appelée pour le dîner, j'ai ouvert les yeux, et j'ai été très surprise de constater que je voyais et que j'entendais encore. L'eau était froide, je suis sortie de la baignoire, et en grelottant, je me suis regardée dans la glace. J'étais contente d'être vivante. J'ai bien examiné mes seins, et puis j'ai placé mes mains dessous, comme deux coupes, pour voir l'effet que ça faisait dans la glace. Je me demande bien quel effet ça fait dans la vie quand ce sont les mains de quelqu'un d'autre qui se placent comme ça. Et maintenant, si j'ai du mal à m'endormir c'est parce que c'est à ça que je pense plutôt qu'à la mort. Se pourrait-il que ce soit ça qui me trouble autant ? Oui, mais pas ça uniquement...

... C'est drôle, mais Papa me manque plus maintenant que juste après sa mort. Nous avons un hiver sans neige, et les arbres sont nus. C'est peut-être ça vieillir ? Les choses vous quittent, comme les feuilles quittent les arbres, d'abord une par une, et tout d'un coup par paquets. Mais pour l'homme, le printemps ne revient pas. Par la fenêtre, je vois un bout de chiffon sur le trottoir. De temps en temps le vent le fait bouger, on pourrait croire qu'il va réussir à s'envoler, mais il est collé et il retombe. Ce n'est qu'un vieux lambeau sale et abandonné mais il me fait de la peine, j'ai envie de pleurer. Sur le rebord de la fenêtre d'en face, il y a un moineau, il picore un sac en papier. Il picore, picore, mais le papier est trop raide ; il picore pour rien. Je suis comme lui. Je picore, je picore, mais je ne trouve pas le pain, je veux dire le sens de la vie. Un petit moineau qui a faim, c'est ce que je suis.

Papa, ils ne sont pas contents parce que je ne porte pas le deuil. Je me demande si toi tu serais vraiment fâché de ne pas me voir habillée toute de noir pendant toute une année. Pour moi, ça ne voudrait rien dire. Ça n'a rien à voir avec l'amour que j'ai pour toi.

Mars 1930. Nous préparons une fête pour après l'examen, je dirai deux de mes poèmes. Un pour notre professeur de latin, et l'autre que j'ai dédié à Ju. Nous, c'est nous huit, nous sommes toujours ensemble et nous avons décidé d'abréger nos prénoms, alors ça fait : Vi, Do, Ju, Gu, et c'est comme ça que désormais je suis Jo. Je crois que c'est venu du fait que nous avons tant de choses à nous dire, que ça nous fait gagner un temps fou de ne pas prononcer entièrement les noms.

Il fait encore froid, il pleut souvent, mais il y a du printemps dans l'air, les hommes nous abordent dans la rue.

Le spectre de l'examen rôde de plus en plus près. Ça fait huit ans qu'il me terrifie à distance, mais maintenant je m'en fiche, puisque même si je réussis ils ne m'enverront pas à l'Université. J'arrive très difficilement à faire bouillir mon enthousiasme pour la loi de Boyle et de Mariotte sur le volume des corps gazeux (ou quelque chose dans le même genre...). Pleine de bonnes intentions, tous les matins je pars mes livres et mes cahiers sous le bras, et je vais m'installer sur les marches du Parlement en face du Danube. C'est l'endroit dit idéal pour les étudiants qui veulent travailler en paix. Une fois assise, je choisis une matière, c'est le moment que le soleil choisit pour commencer à chauffer pour de bon, et le ciel, l'eau et les collines d'en face pour scintiller. Ça sent le lilas, ou en tout cas, je m'imagine que ça sent le lilas. J'apprends par cœur la première phrase de chaque question de cours, et ça s'arrête là. « Vu d'un point de vue historique, le développement de la juridiction hongroise... » Je répète sept fois de suite mais dans ma tête je pense que ce serait peut-être une bonne idée de m'enfuir de la maison. « Vu d'un point de vue historique... » Il est joli, ce petit chien, en bas sur le quai, il est si jeune qu'il ne sait pas encore lever la patte, il essaie avec une, et puis avec l'autre, décidément ça ne marche pas, tiens il a décidé de s'accroupir, il a bien raison.

19 mai 1930. Aujourd'hui on a passé Littérature. J'ai choisi

« L'âme du peuple hongrois à travers les chansons populaires ». Je leur en ai tartiné tellement long, et avec tant d'âme, qu'à l'heure qu'il est ils doivent être en train de sangloter dans les bras les uns des autres, remués qu'ils doivent être au plus profond de leurs cœurs de patriotes.

20 mai 1930. On a eu Tacite. A dix heures j'avais fini, ça m'a laissé le temps de rédiger les trois autres copies que j'avais promises. On a fait un arrangement, demain j'aurai les maths en échange.

21 mai 1930. Elles m'ont filé les maths. J'ai rajouté quelques petites erreurs pour que ça fasse crédible. Ouf ! je suis tranquille.

Ju et moi, on a passé un après-midi formidable, au bord du Danube. On a fait un jeu. Il fallait marcher sur de longues barres de fer, comme sur un fil, si on ne lâchait pas pied, tout ce que nous désirions le plus se réaliserait.

Juin 1930. Voilà, c'est terminé. Je veux dire le lycée. Maintenant je suis ce qu'on appelle « bene matura », je n'en méritais pas tant. Le banquet était très ennuyeux. La prof de latin, la seule que j'aime, n'est pas venue, elle est malade. Les autres étaient là et elles étaient ridicules à force de vouloir jouer les petites mamans. Et moi j'étais furieuse de ne pas pouvoir leur dire à quel point je les avais détestées. Je suis soulagée, bien sûr, mais pas autant que je le pensais avant l'examen. Pendant les révisions, à la maison il s'était établi une sorte d'armistice. Maintenant les discussions à propos de mon avenir ont repris comme avant. De nouveau je suis une ingrate. On m'a offert une montre en or, et Maman m'a fait faire un tailleur gris et deux robes d'été. Dieu du ciel qu'est-ce qu'elle veut de plus ? Mais moi, je me fiche complètement des beaux vêtements et de tout le reste, je n'ai qu'un seul désir, et il me brûle tellement il est violent, je veux vivre une vie qui veuille dire quelque chose. Zoli dit qu'en réalité ce qui me brûle c'est l'envie de vivre un Grand Amour. Elle est complètement idiote. Encore qu'en y repensant, il serait peut-être temps que je tombe amoureuse.

Je ne peux pas pleurer, mais alors si je ne peux pas pleurer qu'est ce que sont donc ces larmes qui ne sortent pas et qui m'étouffent ? Pourquoi est-ce que je ne peux pas m'empêcher d'écrire des poèmes, si je ne suis pas un poète ? Je ne suis à la recherche ni de la gloire ni de la célébrité. Comment pourrais-je dire ? Bon, admettons que je sois prof, et que je sois meilleure prof que celles qui m'ont enseigné, il se pourrait que je sois capable d'apprendre à bien penser aux quelques enfants qu'on me confierait. Il se pourrait aussi qu'entre eux tous, il s'en trouve un qui devienne vraiment quelqu'un, quelqu'un qui fasse de grandes choses pour le pays. Ça me suffirait comme récompense. Personne ne le saurait, mais j'y aurais été pour quelque chose.

A mon avis, Romain Rolland est l'un des plus grands écrivains, non, je veux dire qu'il est, de tous les écrivains que j'ai lus, celui qui porte en lui les plus hautes qualités humaines. Avec son courage moral, il a fait plus pour lutter contre la haine que les pays se portent mutuellement que n'importe lequel des autres. Après avoir lu Rolland et Remarque, il est impossible que les gens se refassent la guerre. Mais les gens lisent-ils ?

30 juillet 1930. C'est difficile de décrire ma journée, parce que je l'ai vécue comme dans un rêve, ou plutôt un cauchemar. Tout a commencé par une de ces désespérantes disputes avec Maman. A bout d'arguments, je lui ai commencé une lettre, comme dernière tentative, pour qu'elle essaie de me comprendre. Et puis très vite je me suis aperçue que ça ne servirait à rien. Je me suis arrêtée d'écrire, j'avais la sensation d'être prisonnière dans la maison et je suis sortie. Je me suis baladée dans la ville, sans but précis, et tout d'un coup je me suis retrouvée derrière les entrepôts, au Danube. C'était complètement désert comme d'habitude. L'eau du fleuve coulait si lentement, si paisiblement, qu'elle en devenait tentante. J'ai pensé un instant que ce serait peut-être la bonne idée de sauter dedans, et puis, non, ce n'était pas la peine, je nage trop bien. Alors je suis partie en courant, pour rejoindre le boulevard. Je courais si vite que j'ai failli me jeter sous les roues d'un camion. Le chauffeur m'a insultée et je me suis cachée sous une porte cochère. J'y suis restée un moment, je tremblais, j'avais eu peur de mourir et en même temps j'en avais envie, et ça me faisait peur. Et puis tout d'un coup j'ai pensé à la lettre commencée que j'avais laissée traîner sur mon petit bureau, Maman l'avait sûrement trouvée, elle devait être dans tous ses états, et je me suis complètement détestée. Alors j'ai pensé à Lucy. C'est la seule grande personne que je connaisse qui soit capable d'écouter vraiment les gens. Je tremblais encore quand je suis arrivée chez elle. Elle m'a fait prendre une douche froide et elle a téléphoné à Maman. Lucy est prof de gymnastique suédoise. Elle est divorcée, et Maman n'aime pas que je la fréquente, ni elle ni ses amis, sous prétexte qu'ils sont trop « bohèmes ». Mais pour une fois, je pense qu'elle a été bien contente en entendant sa voix. Lucy m'a fait m'allonger sur un canapé et elle m'a laissée parler, parler, parler. C'était la première fois que je parlais autant depuis bien longtemps, et aussi que je suis arrivée enfin à pleurer vraiment. Elle m'a donné un verre et une cigarette, et je me suis sentie complètement soulagée, pleine d'espoir à nouveau, et si apaisée que je me suis endormie.

Août 1930. Tout ça, c'est grâce à Lucy ; nous sommes en vacances en Autriche, Maman, Grand-Mère et moi, et à la rentrée, c'est décidé je cherche du travail.

Je nage tous les jours, par n'importe quel temps. Jusqu'à hier je me baignais avec un garçon de Berlin que la pluie ne dérangeait pas non plus. Ensemble nous faisions cinq fois la traversée du lac en largeur, ça fait quand même trois kilomètres. Il est parti hier, je l'ai accompagné au garage, il a sorti sa voiture, et il m'a demandé si je voulais bien le laisser me donner un baiser d'adieu. C'était exactement ce que j'espérais. Nous nous sommes embrassés et s'il était resté, je serais peut-être tombée amoureuse. Il y a encore un an, là-dessus, j'aurais écrit des pages et des pages, après tout un baiser comme celui-là c'est quand même un événement dans la vie. Aujourd'hui je me bornerai à inscrire seulement que ça a été un moment très agréable, et que je ne me sens pas aussi coupable que je le devrais. « Ils » diraient probablement que je l'ai laissé « profiter de moi », et

299

que je ne me suis pas conduite comme doit le faire une jeune fille bien élevée. Et pourquoi donc ? Pourquoi est-ce que ce n'est jamais dans le sens contraire ? Je n'ai pas donné plus que je n'ai pris. En quoi est-ce immoral ?...

... Ça fait un an maintenant que je travaille, et que j'aime ça. Tacite et Horace, pour ce que j'ai à faire, ne me sont pas d'un grand secours, mais en revanche j'ai la preuve que n'avoir jamais rien compris aux équations, ça ne constitue pas une tare. Malheureusement, depuis cette semaine l'ambiance est triste au bureau. C'est la crise, elle est générale, et cinq d'entre nous vont être licenciés. Je me sens coupable ; je ne suis pas parmi ces cinq, pour la bonne raison que je n'ai été casée ici que grâce aux relations de Papa. Si les autres se mettent à me détester ils auront de bonnes raisons. Je donne la moitié de mon salaire à Maman, et chaque fois que je le lui remets j'ai l'impression de m'acheter une nouvelle portion d'indépendance. Maintenant je peux partir skier et faire de la rame tous les week-ends, et j'économise aussi pour aller faire un tour en Italie. J'ai fait la connaissance d'un groupe de jeunes qui se réunissent régulièrement pour parler politique. Ils font semblant d'avoir des réunions mondaines, mais en fait ils tiennent des meetings. Ils m'ont promis de m'emmener, à condition que je n'en dise rien à personne. C'est dangereux.

La semaine dernière, j'ai eu deux poèmes publiés, ça m'a fait drôle de lire mes mots imprimés. J'ai fait aussi trois traductions de Verlaine.

Il faudrait bien quand même que je me trouve un petit ami. C'est drôle, mais je ne peux pas tomber amoureuse. Les garçons, j'aime bien être avec eux pour nager, faire de la marche à pied, ramer et skier, ça me plaît qu'ils soient des garçons et qu'ils me fassent sentir que je suis une fille, mais je n'ai envie d'être la femme d'aucun d'entre eux.

Je viens de fêter mon dix-huitième anniversaire. Bien plus gai que le précédent ! A propos... je suis toujours vierge. C'est comme si je n'avais pas le temps pour tomber amoureuse. Mais ça veut dire quoi ça ? Parce que tout de même il y a des moments où mon sang me brûle sous la peau.

La semaine dernière, trois grands jours de balade à ski. On a dormi chez les paysans, mangé du lait caillé et du pain chaud aux petits déjeuners, et on s'est lavés dans des ruisseaux glacés. C'était formidable ! Le soir, on enfonçait des torches dans la neige, et on dansait autour des flammes, et on chantait en hurlant. Je suis tombée dans une petite crevasse avec un garçon, on a ri comme des fous et puis on s'est embrassés. Il a des yeux tendres comme ceux d'un chiot, il est beau, grand et il a tout juste dix-huit ans comme moi. C'était peut-être l'occasion idéale pour perdre ma virginité, comme ça, simplement, sans mensonges et sans serments d'amour. Mais dans une crevasse pleine de neige ce n'est pas très commode. Ça a l'air cynique, dit de cette façon, je sais, et pourtant c'est le contraire du cynisme que j'entends. Nous avions là un moment parfait, un moment qui ne reviendra jamais. Aujourd'hui je ne coucherais pas avec lui, et imaginons même que je le fasse, nous nous croirions obligés l'un et l'autre d'enrober la chose d'un tas de boniments soi-disant sincères et passionnels, et alors là, nous serions vraiment immoraux. Menteurs pour cause de morale. Je me demande ce qu'il pense de moi en ce moment. Est-ce que je me le demande vraiment d'ailleurs ? Dans le fond, ça m'est complètement égal. Ce que j'ai aimé dans ce moment-là, c'était ses joues chaudes, ses mains sur ma peau à travers la laine de mon pull-over, son odeur, pas lui-même. C'était merveilleux mais quand il m'a téléphoné tout à l'heure, je n'ai rien trouvé à lui dire.

Depuis un certain temps, j'ai des relations très priviligiées avec les sensations les plus simples, par exemple, quand il neige, en marchant j'attrape au vol les flocons de neige, je les savoure dans ma bouche et c'est un plaisir qui me parcourt des pieds à la tête.

Il neige encore, à gros flocons sur mon âme, et sur mes cils qui scintillent. Sur mon bureau il y a une petite branche qui commence à s'ouvrir dans un vase. C'est la première, le printemps arrive.

J'ai assisté à l'un de leurs meetings, tout ce que j'ai entendu là m'a beaucoup intéressée. Il faudrait que je puisse lire plus de livres sur la Russie, mais ici ils sont interdits. Un des garçons vient de faire quinze jours de prison parce qu'on a trouvé une brochure sur lui.

1931. J'ai un copain viennois qui est parti en province, et nous nous écrivons. Il s'intéresse beaucoup à la politique, et il m'a parlé d'un ami à lui qui est à Prague et avec lequel il a de longues discussions par correspondance. Ce jeune homme va bientôt venir à Budapest et mon copain me demande de lui faire visiter la ville. Ça, ça devrait être intéressant.

... Il était assez gentil. Il m'a raconté qu'à Prague il y avait un groupe qui s'appelle « Front de la Gauche », que le Parti communiste est reconnu comme légal, et que tout le monde peut avoir accès à la lecture de la littérature marxiste et aux discussions qui en découlent. Comme je lui posais des milliers de questions, il m'a donné l'adresse d'un ami qui est beaucoup plus à même d'y répondre, parce qu'il est beaucoup plus calé que lui. Il a dit que cet ami me répondrait sûrement si je lui écrivais. J'ai écrit, et il a répondu, et j'ai répondu, et maintenant j'en suis à attendre ses lettres et les coupures de presse qu'il y joint, au moins deux fois par semaine. Il s'appelle Oskar, Oskar Langer. Nos lettres prennent un ton de plus en plus personnel, et il a fini par m'écrire qu'il aimerait bien que nous nous rencontrions.

Le vieux groupe des « huit du lycée » ne s'est absolument pas désagrégé. Ma préférée reste Ju. Il faut dire que l'amitié très forte qui nous lie a commencé d'une façon très particulière. En face du lycée, il y avait un grand bâtiment de briques rouges. Le matin, pendant un quart d'heure environ, et quand il y avait du soleil, sous un certain angle, les briques rouges prenaient une étrange et tremblotante nuance d'un rose tout à fait mystérieux. Une fois, pendant un cours de physique, nous regardions par la fenêtre, et quand nos yeux se sont rencontrés à nouveau, nous avons compris que nous avions vu la même chose. Son petit papier roulé passa de table en table pour arriver jusqu'à moi, le mien pour arriver jusqu'à elle, les deux disaient presque la même chose mot pour mot « Il faut qu'on entre dans la maison rose, elle est enchantée, j'en suis sûre. »

Par la suite, c'est la petite portion de terre pavée qui s'étend déserte entre les entrepôts et le Danube qui est devenue notre demeure enchantée. C'est là que nous passons nos après-midi libres assises sur des madriers poussiéreux. Nous voyons un miracle dans la plus banale des coïncidences, et nous lisons les certitudes de notre avenir dans l'eau qui coule. Quand le soleil commence à disparaître et que s'allument les lumières sur l'île Sainte-Marguerite, nous sommes seules au monde. Nous avons un pacte : rien de ce dont nous parlons ne doit jamais appartenir à la réalité. Nous avons fait tout l'itinéraire du voyage en Italie que nous allons ne pas faire ensemble. Nous savons à quoi ressemble trait pour trait l'enfant que Ju aura un jour, et comment se présente la couverture de mon premier recueil de poésie. Nous savons comment dépenser les premiers sous du gros lot de la Loterie nationale, dont nous n'avons pas acheté le ticket, parce que ce ne serait pas de jeu. Ju me décompose chimiquement le produit miracle qu'elle inventera quand elle sera pédiatre, et moi je lui raconte mes souvenirs aventureux de grand reporter international. Je lui ai montré quelques lettres d'Oskar, elle a bien aimé, mais la politique ne l'intéresse pas. Elle est beaucoup plus douce que moi, elle est beaucoup plus une vraie femme.

Vätseras, 1978.
Ju fut tuée à Budapest pendant la guerre. On retrouva son frêle cadavre sous un amas de briques. Son mari avait été gazé dans un camp. Ils avaient une fille. En 1956, elle fut touchée d'une balle au ventre pendant les émeutes. Je ne la connais pas, mais on m'a raconté qu'elle avait survécu et qu'on lui avait fait passer la frontière. Je n'ai jamais su et je ne saurai jamais si la balle qui la meurtrit était une balle révolutionnaire ou contre-révolutionnaire.

Vi, dont les longues jambes, les cils démesurés et les délicieuses fossettes nous faisaient pâlir d'envie, réussit ce prodige de vivre toute une année de grand bonheur conjugal avant de se faire déporter. Elle n'arriva jamais au camp, une rescapée qui était dans le même convoi raconta après la guerre comment on s'était débarrassé d'elle en cours de route, et jura qu'elle était encore vivante quand son corps roula sur le ballast.

Li, qui avait des seins somptueux et pour laquelle nous posions nues quand elle préparait son entrée aux Beaux-Arts en classe de sculpture, épousa un fasciste avec lequel elle s'enfuit en Argentine en 1945.

Gu vit en Amérique. Une seule d'entre nous a disparu sans que nous sachions rien de ce qui lui arriva. Les survivantes se mirent en quête d'autres survivantes de leur jeunesse, et elles se rencontrent encore toutes les semaines. A mon retour d'Amérique en 1946, j'allai les voir à Budapest, mais après l'emprisonnement d'Oskar, l'entrée en Hongrie me fut interdite pendant des années. Mais nous ne nous perdîmes jamais de vue, en fait je les revis même une fois, la dernière, quand je leur fis visite à Budapest en 1967. Aujourd'hui émigrante illégale, passible de prison en Tchécoslovaquie, je n'ose pas m'aventurer en Hongrie. Mais nous continuons à échanger de nos nouvelles, ça fait des tas de lettres drôles dans lesquelles nous nous racontons comme ça fait drôle de vieillir.

Pendant les années 1967-1968, un miracle se produisit qui se répandit à travers toute la Tchécoslovaquie, il était tellement lumineux que même moi je succombai à son charme, pendant quelque temps. Le temps était enfin venu où les voix de la nation pouvaient se faire entendre, elles s'étaient réveillées, et elles criaient, elles criaient que tout ce qui s'était commis au nom du socialisme était désastreusement faux, qu'on pouvait, qu'on devait changer les choses. Les changer pour faire quoi à la place ? Pour instituer un vrai socialisme, le socialisme, quoi ! celui dont nous rêvions quand nous étions jeunes. Les intellectuels et les étudiants commencèrent à exiger des choses, qui n'auraient jamais dû faire l'objet d'exigences, telles que : l'arrêt du ruineux et imbécile système des cadres, le droit de choisir les membres du Parlement, la fin de ces privilèges accordés à quelques-uns qui grâce à cela vivaient beaucoup mieux qu'un riche patron en pays capitaliste, comparativement à la façon dont survivent ses manœuvres. Ils exigeaient aussi le droit de lire les journaux et les livres de leur choix, le droit de voyager, la levée d'écrou et la réhabilitation pour certains innocents encore emprisonnés, le châtiment pour les procureurs et les tortionnaires des années cinquante. Ils ne voulaient plus voir les plis du drapeau national obligatoirement mêlés à ceux du drapeau soviétique, sauf quand une commémoration spéciale le justifiait, et ils voulaient entendre moins d'hymnes soviétiques. Ils exigeaient de la presse et de la radio une vraie information. Tout cela leur fut refusé par Novotný dont le gouvernement était déjà au bord de la faillite morale et politique, mais la vérité avait quand même commencé d'apparaître pour ceux qui savaient lire entre les lignes. Alors on vit les gens de la rue manifester contre les heures de queue qu'il fallait faire pour acheter la nourriture ou le moindre objet de première nécessité parmi le tintamarre de slogans qui glorifiaient notre haut niveau de vie, on les entendit aussi demander pourquoi les Travaux publics se cantonnaient dans la construction de Palais de la Culture au lieu de bâtir des immeubles d'habitation, et pourquoi, quand ils en bâtissaient, les appartements n'étaient pas accessibles aux simples ouvriers.

Et puis un jour, enfin, Novotný tomba.

Le jour de sa chute, le hasard voulut que je sois à Prague. Je célébrai la nouvelle dans un bistrot où nous étions entrés, un ami, moi et un groupe de jeunes. Si le mot s'enivrer a un sens, je peux dire que nous nous enivrâmes, pas tant du peu de vin que nous buvions que des énormes lampées d'espoir auxquelles nous portions des toasts. Pendant toute la soirée le « il était une fois » des contes de fées devenait crédible, pour une fois le bien avait triomphé du mal.

Et puis Dubček vint. Il était parfaitement inconnu, et de cet inconnu on attendait tout. La censure fut abolie, ou plutôt devrais-je dire réduite à l'autocensure de chacun, alors les voix s'élevèrent pour fustiger les désillusions qu'avaient engendrées le régime. Plein de groupes se formèrent, ils avaient tous des revendications différentes, mais aucun ne réclamait le retour au capitalisme.

Jamais un citoyen de l'Ouest, même s'il nous croit quand nous le racontons, ne comprendra vraiment ce que nous ressentions, massés en groupe devant la télévision, le cœur gonflé de gratitude, à en avoir les larmes aux yeux, en regardant quelqu'un dire enfin les vérités que nous connaissions depuis des années. Les « 2 000 mots » de Vaculik[1] secouèrent l'Europe, ils n'étaient cependant rien d'autre que les milliers de mots que

1. Le 27 juin 1968, l'écrivain Ludvik Vaculik publiait un manifeste portant de nombreuses signatures dans le *Literarni Listy* sous le titre « 2000 mots », invitant la population à combattre « contre les vieilles forces, contre tous ceux qui ont abusé de leur pouvoir, qui ont dégradé le patrimoine collectif » en formant des « conseils et commissions de citoyens ». Sur les réactions des dirigeants, voir le récent témoignage du secrétaire du Comité central du PCT, exclu en 1970, Zdeněk Mlynář (*Le froid vient de Moscou. Prague 1968*, Paris, Gallimard, 1981). (N.d.T.)

90 % de notre population s'étaient répétés tout bas pendant des années.

Le goût des manifestations nous reprit, et c'est en processions que nous avancions, stylos à la main, vers les tables où s'amoncelaient de solennelles proclamations, que nous paraphions avec la même dévotion que celle d'un chrétien qui attend l'hostie.

On redescendait des greniers les portraits de Masaryk, et aux enfants attentifs on expliquait qui était ce vieil oncle très beau, et ce qu'il avait su faire de ce pays, avant l'occupation allemande et le colonialisme russe : la démocratie la plus progressiste et la plus avancée de toute l'Europe, un pays dont ils pouvaient être fiers et qui, en dépit des restrictions et de la crise économique mondiale, ne serait plus jamais l'enfer féodal dans lequel ils avaient jusqu'alors vécu.

C'est avec enchantement que nous écoutâmes le professeur Sik[1] déclarer à la télévision que notre économie était en pleine déconfiture. C'était tout de même beaucoup plus salutaire que d'avoir à entendre jour après jour que nous étions en train de surpasser le niveau de vie des Américains, alors qu'une heure de salaire payait à peine le prix de trois oeufs, dont un, sur les trois, était généralement pourri.

Et puis les gens se retrouvaient, la peur les avait éloignés les uns des autres, la peur avait cessé. Chez nous, la maison était pleine d'amis, mais ce qui se passait à l'extérieur était bien plus extraordinaire, les gens dans la rue se souriaient sans se connaître, et dans les trams ils ouvraient leurs transistors et commentaient les nouvelles. Pour la première fois depuis longtemps, des millions d'hommes et de femmes apparemment indifférents et résignés se mettaient tout d'un coup à jouer leur rôle de citoyens.

Je subissais le charme de tout cela. J'avais été si longtemps sevrée de bonheur qu'il m'arrivait même parfois de participer sincèrement à l'allégresse générale. Mais les années qui venaient de passer ne m'ayant pas offert à moi le luxe de l'indif-

1. Ota Sik, vice-président du Conseil des ministres durant le « Printemps de Prague », relevé de toutes ses fonctions et exclu du Parti en 1969. (N.d.T.)

férence, j'étais trop entraînée à la vigilance pour ne pas remarquer qu'il se glissait toujours, çà et là, quelques fausses notes dans les hymnes entonnés à la gloire de l'espoir et du renouveau. Elles grinçaient dans mon oreille d'autant plus désagréablement que je reconnaissais les voix qui les poussaient. Le mot « erreurs » se chantait beaucoup. Oskar s'en était servi lui aussi, pour justifier son calvaire qu'il attribuait à des « erreurs », et voilà que les nouveaux prophètes, revenant aux sources, choisissaient pour parler des assassinats, des monstrueuses conditions de vie et de l'impudente malhonnêteté du système, d'englober le tout dans ce vieux mot « erreurs ». Des « erreurs » avaient été commises... « On avait commis des erreurs », le « On » se transforma en « Novotný », Novotný avait commis des erreurs. Des slogans se chantaient aussi : « Violation de la légalité socialiste », par exemple. Qui avait violé quoi ? De quelle légalité socialiste parlait-on ? Où donc existait-elle cette légalité socialiste ailleurs que dans nos rêves ? Il se scandait aussi un autre refrain : « Le parti doit retourner aux principes léninistes. » Quels principes ? Ceux que lui, Lénine, avait employés pour anéantir tous les partis au bénéfice du sien propre qu'il avait su transformer en instrument de terreur ? Sa mort, quoi qu'on en dise, n'avait rien changé. De son vivant, Lénine n'avait jamais fait la moindre tentative pour essayer de comprendre ou de convaincre ses opposants à l'intérieur du Parti. La seule méthode qu'il connaissait s'appelait la dérision et la calomnie : « mercenaires », « laquais de l'impérialisme », « agents de l'étranger », telles étaient les pancartes qu'il accrochait autour du cou de ceux qui n'étaient pas d'accord avec lui avant qu'il les livre à la Tchéka, dès que son pouvoir personnel fut assez solide. Dans les années trente, le lecteur de Lénine pouvait croire que les émeutes de Kronstadt et les grévistes de Pétrograd avaient été « manipulés par l'étranger », s'il voulait croire en un « avenir radieux ». En 1968, pour un lecteur de Lénine qui l'avait vécu, cet « avenir radieux », il était difficile de croire que ses propres rébellions contre l'injustice et la terreur n'étaient que des « manipulations de l'étranger ». C'est pourtant ce qu'il pouvait entendre s'il se branchait sur Radio-Moscou, ou sur la radio d'Ulbricht en Allemagne de l'Est, et lire, s'il se le procurait, dans les colonnes du *Neues Deutschland,* à propos de notre soulèvement. Nous étions tous manipulés par l'étranger ! Tous des « laquais de l'impérialisme ». J'avais, quant à moi, connu trop de « laquais » qui s'étaient fait pendre, et j'avais très longtemps vécu avec un « agent de l'étranger ».

On commençait aussi à ressortir le vieux couplet du « culte de la personnalité », comme excuse pour tous les crimes qui s'étaient commis. Et ça, ça relevait de l'ineptie la plus grossière. Il y avait bien quinze ans que Staline était mort ! Quant à Novotný, il n'avait été l'objet d'aucun culte personnel tandis que le gâchis et l'horreur se perpétraient sous ses auspices.

Je reconnaissais trop de voix dans ce grand concert que nous donnaient les nouveaux prophètes de l'intelligentsia. C'étaient souvent les voix de ceux qui avaient chanté les odes à Staline, et vociféré les injures contre les accusés pendant les procès, et les réentendre aujourd'hui trousser les refrains à la gloire d'un « nouveau socialisme à visage humain » me donnait à penser qu'ils étaient aussi dangereux qu'ils l'avaient été, et même un peu plus, étant donné qu'aux oreilles des Russes leurs incantations passeraient inmanquablement pour de la provocation.

Progressivement, j'en vins à la conclusion que ce « nouveau » socialisme n'était nouveau qu'en façade. Le Parti demeurait infaillible, les vieux staliniens étaient toujours en place au Comité central. Le nom de Gottwald était toujours vénéré comme celui d'un saint, par les soins des prophètes en question dont la plupart avaient été ses collaborateurs. Les travaux de la Commission chargée d'enquêter sur les purges du passé n'étaient toujours pas publiés. En revanche, il est vrai qu'on traîna publiquement en justice quelques-uns des chefs tortionnaires de la prison de Ruzyn. L'un d'entre eux devint même une vedette de l'actualité. Son procès, ses aveux et son châtiment bénéficièrent d'une énorme publicité. On fut beaucoup plus discret par la suite à son égard, puisqu'il devint très vite directeur de notre Agence nationale de voyages. Contrairement à ce qu'on aurait pu penser, il ne profita pas des occasions que lui offrait ce poste enviable pour s'enfuir à l'étranger, il demeura. Apparemment il se plaisait beaucoup sous le nouveau climat de notre « Printemps ».

Dubček était là où il était parce qu'il avait été porté aux sommets par les espérances de toute une nation, pas parce qu'il était l'homme d'un programme personnel pour l'avenir. L'avenir ! Il fallait être resté bien innocent, et bien ignorant en matière de géographie, pour ne pas voir qu'il nous était tracé par l'Union soviétique.

Moi je n'étais malheureusement pas restée innocente, et je connaissais très bien ma géographie, c'est pourquoi je décidai de profiter immédiatement des autorisations de voyager, désormais accordées grâce au « Printemps ». Tania était partie avec un groupe de jeunes pour travailler dans un kibboutz en Israël (on leur avait remis leurs visas à Vienne, sur des feuilles volantes, afin de ne pas « maculer » leurs passeports, encore que leur destination fût connue de tous), Susie et Zdenek étaient en Yougoslavie, ils avaient un contrat de deux mois et avaient été autorisés à emmener leurs enfants avec eux. Au début d'août, je racontai à mes amis que j'allais descendre en voiture en Yougoslavie pour prendre quelques jours de vacances avec les enfants. A mes locataires, et à eux seulement, je dis la vérité ; je quittais le pays pour de bon, et j'allais persuader mes enfants d'en faire autant. J'envoyai un télégramme à Tania pour l'instruire de ne pas revenir à la maison mais d'aller retrouver sa soeur, j'expédiai à Vienne une valise pleine de ses vêtements, j'empaquetai un maximum d'objets personnels que je casai dans la voiture. Tout était prêt pour mon départ.

Le 5 août, je fis mes adieux à mes locataires, et comme nous nous aimions beaucoup, ces adieux-là se déroulèrent en embrassades et en bourrades affectueuses, et chargées d'une émotion dans laquelle je distinguai tout de même qu'ils me prenaient un peu pour une folle. Un peu moins d'une semaine après, c'est eux qui me donnèrent la bienvenue. Elle fut aussi chaleureuse que l'avaient été les adieux, mais néanmoins teintée, cette fois-là, d'une légère ironie. Je n'avais pas été plus loin que Graz. Là, j'avais passé mes cinq jours avec de vieux copains. Cinq jours pendant lesquels je n'avais pas arrêté de me poser des questions, et, comme je me les posais à voix haute, mes vieux copains y répondaient, et comme mes vieux copains étaient d'éternels émigrants, leurs voix me répondaient qu'il fallait émigrer, et je les écoutais. Malheureusement le hasard voulut que j'écoute aussi Radio-Bratislava. Ce que j'y entendis contredisait tellement mon pessimisme que je me traitai moi-même de Cassandre folle, alors j'envoyai un autre télégramme à Tania qui la priait de rentrer à la maison, et je m'en retournai chez moi pour vivre le socialisme à visage humain. C'est-à-dire pour vivre les quinze jours qui lui restaient encore à vivre.

Le soir du 20 août, je dînai dans le restaurant à la mode qui était au pied du château. Autour de la table, il y avait un professeur d'université américain, dont les cheveux blancs étaient aussi fournis que ceux de Russell, qui s'en allait faire des conférences en Russie et avait fait escale à Bratislava, un couple de journalistes étrangers, tous deux kremlinologistes endurcis, très curieux d'observer les bourgeons de notre « Printemps », et mes amis les Löbl. La conversation avait été passionnante et, mis à part quelques quolibets sur Ulbricht, c'est l'optimisme le plus parfait qui avait présidé à toute la soirée. Même moi, je nageais dans l'optimisme, à tel point qu'au lieu de placer mes commentaires habituels, je me contentai ce soir-là, s'il se disait quelque chose qui me déplaisait, d'échanger quelques regards lourds de sens avec Fritzi Löbl.

Vers onze heures, je rentrai à la maison, et renvoyai chez lui le petit ami de Tania. Il était en uniforme, il faisait son service et avait profité d'une permission pour venir la voir. J'étais déjà couchée quand j'entendis une poignée de gravier contre le carreau de la fenêtre. Je sautai du lit et j'aperçus dans le jardin le garçon qui demandait par gestes qu'on le laisse rentrer dans la maison. J'ouvris la porte, il était vacillant et hors d'haleine, son visage était vert. Il raconta. Il venait à peine de nous quitter quand il avait croisé un homme qui courait et qui lui avait crié d'aller se cacher, lui et son uniforme, les tanks étaient en train de gravir notre colline. Nous n'avions pas besoin de preuves, nous entendions déjà le roulement des chenilles sur le pavé, et puis soudain des coups de feu dans le lointain. Les téléphones se mirent à sonner à travers toute la ville : « C'est pas vrai », « Tu es folle », « Tu es saoul », « C'est impossible ! ». Nombreux furent ceux qui raccrochaient croyant avoir affaire à un mauvais plaisant.

Et puis, très vite, la radio fit passer un communiqué. Il était solennel, alors la Nation tout entière changea de cri, et au « Ils n'oseront jamais », succéda le terrifiant « Ils sont là ».

Le consulat soviétique se trouvait dans notre rue, presque en face de chez nous, c'était l'ancienne résidence d'un homme très riche. Personne ne songeait à lui donner l'assaut, mais pendant toute la nuit des cars y avaient déversé des familles entières de citoyens russes, et de temps en temps ça tirait des fenêtres, sans doute pour décourager une offensive possible. Les balles rebondissaient sur le pavé, et quelques-unes se logèrent dans les troncs d'arbres de notre jardin.

Ce qui se passa pendant les cinq jours qui suivirent cette nuit-là peut se résumer ainsi : la peur, de l'héroïsme gratuit, l'écoute passionnelle de la radio clandestine, des rumeurs invérifiables, des serments de résister, quelques morts dérisoires, la chasse aux aliments, aux piles pour transistors et à l'essence, des grappes de jeunes faisant la grève de la faim dans notre rue, des grappes d'autres jeunes s'accrochant aux carapaces des tanks pour essayer de discuter avec d'autres jeunes qui, du haut de leurs tourelles, semblaient sourds, de l'humour noir fleurissant les murs d'inoubliables graffiti, des panneaux indicateurs déplacés pour dévoyer le cheminement des troupes, et surtout et par-dessus tout une énorme bouffée de fraternité.

Les autres étaient atterrés, moi pas, ce n'était pas une surprise. En revanche, la grande surprise — et atterrante celle-là — je la reçus en entendant certains noms, dont la liste était donnée par la radio clandestine : la vieille garde avait repris du service, elle avait encore les mains pleines du sang des années cinquante, et elle remontait au front, mais cette fois-ci protégée par les tanks.

Alors je pris ma décision, et rien ne pouvait plus la différer. Ni les attraits de cet appartement nouvellement meublé, ni le compte en banque, ni le confort dont je jouissais maintenant ne faisaient le poids devant le retour évident de ces gens-là au pouvoir. Mes enfants ne vivraient pas, et mes petits-enfants ne grandiraient pas dans cet endroit-là. On m'avait traitée de folle, maintenant la preuve était faite que la folle ce n'était pas moi, et dorénavant mon jugement seul prévaudrait.

Ce cinquième jour, je refis mes paquets, je creusai un trou dans une éponge en plastique pour y enfouir le peu d'argent liquide que j'avais sous la main, je dis à mes locataires qu'ils pouvaient se servir dans le tas de choses que je laissais derrière moi, et je leur souhaitai bonne chance pour la petite guerre qu'ils allaient avoir à mener s'ils voulaient conserver leur place dans la maison. Comme nous avions entendu la veille un reportage enregistré à Vienne sur un réfugié qui déclarait être probablement le dernier à avoir pu passer la frontière sans dommages, étant donné qu'à partir de maintenant on tirait sur les voitures, Tania était morte de peur. Je lui fis avaler deux tranquillisants, et nous démarrâmes. Ces adieux-là se déroulèrent sans bourrades et sans rires.

Je passai la frontière entre deux colonnes de tanks, sous le regard abruti de soldats visiblement indifférents. Une fois à Vienne, je constatai que nous n'étions ni les premiers ni les derniers de cette foule de réfugiés qui n'allait pas cesser de s'enfler jusqu'à devenir une marée humaine de plus de cent mille âmes.

C'est en Angleterre que nous trouvâmes l'hospitalité, la chaleur de l'amitié, l'aide matérielle et l'asile politique. Deux mois après, je débarquai en Suède ; pourquoi la Suède dont je ne savais rien sauf qu'il y faisait froid et que c'était la patrie de Selma Lagerlof et de Strindberg ? Ceci est une autre histoire et je vais la résumer brièvement.

Susie, Zdenek et leurs deux petits garçons étaient en Suède. Normalement, leur engagement en Yougoslavie aurait dû prendre fin juste au moment où les chars avaient fait leur entrée en Tchécoslovaquie, mais les Yougoslaves prolongèrent leurs contrats pour leur éviter de rentrer, et c'est comme ça qu'ils purent directement gagner la Suède où les attendait un contrat de deux mois, signé depuis longtemps. Mais maintenant les amis essayaient de les persuader de rentrer au pays, et au téléphone, de Londres, je les avais sentis hésitants.

Je n'eus plus qu'une obsession : les avoir en face de moi et leur dire ce que je pensais de l'avenir désormais réservé à la Tchécoslovaquie. Il ne s'agissait pas de leur dire ce qu'ils avaient ou ce qu'ils n'avaient pas à faire, mais il fallait qu'ils m'écoutent avant de prendre leur décision car c'était d'elle que dépendrait le futur de leurs enfants, pas le mien. Auraient-ils décidé de rentrer, je les aurais suivis, pour une seule raison : être auprès de ces deux petits garçons qu'ils n'auraient plus jamais l'autorisation d'emmener avec eux si toutefois on leur donnait encore à eux la permission d'aller travailler à l'étranger.

Je quittai Londres un triste matin d'octobre. J'embrassai Tania comme si je la perdais pour toujours. Sur le bateau, j'essayai de démêler les fils qui se tendaient pour la première fois devant moi. Je n'avais jamais tenté de changer le cours de la vie des autres, j'étais trop respectueuse de la liberté pour cela. Tout était tellement compliqué qu'à un certain moment, en contemplant la mer, j'eus la brève mais précise tentation de sauter dedans, une façon de les forcer à me croire, pensai-je. Ça fait un peu mélo, raconté comme ça, et pourtant, dans le moment, c'est exactement ce que je pensais. Je ne sautai pas. Pour rester dans le mélo, je pensai que j'avais un livre à finir. Dussé-je rentrer avec Susie en Tchécoslovaquie, je finirai d'abord ce livre, pour qu'il raconte aux gens de l'Ouest une vérité qu'ils ignoraient visiblement. Si j'avais pu penser dans ce moment-là que même Soljenitsyne se ferait traiter de fasciste par des gens qui n'avaient même pas entrouvert ses ouvrages, j'aurais probablement sauté. Mais, dans ce temps-là, je croyais encore que les progressistes du monde libre manquaient d'informations pour agir comme ils le faisaient.

Quoi qu'il en soit, ce n'est pas en noyée que j'abordai les

côtes de la Suède, et c'est bien vivante que j'arrivai à Vätserås ; comment j'y arrivai sans me perdre et si rapidement reste encore un des grands mystères de ma vie. Je sais que je conduisais dans un état d'hébétude, que l'autoroute était jalonnée d'innombrables postes à essence, et que le mot « INFART », inscrit sur des panneaux lumineux, brillait dans la nuit. La nuit était une matinée suédoise, le soleil ne se leva qu'à midi. Et le mot « INFART » était un mot suédois qui veut dire « Entrée ». Mais moi, je lisais « Infarkt », qui est un mot international pour crise cardiaque, et chaque fois que je dépassais le panneau j'étais prise entre l'espoir et la peur de tomber raide morte.

A Vätserås, on me casa dans la chambre des petits, à l'hôtel où était descendu l'orchestre. Noël approchait, et dans la salle à manger décorée se dressait en permanence un buffet bien garni auquel les musiciens étaient autorisés à venir se restaurer quand ils en avaient envie. Pendant les pauses, dans la journée, nous discutions de politique et d'émigration, le soir je les écoutais jouer, je dansais parfois avec des Suédois d'âges divers et en état d'ébriété plus ou moins avancé, et la nuit, incapable de trouver le sommeil, je réfléchissais. Il faut dire que pas un jour ne passait sans qu'il y eût un appel de Bratislava. Les Russes étaient en train de faire leurs paquets... Ils partaient, Dubček allait très bien... Susie et Zdenek étaient fous de ne pas rentrer. Je crus que Zdenek allait me sauter à la gorge le jour où je lui demandai quel effet ça lui ferait de se retrouver en train de chanter pour le public de Moscou, puisque c'était bien ce qui l'attendait tôt ou tard en rentrant. Il cessa de m'adresser la parole pendant plusieurs jours. Nous fîmes un aller et retour à Stockholm pour nos visas de transit. Il faisait très très froid, très très noir, il ne neigeait pas : c'était une de ces journées où la Suède montre son visage le plus triste. Des gens emmitouflés comme des paquets circulaient dans les rues de la grande ville, ils me faisaient de la peine. Eux étaient condamnés à vivre dans le froid et l'obscurité quasiment perpétuels, alors que j'avais la chance, moi, de retourner dans un pays où le printemps flotte alentour... Je m'essayai à ce truc-là, mais il ne marcha pas.

Le contrat des enfants touchait à sa fin. Il nous fallait donc penser au retour, et rien qu'à l'idée de repasser la frontière entre tous ces uniformes, j'étais malade. Mais Susie m'ayant fait part des décisions de son mari par rapport aux dernières nouvelles, je m'étais résignée. Après tout, ce n'était pas à moi, juive errante et native d'ailleurs, de pousser à la désertion un authentique enfant de son pays pour seule raison de pessimisme personnel. Et comme je ne voulais pas abandonner les petits, l'affaire était classée. C'est dans cet esprit que j'abordai un matin mon gendre au détour d'un couloir de l'hôtel. C'était très tôt le matin et il était encore en pyjama ; il me fallait, lui dis-je, acheter un nouveau train de pneus en prévision de la longue route qui nous attendait, connaissait-il un revendeur d'occasion ? Vous n'en aurez pas besoin, me répondit-il.

Je ne saurai jamais si c'est mon influence, une nouvelle nouvelle, ou un élan personnel qui lui fit prendre sa décision. Toujours est-il que nous restâmes en Suède.

En Suède où les enfants surent se construire une bonne vie, pour eux et pour leurs enfants.

Quand on me demande, à moi, si je me plais ici, ma réponse est toujours la même : « Demandez-moi plutôt où je me plairais le moins, vous comprendrez alors pourquoi je me plais ici. » Et c'est en partie vrai.

Nous sommes fin avril et il neige. Mais bientôt le miracle apparaîtra. Nous nous coucherons un soir d'hiver, et nous nous relèverons le lendemain dans un matin d'été. Tout aura explosé dans la nuit. C'est comme ça qu'elle est, la nature, dans le Nord, mais dans le Nord seulement. Je ne connais rien de plus beau qu'un été suédois (quand il n'est pas trop froid) ; j'en ai connu sans doute d'aussi beaux, ailleurs, mais c'est celui-là qui me bouleverse aujourd'hui. Après tout, moi aussi, je suis suédoise maintenant !

J'ai vieilli, et certains soirs, en attendant que vienne le sommeil, il m'arrive de souhaiter qu'il se prolonge éternellement, puisque je n'ai rien à attendre à mon reveil de très heureux ou de très nouveau. Il m'arrive quand même aussi de me réveiller, certains matins, pleine de curiosité pour ce pays, comme si j'y étais arrivée la veille, mais avec la connaissance de son passé et de ses mérites, que je possède maintenant, et je retrouve la vieille foi que je croyais avoir perdue pour toujours. Oui, la société peut faire des progrès sans se servir de moyens inhumains ; oui, les masses laborieuses peuvent atteindre à un meilleur niveau de vie sans avoir à le payer par des hécatombes, et sans apprendre à se passer de tout ce qui fait justement la vie meilleure. On l'avait fait ici, mais avec intelligence, de la bonne volonté et beaucoup de travail. Tout est loin d'être parfait ici, mais dans beaucoup de domaines les buts ont été atteints. Pourtant, il y a des mécontents, autour de moi, beaucoup de mécontents. Je les observe et je les écoute, et je viens de comprendre quelque chose : pour savoir apprécier ce qui est bon ici-bas, il faut avoir atteint une maturité qui est la mienne, celle d'une vie jalonnée de barricades qui s'appellent le dénuement, la souffrance, l'intolérance et les batailles.

Il m'arrive aussi d'aller, avec les parents d'élèves, aux concerts que donne l'Ecole de musique. De ma place, dans le troupeau de tous ces petits Suédois blonds aux visages angéliques, je peux contempler, quand il se lève, le cadet de mes petits-fils jouant une composition de son grand frère. Susie, toujours aussi jolie, tient la main de son mari, ils sont assis tout près, et ils m'aiment bien d'être là, moi, la débile musicale. Il m'arrive aussi d'aller passer quelques jours chez Tania. Elle, elle a fait une grosse bêtise. Elle n'a personne à qui tenir la main, mais elle a un petit garçon qui ne sait pas encore lire, mais qui sait très bien faire la sélection des livres dans lesquels sont écrites les histoires qu'il veut entendre, et ça peut durer des heures. Elle ne s'est pas gâchée, Tania, elle n'est pas tombée dans les pièges à la mode de sa génération, et surtout pas dans celui qui fait fureur : détester sa mère. Alors, elle est et demeure ma meilleure amie, celle avec laquelle je peux rire beaucoup et pleurer un peu aussi quelquefois.

Il y a encore des matins aussi miraculeux que celui qui ne va pas tarder à venir nous surprendre, nous les gens du Nord. Dire que je me sens jeune serait beaucoup dire, mais il me reste la curiosité du futur, la liberté dont je connais le prix, l'amour de ceux que j'aime. Je ne suis pas morte, quoi !

COMPOSITION : S.É.P. 2000 IMPRESSION : S.E.P.C.
D.L. 2e TRIM. 1981. N° 5899 (655).

60